고요한 날에

고유한 우리의

마음을 담아

마음이
고요한
날에

마음이 고요한 날에

황녘

유명숙

이한나

체리

김영신

임유경

류하

바니

오다솜

조재호

추천의 말 하나, 이창현 고유출판사 대표

마음이 고요한 날에 이 책을 집어드셨겠지만, 여기 글들은 독자분들의 마음을 마구 요동치게 할 겁니다.

죄송합니다. 이 책에는 온통 마음을 뒤흔드는 이야기밖에 없습니다. 첫 글부터 확 빨려 들어가 어느 순간 작가의 예민하고 섬세한 문장 덕에 쿵쾅대는 심장을 마주할 것입니다. 그 이후에는 애틋하고 절절한 사랑 이야기로 눈물을 찔끔 흘릴 수도 있겠습니다. 그러다 시공간을 여러 번 이동해 누군가가 애정을 가지고 있는 공간에 다채로운 시선이 담긴 글로 마음을 차분히 가라앉힐 수 있겠습니다.

다음으로 지난 삶에 대한 고군분투, 희로애락의 역사를 자신만의 문장으로 정리한 이야기, 한 사람이 어떻게 이렇게 다양한 능력과 취미를 가지고 있는지에 놀라움을 금치 못 하는 이야기, 20개에 가까운 일을 경험하고 자신을 성찰한 이야기, 고요한 날, 글쓰기 때문에 고요하지 않은 마음을 다시 글쓰기로 풀어낸 이야기, 피아노를 전공하고 싶지 않았지만 지금은 피아노 학원 원장이 되어 피아노를 가르치고 있으며 자신과 피아노에 대한 고찰을 담은 이야기. 북한과 가장 가까운 섬 백령도에서 2년간 근무를 하며 끓어올랐던 부정의 감정, 그리고 다시 초연을 풀어낸 이야기. 마지막으로 자신이 미뤄왔던 이야기를 이제야 꺼내며 무언가 마음속 일렁인 작은 두근거림을 조심스레 정리한 이야기까지.

제 마음은 이야기 하나하나를 읽을 때마다 마구 요동쳤습니다. 독자분들도 작가들의 진심 어린 문장을 따라, 마음이 온통 요동치셨으면 좋겠습니다. 마음이 고요한 날이지만요.

추천의 말 둘, 박정원 작가

혼자가 버거운 분들이 우연히 이 책을 만나게 되길 진심으로 바랍니다.

흔히 글쓰기를 개인 작업이라고 합니다. 나만 있어도 충분히 해내는 일이라는 말이겠지요. 하지만 글을 써본 사람이라면 이것이 쉽지 않다는 걸 아실 겁니다. 나는 쓰는 사람이 되는 동시에 읽는 사람이 되니까요. 문장을 마치지 못하고 머뭇거리는 사람, 다음으로만 밀어붙이는 과감한 사람으로 나아가니까요. 어느새 원하는 만큼 다 써도 나는 온전해지지 않습니다. 이제 끝났다며 시원함을 느끼는 사람에 이어 이게 정말 끝인지 의심하는 사람이 따라오니까요. 글을 쓰는 데에는 참 많은 사람이 필요합니다.

마침내 우리는 이 책으로 세상에 나타나는 사람이 되었습니다. 함께 글을 쓰면서 서로에게 필요한 사람이 되어 주었습니다. 개별적으로 주인공이면서 적극적으로 조력자가 된 것이지요. 나만의 글을 자신하다가도 타인의 글에 작아지는 순간도 있었습니다. 쓰는 사람으로서 나의 존재감이 미미하다고 느끼는 한동안도 있었습니다. 창작의 세계가 넓어져 오갈 곳이 더 많아졌을 뿐이라는 걸 이제는 압니다. 혼자가 버거운 만큼 내가 머무는 세계가 넓어져 있을 겁니다. 그 안에서 내 몫을 기꺼이 나누겠다는 사람들을 여기 더 모으고 싶습니다.

얼굴도 목소리도 모르는 누군가의 이야기로도 나는 성장할 수 있다고 믿습니다.

차례

일러두기

책 집필에 참여한 작가 대부분은 자신의 글을 처음 세상으로 내보입니다.
출판사는 작가들의 원고에 큰 오탈자와 비문 정도에만 개입하였고, 그 외에는 자신의 문장이 그대로 세상에 나오는 즐거움을 느낄 수 있도록 개입하지 않았습니다.

황녀

상실의 증명

1. 원인: 1996년 11월
   제공자: 김현석, 그의 입장

2. 소명: 2015년 8월
   대상자: 김상현, 그의 사유

3. 실행: 1996년 11월
   책임자: 황혜정, 그녀의 진술

4. 상실: 2024년 2월
   증명자: 김상현, 그의 애도

원인: 1996년 11월
제공자: 김현석, 그의 입장

눈 감은 낮은 길었으나 깨어있는 밤은 짧았다. 언제나 낮보다 밤이 짧았고, 시간은 깔때기에 던져진 것처럼 너르게 퍼졌다가도 밤이 되면 빠르게 빨려 내려갔다. 일은 언제나 깔때기의 끝에서 끝났다. 매일의 시간이 넓게 퍼지기 전에 서둘러 눈을 감았다.

깊은 잠을 자려고 창에는 검은 종이를 발랐다. 그러나 빛을 다 막지는 못했다. 햇빛은 창틀과 검은 종이 사이에 기이한 각도로 비집고 들어와 답답한 공기를 갈랐다. 빛은 아무리 작아도 빛이어서 실낱같은 한 줄기의 빛에도 눈은 뜨였다. 빛은 들어올 수 있으나 바람은 들어올 수 없음이 이상하다. 빛 대신 바람이 들어오면 좋을 텐데. 어슴푸레 낮은 천장이 눈에 들어온다. 건조한 바람이 낙엽과 먼지를 몰고 다니는 계절임에도, 깔고 누운 이불은 여전히 눅눅했고 딱딱한 합판은 좀처럼 따듯해지는 일이 없었다.

눈을 감았던가 떴던가, 그 어디쯤에서 흔들리던 감각은 밀어 치는 찬 바람에 이내 갈피를 잡는다. 아래층 병수가 나를 거칠게 흔들었다. 공업용 앵글로 대충 짠 이층침대는 건조하게 삐걱댔다. 몸을 반쯤 일으켜 돌아보니, 활짝 열린 문에서 서늘한 바람이 들이치고 있었다. 그리고 곧이어 눈에 들어오는 장면, 꿈일까. 멈춘 시간, 멈춘 호흡. 눈을 의심케 만드는, 절대로 상상하지 않았던 장면. 아이 둘이 서 있는 모습은 살풍경했다. 나를 올려다보는 큰딸은 눈썹이 시옷자가 되도록 치켜떴다. 이마에 핏기가 가신다.

회사 숙소에 겹쳐진 아이들. 오려다가 잘못 붙여놓은 것처럼 아이들이 있는 풍경은 기묘했고 잔인했다. 모른척할 수 없을까. 아마

없겠지. 피로 연결된 붉은 실은 너무나 견고하게, 이층침대와 열린 문 사이에 팽팽했다. 병수는 그 끈을 따라 아이들과 나를 번갈아 훑었다. 붉은 실은 잔인하게 명백했다.

드러난 반나체를 아이들은 외면하지 않았다. 그러나 나는 너희를 외면하고 싶었다. 외면하고 싶은 게 아이들이 맞는가. 아니다. 사실은 나에 대한 부끄럼이었다는 걸 이내 깨닫는다. 나를 외면하려면 나는 어디로 얼굴을 돌려야 할까. 창자가 뒤틀린다. 내 행동의 결과를 이런 식으로 마주하고 싶지 않았다. 미래를 외면하는 습성 탓에 결과를 마주할 때는 언제나 충격이 동반되었고, 습관이 된 충격은 당연했고 쉬웠다. 그러나 이번엔 다르다. 핏기가 가셨던 이마에 도로 열이 찬다. 미간이 오그라드는 걸 막기가 어렵다. 딱딱하게 성난 목소리를 감추고 싶다.

어떻게 여기까지 왔어?

아빠가 너무 안 와서 찾아왔어요.

뭐 타고 왔어?

택시 타고 왔어요.

둘이서만?

네.

둘이서만 왔다구?

…

목구멍의 진동과 좁은 방에 울리는 내 목소리가 별개의 일 같았다. 나의 말과, 내가 되고자 하는 인간의 모습과, 아이들 눈에 비치는 나. 그사이에 합의는 이루어지지 않았다. 그러니 실제로도 별개의 일이 맞다. 목구멍에 얹힌 말이 하고 싶었으나 할 수 없음에 혀는 조바심을 냈다. 나오려는 숨과 들어가려는 숨이 밭았다.

딸이 입은 옅은 분홍색 티셔츠와 아들이 입은 별이 그려진 보라색 티셔츠는 반복된 세탁으로 희끄무레했다. 풍화된 옷의 희끄무레함은 아내의 바지런함과 가난을 절로 증명했다.

바람이 차가운데, 미주야, 너에게 어울리던 하얀 블라우스와 카디건은, 상현아, 도톰한 목폴라와 조끼는 어디에 뒀니. 일부러 불쌍해 보이려고 헐한 옷을 골라 입혔나. 어떻게 둘이서만 여기를 왔어, 어떻게 둘이서만.

생각은 말이 되지 못하고, 목구멍에서 애먼 혀뿌리만 부풀었다 가라앉으며 주춤거렸다.

딸애는 제 엄마의 성격을 닮아 여렸다. 입을 작게 오물거리며 누군가 시켰을 말을 웅얼거렸다. 둘째는 어린 탓에 아무런 말도 표정도 없었지만, 맑은 눈이 동그랗다. 아이들이 언제까지고 기억할지 모르는 이 상황. 저 맑은 눈에 담길 일이 두렵다. 저 어린애들을 어떻게 둘만, 애들 엄마가 시켰을까. 머릿속 어디선가 노여움의 불씨가 당겨진다. 황혜정, 몹쓸 년이 기어코 몹쓸 패를 꺼내든 게 분명하다. 이래선 안 돼. 가라. 난 너희를 마주할 수 없다.

아빠가 오늘은 일 끝나고 집에 갈게.

...네.

고개를 돌렸다. 나는 무엇으로부터 고개를 돌린 걸까. 돌린 고개를 더 돌릴 수 없음이 난감했다. 부끄러움과 당혹감, 인생이 어찌 이럴까. 내 탓을 하려니 억울하고, 세상을 탓하자니 작디작고 확실한 나만의 일이었다. 무엇이든 탓하고 싶었지만, 그 무엇도 탓할만한 건 없었다. 손에 잡히지 않는 원망은 실체도 없고 방향도 없다.

나는 침대 밖으로 한 걸음도 나서지 못했다. 억울함과 노여움의 사이에서, 갈 곳 잃은 당혹감에 몸이 얼어붙었다. 아이들을 다시 택시 태워 보내줄 용기마저 얼어붙었다. 분명 아비 된 자의 노릇일 텐데. 아는 것과 실행하는 것의 간극은 본디 넓고 넓어서, 그사이에 붉은 실은 하릴없이 휘청였다. 협곡 사이의 붉은 실은 두껍고 튼튼해 쉽게 끊기지 않았으니, 휘청이는 끈의 양쪽 둘 중 하나는 떨어져야 끝이 나는 게임. 밥은 먹었는지 물어나 볼 걸.

닫은 문에서 한기는 오히려 더 몰아쳤다. 지금이라도 따라나가 볼까? 눅진한 이불을 뒤집어써도 세상과 나는 차단되지 못했다. 숨으려는 노력에도 아비의 됨은 기진한 일로써 만천하에 여실하다. 몰려드는 한기에, 창에서 벗겨진 검은 종이가 작게 떨었다.

*

옷을 걸쳐 입고 숙소를 나섰다. 푸른색 셔츠에 혜정이 다려낸 줄이 희미하다. 희미해진 주름 자국을 보며 밖에서 지낸 시간을 헤아렸다. 가기는 가야겠지. 가야겠다고 되뇌는 입은 영문을 몰랐다. 왜 가야 하나. 머리는 몰랐으나 마음은 아는 일. 조끼 앞주머니에서 담배를 꺼내 물고 불을 붙였다. 영문을 모르는 입은 빨아 당기는 일도 잊어 담배는 무용했다. 무용해진 담배는 저 혼자 푸른 연기를 피워 올린다. 푸른 연기 속에서 나는 무엇을 보는가. 아이들을 생각하다가 결혼식을 본다. 혜정을 처음 만난 날을 생각하다가 아버지를 본다. 오늘은 또 어디서 누굴 태우나 생각하다가 지난밤 노름판을 생각한다. 오가는 돈을 생각한다. 삶을 이어나가는 것이 지지리도 지겹다. 매달리는 모든 것이 역겹다. 유일하게 나에게 매달리지 않는 것, 지겨워지지 않는 것을 나는 노름판에서 찾았다.

배차받은 차에 올라타며 생각한다. 돈을 벌어야 집에 갈 수 있음을. 나는 매일의 수금을 감당키 어려웠다. 나를 둘러싼 모든 것은 내 돈을 바랐다. 밤을 새워 번 돈 중, 절반은 사납금으로 절반은 집으로 들어갔다. 그럼 나는? 입 벌리고 있는 회사와 집구석 중 등을 돌릴 수 있는 곳은 당연하게도 회사가 아니었다.

혜정은 돈을 기다리지 않았지만, 나는 돈을 주기를 고대했다. 내 주머니에서 돈이 나갈 수 있는 순간을 기다렸다. 줄 수 없는 것까지 주기를 바랐다. 혜정은 돈에 대해 채울 욕구가 없었으나, 나는 줄 수 없는 돈에 대해 생각했고, 채울 수 없는 욕망을 돈 대신 착실히 쌓아 나갔다. 돈의 유무와 남편으로서의 가치는 점차 동일해졌다. 가치 없는 남편, 무쓸모한 아버지는 굳이 집에 있을 필요가 없다는 생각은 손발을 좀먹었다. 좀먹은 손은 화투장을 들었고, 좀먹은 발은 술집을 향했다. 말 목 자른 김유신처럼 발목 자른 김현석이 되어야 끝날 판임을, 나는 아이들을 보고 나서 직감했다.

돈은 밖에서 들어오는 것이므로, 돈 없이 집에 머무는 것은 나의 무가치를 인정하는 일이었다. 어느 순간부터 돈은 집에 들어갈 수 있는 열쇠가 되었지만, 나는 그 열쇠를 담보로 술상을 받았다. 왜 집에 들어오지 않는지 묻는 아내와 아이들에게 열쇠가 없음을 설명하는 일은 요원했다. 채울 수 없는 욕망이 머리끝까지 차서 압력이 쌓이면, 나는 무엇이든 던지고 부숴야 했다. 압력은 쌓인 곳에서 해소되는 게 마땅하기에 폭발하는 증기는 언제나 집을 향했다. 압력이 차지 않으려면 나는 밖에 있어야 한다. 열쇠와 압력은 번갈아 내 어깨를 밀쳤고, 집으로부터 뒷걸음질 치는 일은 속수무책이었다.

뉴코아 백화점 앞에서 손을 흔든 여자는 남자아이 하나를 데리고 택시에 올라탔다. 여자의 한 손에는 빨간 얼룩말이 그려진 비닐 가방 세 개가 겹쳐서 들려있었고, 한 손으로는 아이 손을 잡고 있었다. 혜정의 손을 거쳤을지 모를 비닐 가방. 아내는 백화점에서 물건을 살 형편이 되지 못했으나 백화점에서 일했고, 나는 택시 탈 여유가 없었으나 택시를 몰았다. 누군가는 평생 우리를 이용할 것이고,

우리는 평생 그들의 손과 발이 될 것이라는 생각에 욕지기가 치민다. 이 삶을 벗어날 단초는 내가 쥐고 있을 텐데, 어디서부터 무엇을 해야 할지는 감이 잡히지 않았다. 내가 지금 할 수 있는 건, 사납금을 내고 연료를 넣고 그러고도 집에 낼 돈을 남기는 일.

벌리는 돈으로 네 가족이 먹고살기에 빠듯했지만 불가능한 일은 아니었다. 택시 일로 착실히 집에 돈을 갖다 바치는 사람들의 이야기를 들을 때, 나도 언제든 가족들을 건실히 먹여 살릴 수 있다는 사실을 상기했다. 그러나 언제든 가능한 일은 언제고 할 수 있으므로 지금 할 일은 아니었다.

한다면 할 수 있는 인간이야.

가능성의 일은 언제나 눈앞의 일에 우선순위를 내줬다. 가족을 먹여 살리는 일은 내게 임박해 오는 종류의 것이 아니었다. 멀리서 철썩이는 작은 파도를 신경 쓰는 것처럼 선택의 일이었고, 차순위의 일이었다. 차순위는 영원히 차순위라, 제 차례가 되는 일은 멀고도 먼 환상에 가까웠다.

혜정이 일하는 백화점 근처를 일부러 피해 다녀도 손님들의 요구로 차는 자꾸 백화점 주변을 맴돌았다. 이 넓은 곳에서 아내와 마주칠 리는 없겠지만, 백화점을 볼 때면 어쩐지 해명해야만 할 것 같은 기분이 든다. 뒷자리에 탄 남자아이의 얼굴에 둘째 상현이의 얼굴이 겹친다. 어쨌든 이제는 들어가야 할 것이다.

사거리의 모퉁이를 돌고, 차 한 대가 겨우 지날 수 있는 골목길을 돌아 회사 차고에 들어섰다. 회색의 시멘트 기둥은 새벽 달빛에 푸르스름했다. 기둥에 '신흥운수' 네 글자가 휑뎅그렁히 빛났다. 차고지에 드문드문 서 있는 빈 차는 쉬는 차거나 술 먹은 차다. 택시 기사와 술은 한 몸과 같았다. 택시에 승객을 태우듯, 기사들은 몸에 술을 태웠다. 손님 없이 굴러가는 차를 상상하기 싫듯, 술 없이 굴러

가는 몸을 상상하기 싫었다. 맨정신에 아내를 마주하는 게 항상 어렵다. 해명을 바라는 표정이겠지. 뭘 해명해야 할까. 얼굴을 비추지 않은 이유일지, 돈봉투가 없는 이유일지, 술을 마신 이유일지, 그것도 아니면 세상이 이런 이유라도. 택시 기사이기에 이렇게 사는 건지, 이렇게 살기 때문에 택시 기사인 건지. 새벽의 파란 공기에도 머리는 탁하다.

숙소로 돌아와 소주를 따랐다. 첫 잔을 들이킬 때, 낮에 본 아이들을 떠올렸다. 아이들에게 '오늘' 들어간다고 했던 게 생각난다. 일이 끝난 지금은 새벽이므로 아이들에게 말한 오늘은 어제가 되었고 또한 거짓말이 되었다. 나의 오늘과 너희의 오늘이 다른 것을 어떻게 이해시킬 수 있을까. 해명이 해명으로 그치면 좋을 텐데. 오늘은 쉬는 날이므로 분명히 집으로 간다.

밤의 시간이 모두 깔때기로 빨려 내려가기 전에 서둘러 눈을 감았다.

*

아현동의 비탈은 거칠었다. 굴다리를 지나기 무섭게 시작된 비탈은 집 앞까지 이어졌다. 올라갈 수 있을 만큼 올라간 버스는 좁은 삼거리에서 회차하느라 버둥거렸다. 어제 아이들에게는 급한 김에 '오늘' 들어가겠다고 했지만, 하루가 더 밀린 오늘에서야, 그것도 오늘의 마지막쯤이 돼서야 집으로 향한다. 하루를 밀린, 돈이 밀린, 등을 떠밀린. 내 등은 아이들이 밀었나, 아내가 밀었나. 모든 것이 지겹도록 밀렸다. 종국엔 당연한 듯 밀려 내버린 삶은 결국 수챗구멍으로. 나는 가만히 있어도 수챗구멍으로 밀려 내려갔다. 집에 들어가는 일이 꼭 수챗구멍의 깊이를 확인하는 일 같았다.

버둥거리는 버스에서 내려 담배를 꺼내 문다. 담배를 꺼내는데, 손등에 얄따란 지갑이 스친다. 지갑의 두께는 자존심의 두께였다. 지갑이 얇은 만큼 모자란 자존심은 술로 채웠다. 채울수록 지갑은 더 얇아지고, 나는 잔을 더 채우고. 싸구려 화학주로 채운 자존심은 그만큼 싸구려여서 난감하게 날뛰었다.

막차가 떠나고 난 자리에서 나는 집의 자리를 올려다본다. 올려다보는 감각에 치가 떨린다. 무엇이든 위에서 아래를 내려다보는 일은 쉬웠지만, 아래에서 위를 올려다보는 일은 쉽지 않았다. 그 쉽지 않은 일이 내 삶에 정중앙을 꿰뚫고 있으므로 기어코 해내야 했어서, 고개는 쳐들린 상태로 굳었다. 집마저 올려다봐야 하나. 물리적으로 집은 위에 있는 것이 확실했지만, 집구석이 내 아래 있음은 확신할 수 없었다. 아이들의 급작스러운 습격을 보아하니 아무래도 저희들이 내 위에 있는 줄 아는 모양이다. 오늘 나는 내가 위에 있음을 확인할 것이고, 확인시킬 수밖에 없겠다. 해명이 해명으로 그치길 바라는 어제의 마음은 행방이 묘연했다.

나머지 비탈길은 두 발로 직접 오른다. 비탈을 오를수록 취기도 오른다. 빨라진 심장은 취기를 박동했고, 혜정을 몰아붙일 말이 혈관에 기름때처럼 끼었다. 시야가 벌게졌고 비탈은 가팔라졌다. 비탈길이 발과 눈앞에 번갈아 들이닥친다. 삶은 뒤 돌아보면 평지라던데. 뒤돌면 여전히 내리막이고 앞에 펼쳐진 것은 무한한 오르막이니, 비탈길에 기울어 사는 일은 보편적인 삶의 법칙이 나에게는 통하지 않는다는 증거로 여겨졌다. 산동네 복판에 꽂힌 전봇대는 밑동이 대각선으로 파묻혔다. 아무렇게나 부어진 시멘트에, 그마저도 기울여 꽂아놓은 전봇대는 장승처럼 서서 나를 내려다보았다. 그 아래, 애써 닫힌 녹색 철문도 어쩐지 나를 무시하는 듯 보였다.

쾅. 쾅. 쾅, 황혜정, 문 열어. 끼이익. 개 같은 집안, 개 같은 년. 비켜. 니가 그따위로 할 수 있어? 밀쳐지는 몸, 제지하는 손. 날아드는 컵. 쿵. 바닥에 착. 쨍그랑. 벽으로 날아가는 수석. 부서지는 브라운관 TV. 우그러지는 냉장고. 찍히는 장식장. 욕설. 입냄새. 더러운 살냄새, 벌려지는 아가리에서 쏟아지는 썩은 기름 냄새. 니가 뭔데. 흩날리는 낱장의 돈. 비릿한 돈 냄새. 번들거리는 이마. 퀴퀴한 피지 냄새. 말라붙은 땀 냄새. 입술 끝에 찌든 담배 맛. 찐득해서 뱉어지지 않는 침. 뜨거운 입김. 텅 빈 숨결의 역함. 말의 역겨움. 생명이라는 증거들. 살아있는 것들은 더럽다. 존재가 후회되는 순간. 살아있는 것은 그 자체로 이기적.

소명: 2015년 8월
대상자: 김상현, 그의 사유

해는 연일 구름에 가렸는데 이상하게 더웠다. 바람도 불지 않고 해도 뜨지 않는 이상하고 뜨거운 여름. 대기의 모든 활동이 멈춘 것 같다. 해가 뜨면 좀 마를까 싶은데, 해도 없고 바람도 없어 습기는 어디든지 맺혔다. 차라리 물속에 사는 게 낫겠다며 포기한 순간, 오늘에서야 비는 내렸다. 구름은 참았던 만큼 망설임 없이 비를 쏟았다. 출근부터 내린 비는 퇴근까지 이어졌다.

비가 너무 많이 오네. 하필 약속 있는 날에.

대학 동기 승원과 만나기로 했다. 종각의 한 맥줏집 앞에서 승원은 왼쪽 어깨가 젖은 채로 서 있었다.

비 오는데 왜 여기 있어. 들어가 있지.

다 왔다길래. 들어가자.

광장같이 넓은 가게 안은 비가 쏟아지는 밖과는 딴 판으로 활기찼다. 에어컨은 쉬지 않고 바람을 쏟아냈지만, 맥주를 마신 사람들의 열기와 그들이 끌고 들어온 습기를 감당하지 못해 실내는 후텁지근했다. 습기가 달라붙어 탁자는 끈끈했다. 쏟아붓듯 내리는 비처럼 사람들은 들이붓듯 맥주를 마셨다. 마신 맥주만큼 말을 쏟아내서 빗소리와 에어컨 소리는 사람들의 말속으로 사라졌다.

오랜만에 만난 친구와의 대화는 눅눅한 공기도 잊을 만큼 경쾌했다. 우리도 활기찬 공간에 녹아들어 맥주잔을 부딪쳤다. 짙은 색의 독일식 맥주를 연신 들이키고, 소시지를 잘라서 양배추절임과 함께 먹었다. 항상 비슷한 질문과 비슷한 대답. 그래도 마주하면 즐거운 사람. 비와 여름과 맥주와 소시지는 그렇게 나쁜 조합이 아니네. 그렇게 생각하는 순간, 불안한 진동이 허벅지를 울렸다. 전화기는 발신자를 아는 것처럼 음침하게 울었다. 진동은 나에게만 도달하므로 유쾌한 공간 속에 나만이 불길했다. 어른이 되었어도 음습함과 불안함은 내게서 떨어지지 않았다. 오히려 나의 성장에 발맞춰 늘어났고 완벽히 달라붙었다. 그것들은 전화가 울릴 때나 누군가 대문을 두드릴 때, 검게 깨어나 타르처럼 엉겼다. 맥주잔 부딪치는 소리, 철판과 포크와 칼이 부딪치는 소리, 주문을 외치는 소리, 왁자지껄함은 일순간 사라지고 진동이 온몸의 세포를 불안으로 울렸다. 발신자를 굳이 보지 않아도, 아빠에게 걸려 온 전화임을 내 몸은 언제나 미리 알았다.

잠깐 전화 좀.

화장실로 연결된 통로에는 밟혀나온 소변과 빗물이 섞여 지린내가 흐릿하게 퍼져 있었다. 밟기 싫은 물기와 받기 싫은 전화는 역겨움으로써 같았다. 지린내 속에서 나는 전화를 받았다. 입을 벌리면 입으로, 전화를 받으면 귀로 오물이 들어갈 것 같아. 나는 눈을 감아 마지막 남은 구멍을 방어했다.

상현아, 아빠야.

네.

별일 없니?

아빠는 본론을 바로 꺼내지 않았다. 몇 년간 했을 리 없는 걱정을 짜내느라 말투는 애써 다정했는데, 뒤에 뭔가를 숨긴 듯 말끝을 조금 떨었다.

너 집으로 등기 온 것 없니?

어떤 거요.

가족관계단절사유서라고, 네가 받은 걸로 되어있다는데, 못 받았니?

받았어요.

근데 왜 안 써 보내냐?

...

아빠한테 뭐 해주는 게 싫어?

...

나라에서 주는 주거 혜택을 받으려면 부양자가 없다는 걸 증명해야 한다는데, 넌 그거 하나 써 보내는 게 힘드냐? 내가 너한테 돈 달라고 할 것 같아서 그래? 어? 아빠가 너 어렸을 때 어떻게 컸는지 다 알아. 너한테 돈 달란 소리 절대 안 해. 알아들어? 아빠가 절대로 너한테는 손 안 벌린다고. 내가 너한테 뭐 부탁한 적 있냐? 그게 힘들어? 알아들었냐고...

... 써 보낼게요.

가족관계단절사유서. 관계를 단절시킨 사유는 나에게 없다. 사유는 응당 제공자에게 묻는 것이 옳을 텐데, 나에게 묻는 사유가 궁금했다. 그래서 아빠는 말끝을 떨었나. 사유를 제공하고도 사유서를 쓸 수 없는 것에 답답해서?

전화기로 뻗쳐나온 악다구니에 다리가 후들거렸다. 나는 아직도 아빠의 손아귀에서 벗어나지 못했다. 단절을 원하는 사람은 나였다. 원하던 그것을 이뤄주겠다는데 왜 겁이 나는가. 단절을 글로 써내는 일이 두려운 게 아니라, 단절을 말했음에도 끊어질 수 없는 질긴 핏줄이 두려웠다. 단절을 말하여 끊어질 수 있는 관계라면 골백번도 했을 일. 아무리 도리질해도 부정되지 않는 관계, 그것이 당신과 나의 관계다. 그 일을 한 장의 서류가 가능케 할 리 없다. 단절의 일로써 다시 연결되는 아이러니에 나는 진절머리가 났다.

다시 자리로 돌아왔지만, 친구의 말에 집중하지 못했다. 가게의 습함이 인간들이 뿜어낸 입김 때문인 것 같았다. 인간의 말과 입김과 쏟아내는 의도를 더 이상 견디기 어려웠다. 모든 말이 그 자체로 공격성을 갖추어 나에게 달려들었다. 어디선가 지린내가 풍긴다. 들어왔던 문을 돌아봤지만 굳게 닫혀있다. 독한 냄새가 코에 붙었다. 코에 맺힌 지린내처럼, 아빠의 더러운 의도도 따라붙었다. 근묵자흑이라. 결국 나는 아빠처럼 될 것이다.

걷는 게 제 아빠랑 똑같네. 어릴 때 듣던 말을 증명하듯 닳아빠진 신발 밑창도 아빠를 닮았다. 책임이 너무 무거워 도망가고 싶을 때, 나는 나에게서 아빠를 보았다. 모든 것이 못 견디도록 지겨워서 다 버리고 물에 떠내려가고 싶을 때도, 물 위로 아빠가 비쳤다. 아빠의 행동을 답습할까 봐 사람과의 관계를 꺼렸다. 책임 지지 못할까 봐 책임져야 하는 관계를 피했다. 책임질 수 없음을 알리는 일은 내가 아빠를 닮았음을 공개하는 일이라, 나는 차라리 피했다. 세상을 피해 이불을 뒤집어쓰고 도피를 합리화할 때, 내 핑계는 곧 아빠의 핑계였다. 아빠가 이래서 그랬을까, 그래서 저랬을까. 세상에 대한 나의 핑계가 늘어날수록 나의 모습에서 아빠를 찾기가 쉬웠다. 아빠는 자신을 둘러싼 모든 것을 갑갑해했다. 훌훌 벗어버리지 못해 아빠는 버거워했다. 애초에 무언가를 책임질 수 있는 사람이 아니었고, 거기에는 자기 자신도 해당하는 듯했다. 자신도 책임지기 어려운 사람이 세 식구를 책임지기란 불가능한 일이었겠지. 나도 결국 그런 사람이야. 나는 나에게 역겨움을 느낀다. 승원이 안색이 안 좋다며 괜찮냐고 묻는다. 피곤함을 핑계로 자리를 일찍 파했다.

우산을 때리는 비에 세상이 시끄럽다. 아빠가 내뱉은 말에 속이 시끄럽다. 말들을 막아줄 우산은 없다. 비는 우산으로 받아내고 말은 말로써 받아내야 했는데, 아빠의 말 앞에 나는 여전히 어린 애여서 무방비로 말을 맞았다. 가족관계의 단절을 어떻게 써내야 하나. 애초에 가족으로 설명되는 관계가 아니라면 단절을 증명할 이유도 없을 것이다. 성립된 적 없던 가족의 관계를 단절로 표현해야 함에 어리둥절하다. 가족관계의 단절은 부양의 의무를 저버리는 일이다. 즉, '부양 기피'이다. 서류에는 그렇게 쓰여있었다. 부양의 기피는 한국 사회에서 얼마나 비윤리적이고 몰상식한 일일까. 그 부도덕에 스스로도 몸서리가 쳐진다. 사람들의 손가락질이 벌써부터 두렵다. 당신들이 뭘 알아? 뭘 아는데 나를 손가락질 할 수 있어? 극단의 양가감정이 내딛는 발걸음마다 무겁게 실려 몸이 휘청거렸다. 집으로 가는 길이 느리다.

내가 부도덕하다면, 당신은 나에게 도덕했는가.

낳아준 것만으로 무엇인가 갚아야 한다면 증명하라. 당신이 나를 잉태시키기까지 일련의 과정이 나를 위한 것이었음을, 생명에 감탄한 적이 있었음을, 아버지라는 소명 아래 책임을 다했음을. 아마도 불가능할 것이다. 당신은 나에게 무언가를 요구할 자격이 없다.

그것이 낱장의 종이 쪼가리라 할지라도.

나는 살아서 행복한 순간들을 외면했다. 행복하려는 순간, 나는 행복하지 않다고 애써 생각했다. 나는 불행하게 살아야 했다. 이렇게 살게 하려면 왜 낳았어, 누가 낳아달라고 했어, 라는 지독히 클리셰스러운 말을 하려면 나는 모든 순간 불행해야 했다. 그것이 당신에게 할 수 있는 유일한 복수일지 모르겠다.

집에 걸어오는 길에 신발과 양말이 빈틈없이 젖었다. 현관에 서서 쩌걱거리는 신발을 벗었다. 젖은 양말은 아무리 잡아당겨도 벗겨지지 않는다.

아 이거 양말이 왜 이렇게 안 벗겨져, 왜, 왜... 왜! 양말이...

왜 세상이... 왜 이래 왜, 나한테 왜! 도대체가...

부엌 바닥에 주저앉아 앞코가 늘어나도록 잡아당겨진 양말을 붙잡고, 나는 울었다. 울음을 쓰려고 펜을 들었다. 그러나 울음과 비명은 글로 써지질 않는다. 써지는 것은 아빠에 대한 트라우마였다. 글로 표현된 나의 부양 기피 사유는 구차했다. 담당 공무원이 이 서류를 아빠에게 보여주길 바랐다. 구차한 사유로 당신과 내가 단절된 것임을 알길 원했다. 당신이 우리에게 어떻게 했는지, 부양의 기피가 어째서 타당한지, 당신은 알아야 한다. 안다. 당신은 부정할 거라는 걸. 구제가 안 되는 일은 있다. 분명히. 아들의 트라우마가 적힌 종이로 주거 혜택을 받는 일 같은 것.

나는 내일 단절 사유서를 보낼 것이다. 나는 다시는 당신의 전화를 받지 않을 것이다. 나는 당신이 요구한 법적 서류를 사실로 만들 뿐이다. 끊어내는 손에 더 이상 매달릴 필요는 없다. 전화를 열어 김현석의 번호를 차단했다.

창문 밖은 어둠과 비. 창문을 사이에 두고 어둠을 마주한 나를 바라본다. 내 얼굴로 비는 여전히 세차다.

실행: 1996년 11월
책임자: 황혜정, 그녀의 진술

면목동이요.

택시 기사에게 목적지를 설명하고 주소가 적힌 쪽지를 건넸다. 미주의 눈빛이 불안하다. 현석이 저 불안한 눈빛을 보면 달라질까. 부성애는 존재한다니, 썩은 동아줄에라도 매달려야겠지. 나도 어쩔 수 없어, 돌려놔야 해. 택시가 모퉁이를 돌아 사라질 때까지 눈으로 좇다가 애써 발길을 돌린다. 임박한 출근 시간이 마음에 불안을 더했다. 핑계와 죄책감에 구두 뒤축이 휘청인다.

대문을 나서는 현석의 뒷모습을 생각했다. 뒷모습에 이어지는 빈 현관이 눈앞에 선명하다. 들어오는 모습은 그려지지 않는다. 들어오길 바라는 게 아니라, 없길 바라서일까. 현석이 집에 들어오지 않은 지 일주일. 가뭄에 콩 나듯 전화는 걸려왔다. 술 취한 목소리로 기어코 아들과 통화하기를 원했다. 매번 아들에게 무엇이 갖고 싶은지 물었고, 자신이 그걸 아들에게 안겨 줄 수 있을 거라는 상상으로 아비로서의 존재를 확인했다. 현석은 언제나 아이들의 존재를 확인하는 것 보다, 자기 존재의 필연성을 확신하는 데 혈안이 되어 있었다. 그 확신이 가정을 지켜줄 것처럼. 현석은 아이들을 신기루처럼 여겼다. 머릿속으로 아이들을 상상하거나, 통화하는 것만으로 그의 부성애는 충족되는 모양이었다. 현석에게 아이들이 신기루인 것처럼, 그도 아이들에게 신기루가 되어갔다. 아이들은 아빠가 왜 오지 않는지 더 이상 묻지 않았다. 이번 일로 현석이 들어온다면 어쩌나, 아니 들어와야 하나. 그의 귀가를 반겨야 할지, 두려워해야 할지 모르겠다. 내가 기다리는 것이 현석인지, 제대로 된 가정인지, 돈봉투인지 확신하지 못하겠다.

남편 회사에 찾아가는 아내는 볼썽사납다. 찾아가서 얼굴을 내미는 것만으로도 애원의 공식은 성립한다. 나는 인간으로서 또 다른 인간에게 애원하는 일은 원치 않는다. 황씨 집안의 가풍이 그러했고, 더욱이 남자에게 매달리는 일은 평생에 없었다. 가정을 지켜야 하는 이유와 애원의 공식은 서로 맞은 편에서 대립했다. 결국은 애원해야 성립되는 가정. 이게 맞니, 현석아.

퇴근을 서둘렀다. 집에 도착하자마자 아이들의 얼굴을 살폈지만, 별다른 기색은 보이지 않는다.

미주야, 아빠 만났어?

응.

뭐래, 들어온대?

응, 오늘 들어온대.

눈을 질끈 감았다. 미주에게 한 질문을 후회했다. 내가 기다리고 있다는 것을 보여주기 싫은데. 자신이 매달린 곳이 내가 아니라, 현석이라는 것을 깨닫게 하면 안 되는데. 하긴, 그러기엔 이미 늦었지. 너희를 보낸 것 또한 나니까. 엄마가 이래서 미안하다. 아빠가 저래서 미안하다. 가능한 현석의 몫까지 사과하고 싶었다. 미안하다는 말은 명치에 맺혀 말이 되지 못했다.

당연하게도 현석은 들어오지 않았다. 신흥운수라 쓰인 달력에는 내일 날짜에 빨간색 동그라미가 쳐져 있다. 현석은 내일 쉬는 날이므로 오늘 들어오지 않을 것이다. 아마도 지금은 일을 하고 있을 것이고, 또 술을 먹겠지. 현기증에 눈을 감는다. 그의 입술 사이로 흘러 들어가는 소주를 본다. 저게 세상에 없었다면 달랐을까. 내가 기다리는 것이 무엇인지, 왜 기다려야 하는지, 그 후에도 기다려야 할지, 내일은 자연히 오는 건지, 기다려서 오는 건지. 답이 없는 고민들. 잠을 자면 안 될 것 같다. 눈꺼풀은 피곤에 떼밀렸다.

*

다음 날 밤, 현석은 대문을 두들기는 소리로 자신의 귀가를 알렸다. 쾅쾅쾅, 대문을 치는 소리에 이어지는 폭풍. 폭풍은 거셌다. 한반도에 마침내 상륙한 태풍처럼, 그는 모든 기력을 자리에서 소진하고 사라졌다. 당신에게 집은 경유지였어, 나에게는 목적지였는데. 매일 아침 두렵게 그리고 어렵게 뒤돌던 목적지였는데. 그가 밀치고 나간 대문짝은 힘에 못 이겨 제자리에서 떨며 울었다. 대문으로 맨바람이 들었다. 방에 부는 바람에 뒤늦게 부끄럽다. 밤은 유난히 조용하다. 지지리도 못난 나에게 나는 치를 떨었다.

그가 지나간 자리는 물건이 나뒹굴었다. 기묘하게도 사람은 건드리지 않고 물건만 건드렸다. 차라리 나를 건드렸으면 단념하기 쉬웠을 텐데. 그에게 남아있을지 모를 죄책감을 상상했다. 처음에는 감정 표현이 서툰 남자라고 생각했다. 서툰 것이 언제까지고 서툰대로 남지 않을 거라는 생각도 했다. 그러나 서툰 것이 사실 나였다는 걸 두 아이를 낳고 알았다. 삐딱하게 기울어진 거울을 보며 손으로 머리를 쓸었다. 머리칼은 푸석하고 입가엔 흰 각질이 일었다. 조금 더 늙어버린 것 빼고는 멀쩡한 편이다. 고맙게도 그의 손은 취사선택이 정확해서 내일 출근에는 문제가 없겠다. 늙어버린 얼굴을 사람들이 눈치채려나. 오늘은 눈물이 나지 않는다. 머릿속은 오히려 또렷했다.

그동안 많이 울었어. 여기까지인 것 같아. 기다린 게 뭔지 이제 알았어.

내가 기다린 건 돈봉투도 멀쩡한 가정도 아니었다. 모든 것을 놓아버릴 당위성, 그것만을 기다렸던 것이다. 바닥의 물건을 정리했다. 고동색 장식장 위로 물건이 굴러떨어질 때 반들거리는 모서리에 흠집이 여럿 났다. 내 삶도 한때는 반들거렸는데. 장식장은 그간 나의 삶을 흠집으로 기억하고 있었다. 나무의 흰 속살이 드러난 자리에 검은색 사인펜을 칠해가며 버텼지만, 아이들과 나의 속살이 드러난 자리는 칠해지지 않았다. 사람들은 장식장의 상처를 볼 때 나와 아이들에게 새겨진 상처도 알아챘다. 상처의 이유를 설명하는 일이 아득해서 집에 사람 들이는 일을 꺼렸다. 상처 낸 사람은 내가 아닌데, 부끄러워할 사람은 내가 아닌데. 원인이 나에게 있다고 생각하는 사람들의 눈이 나를 훑을 때 죄책감에 얼굴을 붉혔다. 가구의 흠집을 가리는 게, 가족의 흠을 가리는 일 같았다. 내 흠은 무엇으로 칠해야 덮어질까.

이제 더는 덧칠하지 않겠다. 덮는다고 가려지고 칠한다고 검어지면, 세상에 더러운 일은 없겠지. 상처는 상처로 내버려두기로 했다. 장식장의 상처를 이제는 사람들이 알아채길 바란다. 내 상처를 아이들이 기억해 주었으면 좋겠다. 그러면 아이들의 상처는 누가 기억하고 보듬어줄까. 내가 해야 할 텐데. 우리가 서로의 상처를 꺼내 보듬어 줄 날이 올까. 그때는 그랬었지, 힘들었는데. 하하 호호. 그럴 수 있는 날을 애써 그려보지만, 상상 속의 나와 아이들은 마네킹처럼 기묘했다. 현실이 될 수 없는 일임을 나보다 내 머리는 더 잘 알아서, 상상을 허락하지 않았다. 상상 속에서도 행복할 수 없는 우리, 행복을 상상조차 할 수 없는 우리. 아이들 생각에 눈에 피가 몰린다.

미주야. 엄마 당분간 둘째 이모네 가 있을게.

왜...?

아빠가 정신 차리려면, 엄마가 없어야 할 것 같아.

...

지옥 불구덩이 속에 아이들을 두고 나만 살러 도망가는 기분이었다. 기분만이 아니라 실제로도 도망이었다. 내 머리에 떠 있는 도망이라는 단어를 아이들이 읽어낼 것 같다. 결심은 두터웠지만 가방을 싸는 손은 떨렸다. 이건 도망이 아니야. 그럼, 도피니. 아니야 전략이야. 아니야 너를 속이지 마, 이번엔 다른 걸 알고 있잖아. 도망이라는 단어를 두고 두 아이의 엄마와 술주정뱅이의 아내가 싸운다. 엄마가 지고 아내가 이겼다. 아이들이 지고 남편이 이겼다. 그래, 이긴 대로 살아봐라. 가방에 무엇이든 쑤셔 넣는데 나도 그 안에 함께 쑤셔 넣어지고 싶었다. 엄마 품에 한껏 웅크려 안기고 싶다. 도망도 가고 싶고 안기고도 싶고. 온 마음은 결국 하나의 방향을 가리켰다. 빨간 가방의 지퍼를 단단히 잠글 때, 눈에 붉은 기는 가셨다.

미주야. 둘째 이모네 여기서 가까운 거 알지?

응. 엄마, 언제 올 거야?

상현이랑 자고 있어.

미주는 아직 가지도 않은 엄마를 기다렸다. 오겠다는 거짓말은 차마 하지 못했다. 눈치 빠른 딸아이는 입꼬리를 끌어내려 울먹였다. 그 모습을 더 이상 볼 수 없다. 더 보면 떠날 수가 없다. 보면 갈 수 없고, 가면 볼 수 없고. 눈과 발을 둘 곳이 없어 서둘렀다. 신발을 신는 척 눈을 내리깔고 그대로 대문을 민다. 비탈을 내려갈 때 바람은 위로 불었다. 발을 내디딜 때마다 눈앞이 출렁였다. 소리는 나지 않아도 울음은 나왔다. 서러움, 억울함, 패배감, 죄책감, 온갖 감정이 뺨에 차올랐다. 뺨에 닿은 바람이 모든 감정을 훑어 다시 아현동 꼭대기로 실어 날랐다. 이것들은 결국 아이들에게 남을 것이다. 나는 실패했다. 바람이 거세다. 시린 눈을 손으로 쓸어 털어낸다. 다시는 올라오지 않을 비탈을 내려갔다.

상실: 2024년 2월
증명자: 김상현, 그의 애도

아현동에서 비는 고일 곳이 없었다. 가파른 비탈에 실개천이 되어 집 앞을 흘렀다. 흐르는 비를 눈으로 좇아도 결국에는 굽이져 사라지고, 비는 어디에 고이는지 알 수 없게 멀리로 흘렀다. 그 시절 장맛비는 기복이 없었다. 잔잔했고 밤낮없이 내렸다. 장마가 끝나고는 또 얼마나 더운지, 장마 직후의 여름은 뜨겁기가 가차 없었다. 정수리가 타는 듯 뜨거웠던 어느 여름날을 기억한다. 학교를 마치고 나오는데 정문 앞에서 솜사탕을 팔고 있었다. 집으로 돌아오자마자 엄마에게 온몸으로 설명했다. 솜사탕이 얼마나 하얗고 컸으며, 신기하게 만들어지는지를 숨이 차도록 설명했다. 엄마는 웃으며 백 원짜리 동전 몇 개를 내밀었고, 그걸 받아 들고 냉큼 학교로 돌아가서 솜사탕을 샀다. 집으로 오는 길에 솜사탕을 다 먹어버렸다. 집에 도착했을 때 남은 건 끈끈한 입과 빈 막대. 엄마는 내게 물었다. 벌써 다 먹었어? 엄마 거는? 장난 섞인 놀림이라는 걸 지금의 나는 안다. 그러나 지금의 나는 그때의 나를 후회한다. 솜사탕을 집에 가져가서 엄마한테 보여주고 함께 먹었으면 더 좋았을걸. 함께 먹으며 웃었을, 엄마의 모습을 하나 더 기억해 둘 걸.

내가 고구마깡을 먹을 때, 엄마는 봉지 밑에 깔린 검은깨만 주워 먹었다. 엄마는 주전부리를 좋아했던 것 같다. 단 걸 좋아하는 내 식성이 엄마를 닮았다. 달콤한 디저트를 먹을 때 엄마 생각이 난다. 내가 좋아하니 분명 엄마도 좋아했을 거란 생각. 그땐 고급 디저트가 지금처럼 흔했던 시절도 아니었고, 있기는 있었어도 우리가 구경하긴 불가능한 일이었겠지. 세상 참 좋아졌다. 400원이었던 고구마깡은 은근히 홀쭉해지면서 1,700원으로 올랐지만, 지금 나는 고구마깡 따위 몇 봉지고 사 먹을 수 있게 되었다. 편의점 진열장에서 고구마깡을 마주칠 때 생각한다. 고구마깡을, 왜 고구마깡 하나를 온전히 엄마 입에 넣어주지 못했을까. 자기 입에 들어갈 과자 하나를 아끼던 엄마는 어떤 마음이었을까. 솜사탕과 고구마깡을 혼자 먹던 나는, 얼마나 이기적인 아이였을까. 엄마는 나의 이기심에서 아빠를 발견했을까. 그러고는 쓴웃음을 지었을까. 깨만 주워 먹던 엄마의 마음을 이해할 수 있는 지금의 마음이, 그때도 있었더라면.

엄마의 갈색 잠바에서는 부드러운 냄새가 났다. 가끔 엄마가 늦을 때, 나는 엄마의 잠바에 코를 박고 숨을 들이켰다. 그러면 엄마가 왔다. 그래도 오지 않으면, 나는 엄마의 책을 펼쳤다. 엄마는 한용운 시인의 '님의 침묵'을 읽는 문학소녀였다. 시집의 장마다 단풍잎이며, 은행잎이며, 억새 같은 모든 가을 잎이 납작하게 담겨있었다. 시집의 글을 이해할 순 없었지만, 가을 잎을 보려고 나는 자주 책을 들췄다. 내가 책장을 넘길 때 책 아래로 억새의 가루가 날렸다. 그래서 시집은 빨갛고 노랗고 마른, 가을의 풀 내를 풍겼다. 갈색 잠바의 부드러움과 시집의 아릿한 풀 내는 혼자인 시간의 보호막이었던 것 같다. 냄새를 맡을 수 있으니 나는 혼자가 아니었다. 아빠가 물건을 내팽개칠 때마다 엄마는 '님의 침묵'을 소중히 챙겼을 것이다. 그리고 그사이에 연약한 잎이 바스러질 일도 걱정했을 테지. '님의 침묵'의 화자는 헤어짐과 다시 만날 사랑을 이야기하는데, 그 시로 엄마는 헤어짐을 연습했을지 모르겠다. 엄마가 빨간 가방을 마지막으로 챙졌을 때, 잠바와 시집은 함께 사라졌다. 더 이상 맡을 냄새가 없음에 보호막이 사라진 줄을, 어린 나는 직감했겠다. 시집은 그렇게 사라졌지만, 시집의 냄새를 여태 기억함으로써 책과 글을 사랑하는 마음을 배웠다. 엄마는 저 대신 압화의 옅은 향으로 나를 가르친 셈이다. 엄마는 그렇게, 나를 작가로 키웠다.

엄마가 집을 나갔을 때, 나는 울면서 누나에게 물었다. 누나 이제 우리 어떡해. 누나는 빨개진 눈으로 이렇게 말했다. 뭘 어떡해! 내일 학교 가려면 시계 맞추고 자자. 그래서 나는 시키는 대로 잤다. 그렇게 어렸다. 그때 누나는 잤을까. 엄마가 빨갛고 큰 가방을 들고 대문을 나설 때의 모습이, 엄마의 마지막 모습이 될 줄은 몰랐다. 그 전에도 엄마는 몇 번이고 빨간 가방을 들고 나섰지만, 그때마다 제 힘으로 돌아왔었다. 가지 말라고, 엄마까지 없으면 어쩌냐고, 왜 한 번을 매달리지 않았을까. 하긴 붙잡는다고 달랐을까. 매달릴 대상은 아빠였는데.

나중에 안 사실인데 그때 부모님은 이혼했다. 그 후 친할머니가 오셔서 우리를 돌봤다. 할머니가 있어도 아빠는 들어오지 않았다. 할머니는 아빠에게 모진 소리 한마디 하지 않았다. 얼마 전 설날에 할머니한테 물었다. 나랑 같이 살았던 거 기억나요. 재차 묻고 설명해도 할머니는 그 시절을 모른다. 할머니는 되려 묻는다. 니가 누구 아들이냐? 할머니의 뇌는 아빠의 방황을 잊었다. 할머니는 노화로써 잊었고, 엄마는 죽음으로써 아빠를 잊었다.

엄마의 부고는 뜻하지 않은 곳에서 접했다. 직장 내 프린터, 출력된 가족관계증명서에서. 입사 직후 추가로 제출할 서류 중 하나였다. 엄마의 이름 옆에 사망이라는 글자가 바르고 간결했다. 그 글자에는 사유도, 날짜도, 감정도 없었다. 오로지 사망의 사실만을 전했다. 종이를 든 손이 망설였다. 손이 망설이는 이유를 나는 몰랐다.

뭘 망설인단 말이야? 엄마가 진짜 죽었을까 안 죽었을까를? 회사에 이대로 제출할까 말까를? 죽음과 삶은 망설임의 대상이 아님을, 어렵게 떠올린다. 망설인다고 어찌 되는 것이 아니니, 나는 그대로 팀장님께 서류를 건넸다. 아무렇지 않은 척하자고 마음을 먹었는데, 실제로 아무렇지 않은 걸 깨닫고 혼자 난처했다. 팀장님은 사망이라는 글자를 봤을까. 봤지만 아무런 말도 하지 않았던 것일까. 남의 엄마 죽음에, 그것도 지난 일에 대해 뭔가를 묻는 것은 오히려 이상할 일일지 모른다. 그러나 내게 그 죽음은 방금 일어난 일이었으므로 묻지 않는 것이 오히려 이상한 일로 느껴졌다. 한참을 쳐다봤어도 사망이라는 글자가 믿기지 않아서 집에 돌아와 가족관계증명서를 다시 조회했었다.

무미건조한 나날이었다. 엄마의 죽음 이후, 정확히 말하면 엄마의 죽음을 '알게 되어서' 달라진 것은 없었다. 어차피 증명서를 출력하지 않았다면 언제까지고 몰랐을 일. 세상이 약간 더 어두워진 것 같았지만 나의 세상은 원래 회색빛이었으니까, 별다를 것도 없다. 20년 이상 보지 못한 사람에 대한 감정은 별로 남아있지 않았다. 본 날 보다 못 본 날이 길었으므로 감정과 기억은 흐릿했다. 거기에 흘릴 눈물은 애저녁에 말랐다. 더 이상 예전의 감정은 남아있지 않았지만, 마음은 새로운 감정들을 찾아냈다. 그것은 부모로서의 후회, 삶에 대한 안타까움, 결국 죽어야만 하는 인간의 통한이었다. 나는 엄마의 마지막을 모른다. 엄마의 목숨을 앗아간 것이 병환이었을지, 사고였을지 추측조차 할 수 없다. 그러나 마지막 순간에 두 아이를 생각했다는 것을, 오직 그것만은 알겠다. 그때 엄마는 눈물을 흘렸을 것이다. 어린 나와 누나의 모습을 떠올리며, 후회와 안타까움과 통한으로 뒤범벅되어 아팠을 것이다. 우리가 성인으로 자란 모습도, 기뻐하는 모습도, 슬퍼하는 모습도 아무것도 알지 못해, 상상할 대상도 없이 빈 주먹만 꼬옥 쥐었을 것이다. 빨간 가방을 들고 집을 나서던, 그때의 자신 그대로 세상을 떠나는 것이 얼마나 떨어지지 않는 걸음이었을지, 떼어지지 않는 숨이었을지. 겁나는 상상이다. 엄마에게 그때의 마음을 물을 수 없다는 사실에 안타깝다. 그리고 그 마음을 전할 수 없다는 사실을 곱씹으며 살아냈을 엄마에, 나는 아리다.

아빠의 가족관계단절사유서와 엄마의 가족관계증명서. 살았어도 죽었어도 종이가 매개하는 가족관계는 손끝에서 팔랑거린다. 진한 글씨는 확실했지만, 글씨가 설명하는 관계는 희미하다. 이것들의 목적은 관계의 증명이 아닌 상실의 증명이었다. 이제 나는 상실로써 관계를 갈무리한다. 1996년, 그때로부터 우리 가족은 각자 다른 방향으로 갈라져 서로를 상실한 것이다. 20년이 넘도록 나를 관통한 상실이, 내 삶을 지탱해 왔다는 사실을 인정해야겠다. 기댈 곳이 없어 상실에 기댔었다. 상실에 기댄 마음은 고요했다. 바닥은 낮고 조용한 법이다. 상실의 바닥을 차분히 딛고, 나는 오롯이 혼자의 힘으로 서겠다.

고개를 돌려 창문을 본다. 창문 밖의 날씨는 모처럼 투명하다. 방안으로 햇빛은 거침없이 쏟아진다. 방에 봄이 가득 찬다. 지난했던 응달의 삶을 증명하듯, 살갗에 닿는 모든 빛이 안으로 스민다. 나는 참았던 빛을 모조리 삼킨다.

양지바른 마음을, 바라는 마음으로.

유명숙

아픈 소고

1.

2.

3.

4.

5.

우연히 고개를 돌려 밖을 보았다. 거실 창문 너머로 비행기가 하늘을 향해 높이 날아가고 있었다. 비행기가 어디를 향해가는 것인지 그저 한참을 물끄러미 바라보았다. 순간 '비행기에 탑승한 사람들이 어느 목적지를 향해가고, 또 어떤 목적을 가지고 비행기에 타고 있을까?' 끝없이 이어지는 숱한 상념이 흘러간 지난 시간 속으로 마음을 이끌었다.

1

추억일까? 기억일까? 한 세대도 훨씬 이전, 수십 년 전 그 시간을 기억하며, 추억하며 찾아간다는 것이, 진정 찾아가고 싶다는 것이 어떠한 마음의 향방인지는 명징하게 구분하기 어렵다. 그저 지나간 일을 돌이켜 생각하거나 중요했던 일에 중점을 둔다면 추억이라 말함이 옳을 것이다. 허나 오래전의 인상이나 경험을 의식 속에 간직하거나 생각해 내는 것에 의미를 둔다면 기억이 맞을 듯하다. 두 명사적 정의를 생각해 내자 비행기가 가져다준 상념은 추억과 기억이 병존하는 과거와 현재를 지나, 미래를 향한 시간으로 묵묵히 걸어가고 있는 현존 그대로 잊지 못할 자신이란 존재를 깨닫게 한다.

마르셀 프루스트의 <잃어버린 시간을 찾아서>(La Recherche, 원제 À la recherche du temps perdu)에서 아마도 프루스트는 마들렌 한 조각을 한 잔의 차에 찍어 먹던 바로 그 순간 지나온 생에 대한 회상으로 들어갔을 것이다. 프루스트의 마들렌 한 조각이 그러했듯이, 내게 지나온 내 생애 가장 잊을 수 없는 순간을 회상으로 유인한 것은 솟을대문이 있던 기와집 처마를 타고 한 방울 한 방울 떨어지는 빗물, 낙숫물이었다. 비가 오면 손을 내밀어 처마에서 떨어지는 비의 낙숫물을 하염없이 받았고, 떨어지는 빗소리에 젖는 아득한 심연이 좋아 숨소리조차 죽이며 귀를 기울였다. 또 까만 지붕을 덮으며 내리는 흰 눈을 보려고 고개를 젖히며 하늘을 향해 두 팔, 두 손 벌려 눈을 잡으려 무던 애를 썼다. 하늘에서 솜털이 되어 휘날리는 눈이 좋아서 한 지점에 장승처럼 서 있거나, 어느 한 지점을 중심에 놓고 수도 없이 선회하여 마당을 빙빙 돌며 뛰어다녔다.

한 집안의 막내였다. 그것도 손위에 언니들과 하나뿐인 오빠와 나이 차이가 너무나도 많이 나는 막내였다. 바로 위에 언니와는 거의 띠동갑이 되는 늦둥이였다. 늦둥이 막내는 언제나 혼자였다. 혼자 놀았다. 이미 다 성인이 된 언니 오빠는 각자의 가정을 이뤘고, 큰 언니의 맏아들 큰조카가 막내와 동년배이었다. 아마도 혼자인 아이, 막내가 놀 수 있는 유일한 놀이가 대들보 기둥에 기대어 낙숫물을 받거나, 눈이 오면 좋아라 두 팔, 두 손 벌려 마당을 뛰고 돌며 눈을 잡거나, 눈 공과 눈사람 만드는 것이 전부였을 것이다.

그때마다 엄마는 '눈이 오시는 게 그렇게 좋으니?', '빗물을 그렇게 오래 받으면 손이 퉁퉁 붓는다!' 하시며 미소 지으신 얼굴로 늘 막내를 지켜보셨다. 아주 세심한 시선으로 막내의 정서와 감성을 살피고 발견한 사람은 언제나 막내 곁에서 시선을 거두지 않았던 바로 엄마이셨다. 학창 시절을 지나고 대학 전공을 선택할 때가 되었다. 아버지와 아버지의 권유를 받아들이고 공부한 오빠도 공대 쪽이었으니 아버지는 당연히 막내도 이과를 택해 그 분야 학문을 하기 바라셨음이 전혀 이상한 일이 아니었다.

그 시점이 되어서야 비로소 엄마가 그동안 조용히 지켜본 막내의 성향을 아버지에게 얘기했다. 막내는 '감성의 아이'라고. 비를 사랑하고, 눈을 좋아하고, 다른 사람을 위해 다소곳하게 자기를 자제할 줄 아는 아이라고 말씀하셨다. 언제나 조용히 아버지 말씀을 듣기만 하시던 엄마가 아버지에게 건넨 짙고 깊은 한마디에 아버지는 대단히 놀라워하셨다. 그 말이 힘을 발했다. 아버지 말씀에 거의 평생 토를 달지 않고 사셨던 엄마의 울림 있는 한마디가 가족 모두를 침묵 속으로 함몰하게 했다.

'막내는 국문학이나, 영문학이나, 불문학을 하게 했으면 한다'라고 몸종 셋을 데리고 가마 타고 아버지에게 시집온, 이름만 대면 아는 김씨 가문의 외동딸 전형적인 한국의 여인이셨던 엄마에 조용하나 사려 깊은 소신이 담긴 말은 온 가족의 마음을 움직였고 누구도 대적 불가한 난공불락의 성을 쌓았다. 그렇게 막내는 꼭 엄마 말처럼 학부에서 영문학 Eliot을 전공하고 부전공으로 불문학 Camus를 공부했다. 그 후 먼 길 떠나 이국에서 '셰익스피어'Shakespeare로 자신의 정체성을 굳건히 세우며 영문학자로 최종 귀결을 매듭지었다.

문학을 향한 관심의 단초를 열게 한 것은 엄마의 세심하고 사려 깊은 지켜봄에서 시작되었다. 그 이후로 단 한 번도 문학에서 떠나보지 않았다. 영문학이 무엇인지도 모르던 그 시절 영어라는 과목을 가슴에 담고 중학교 입학했다. 국민학교 졸업을 앞둔 6학년 마지막 겨울 방학 때 오빠로부터 영어, 알파벳을 배웠다. 펜촉이 달린 펜에 잉크를 찍어 한 자 한자 인쇄체 대문자와 소문자를 포함한 104자를 쓰고 또 써가며 익혔다. 알파벳을 익힌 이래로 사실 그 순간부터 영어는 단 한 순간도 막내 곁을 떠나지 않았다. 오빠 덕분에 누구보다 일찍 빠르게 익힌 알파벳으로 입학 후 영어를 잘하는 학생으로 선생님들과 전교생 입에 오르내렸다. 자연스레 영어를 가슴에 품게 되었고, 품은 그 마음이 학문을 향해 가는 지름길이 되었다, 그 길을 따라 걸으며 평생 연구하고 가르치는 영문학자의 삶으로 올곧게 설 수 있었다.

막내는 지금 엄마가 세상 떠나신 연세보다 세 살 위의 나이를 살고 있다. 거의 매일 엄마를 생각하지 않은 날이 없었다. 하루 또 하루 나날을 살며 여린 삶의 기억에서 엄마는 한순간도 떠난 적이 없었다. 너무도 아팠기에.

My mother was the most beautiful woman I ever saw. All I am I owe to my mother. I attribute all my existence in life to the moral, intellectual and physical education, I received from her, My Mother.

담대함이 필요했다. 기억을 불러내는 데는. 그것은 거대하고 음습한 슬픔이었다. 어둡고 섬뜩한... 한 통의 전화가 걸려 왔다. 새벽 어스름이 지나가는 시간에.

"○○○씨 집인가요?"

"네."

"○○○씨가 교통사고로..."

전화를 받으며 느꼈던 막연한 불안감이 어느새 공포가 되어 온몸을 엄습했다. 목소리가 마구 떨렸다.

"어느 병원에요..."

"잠실병원이요."

거의 무의식적으로 전화를 내려놓고 허겁지겁 병원으로 향했다. 병원으로 가는 택시 안에서 내내 엄습해 오는 막연했던 불안감이 극한으로 치달아 와 안절부절 허둥대었다.

"빨리 좀 가 주세요. 빨리 좀요"

택시 안에서 발을 구르며, 빨리 가달라고 기사 아저씨를 끊임없이 채근했다.

엄마, 나의 엄마는 영원한 여행을 떠났다. 다시 결코 돌아올 수 없는 영원한 곳으로... 만남은 이별을 전제로 한다. 운명적인 삶의 순간은 만남과 이별의 연속선에 존재한다. 엄마와 '잘 지내라', '잘 편안히 가세요'라는 마지막 인사도 나누지 못한 채, 이별을 고하고도 나는 아직 이렇게 여전히 그 삶, 인생의 연속선상에서 살고 있다. 어머니가 세상 떠나시던 날, 어머니의 모습이 내게 영원히 지워지지 않을 짙은 한으로 남았다. 그 한은 내가 살아가는 나날 동안 도저히 지울 수 없는 거대한 소용돌이 고통이 되어 삶의 순간마다 짙은 획을 그으며 처참한 아우성을 드러내었다.

지금도 어머니가 떠나시던 날의 모습이 생생히 떠오른다. 잊히지 않는다. 도저히 잊을 수가 없다. 그날은 중간고사 기간이었다. 며칠째 밤을 새워 공부한 탓에 너무 졸려 눈을 뜰 수조차 없었다. 비몽사몽 중 희미한 시야 속에서 엄마의 모습을 느낄 수 있었다. 엄마를 위해 의사인 큰 형부가 지어다 주신 보약을 들고 방문을 나서시는 엄마의 모습이 어렴풋이 보였다.

엄마는 잠실 아줌마한테 다녀오신다고 하셨다. 잠실 아줌마는 엄마의 소중한 오랜 친구시고, 두 분은 친자매처럼 긴 세월을 내내 두 분이 하나가 되어 지내셨다. 그때 잠실 아줌마는 암 진단을 받으시고 투병 중이셨는데, 친구를 걱정하던 엄마는 '옳다구나! 이게 기회다.' 여기시고 큰 사위가 지어온 보약을 그대로 들고 그 길로 아줌마에게 달려가셨다.

"잠실 아줌마한테 이 보약 좀 갖다주고 오마. 너무 오래 아픈 게 마음에 걸려서... 이 보약 먹고 나았으면 해서..."

큰 형부가 엄마를 위해 지어주신 보약은 미처 채 개봉되지도 않은 상태 그대로 고스란히 엄마 손에 들려 잠실 아줌마한테 가고 있었다. 엄마는 엄마를 위한 보약이 엄마 자신보다도 아픈 친구가 드셔야 할 것으로 생각하셨다. 오래전부터 잠실 아줌마가 아프신 게 엄마는 너무 마음에 걸려 아파하셨기에.

“잘 쉬고 있어라, 곧 다녀오마.”

말씀하시곤 보약 상자를 들고 엄마는 방을 나서셨다. 난 눈을 감은 채, 잠결에

“네, 다녀오세요. 엄마!” 건성으로 인사를 하는 둥 마는 둥 했다. 언제나 엄마가 외출하실 때면 내가 엄마에게 늘 당부하던 그 한마디,

“엄마, 차 조심하세요.”

그 소리를 그날은 차마 꺼내지도 못했다. 그렇게 엄마가 나가시고 얼마 지나지 않아 전화벨이 울렸다. 한 번, 두 번 그리고 세 번. 불길한 마음으로 전화를 들었다. 가슴이 왜 그리 심하게 떨리던지... 손이 바르르 떨렸다. 그리곤 그 불안감은 곧 현실이 되어 온 마음을 사정없이 흔들어 대었다.

엄마는 잠실병원 응급실에 누워계셨다. 차 사고였다. 엄마가 버스에 치였다. 버스가 교차로를 건너던 엄마를 치었다. 엄마는 뇌를 다치셨다. 즉사였다. 병원에서 대면한 엄마의 머리는 핏줄이 파랗게 보일 정도로 빡빡 깎여져 있었다. 머리카락 한 올 보이지 않는, 파란 핏줄이 선명한 채로, 깎여진 빡빡머리에 무수히 많은 링거 바늘이 주렁주렁 꽂혀 있었다. 그러나 엄마의 머리에는 링거를 통해 주입되는 단 한 방울의 피, 미세한 움직임도 보이지 않았다.

엄마는 말없이 누워 계셨다. 입은 조용히 굳게 다물어져 있었다. 엄마는 나를 볼 수가 없었다. 엄마는 나를 보지 못했다. 엄마의 눈은 감겨있었다. 그때 가슴이 쿵 소리를 내며 덜컥 내려앉았다. 그 순간 난 이미 알고 있었다. 난 그때 이미 보았다. 알게 되었다. 단 한 방

울도 들어가지 않던, 줄어들지 않던 링거를... 그냥 매달려만 있는 링거를... 나는 병원복도 바닥에 누워 데굴데굴 굴렀다.

도저히 어떤 말도 할 수가 없었다. 숨이 막혀 아무 말도 나오지 않았다. 가슴을 주먹으로 누르고, 때리고, 치고 치면서... 소리 없는 눈물만이 흘러내렸다. 알고 있었다. 이미 알게 되었다. 이제 엄마를 의사가 결코 어찌할 수 없다는 것을, 어떻게 해 줄 수 없다는 것을, 이성적으로 다 아는 사람인데도, 이성은 이미 온통 마비되어 아주 소용없었다. 무용했다. 의사의 가운을 붙들고 병원 바닥을 기고 돌고 돌면서 대롱대롱 매달렸다.

"살려주세요. 우리 엄마 좀 살려주세요. 제발, 우리 엄마 좀 살려주세요. 살려주세요..."

오빠가 달려오고, 언니가 달려오고... 모두 황망해 말을 숨기고 생각 없이 허둥대었다. 모두 고개를 흔들면서도 어쩌지 못하고 담담히 받아들이던 언니들과 오빠의 허허로운 몸짓이 끝끝내 잊히지 않는다. 엄마는 말씀 한마디 못 하시고, 남기지 못하시고 그렇게 세상을 떠나셨다. 그렇게, 엄마 가시던 그날 진눈깨비가 하얗게 내렸다. 초겨울이 오고 있었다.

음력 10월 14일, 엄마 세상 떠나신 날!!!

나는 잠시 스치는 바람에도 소리 없이 울어대었다. 누군가의 격려 어린 작은 숨소리에도 목이 메어 꺼이꺼이 울었다. 엄마를 기리는 한 사람, 한 사람이 전하는 작은 한마디에도 소용돌이치는 거대한 슬픔이 아프고 아픈 설움이 되어 끝도 없이, 소리 없는 눈물만이 흘렀다.

"엄마!"

아무리 불러도 엄마는 대답이 없었다. 침묵만이 되돌아왔다. 수십 년이 그렇게 지났다. 그해 겨울 이후로. 겨울마다 엄마에 대한 기억의 단편들이 너무 아프게 가슴을 파헤치고, 세월과 더불어 진하게 아로새겨졌다. 난 엄마를 그렇게 가슴에, 그렇게 마음에 품고 살았다. 때론 다 잊은 듯이. 때론 절대 잊어선 안 되는 듯이... 놓칠 수 없는 순간, 지나는 시간으로 그렇게.

"차 조심해요."

미처 다하지 못한 그 말 한마디는 그 이후로 가슴에 깊은 죄의식이 되어 내내 함께 거센 숨을 몰아쉬었다.

엄마는 내게 이렇게 조용히 일러주셨다. '죽음은 삶 다음에 오는 것'이라는 것을. '아주 멀고 먼 여행을 떠나는 것'이라는 것을, 살아가는 나날 속에 언제나 일깨워 주셨다. 내가 죽는 날까지, 죽어가는 순간에도 나는 결코 엄마 가시던 그날의 모습을 잊지 못할 것이다.

사마천은 사기에서 '사람은 누구나 한번 죽지만 어떤 죽음은 태산보다 무겁고 어떤 죽음은 새털보다도 가볍다'라고 말한다. 엄마의 죽음은 나에겐 결코 태산 따위로는 비교도 될 수 없는 무거움이었다. 지금도 그 무거움에서 벗어나지 못한다. 나는 죄인이다. 대역 죄인이다. 형제자매 누구보다도 엄마에게서 말로 다 할 수 없는 사랑을, 이루 다할 수 없는 사랑을 받고 자란 '막내', '막둥이'이기에 더욱 엄마의 죽음이 무거움으로 가슴에 남아있는지도 모른다.

엄마의 마지막 모습은 처연하리만큼 고우셨다.

그렇게 편안하고 환한 표정일 수가 없었다. 가족과 이승에서 마지막 인사를 하는 순간, 엄마의 모습이 너무나 평온해 야속하기까지 했다. 나는 엄마의 몸 전체를 하나하나 머리에서부터 발끝까지 한 군데라도 놓치지 않으려 꼭꼭 손으로 더듬어 만져 보았다. 하나하나 일일이. 마지막이었다. 다시는 볼 수가 없다. 엄마를, 나의 엄마를... 엄마의 차가운 몸이 내 손끝으로 전해지며 내게 마지막 말을 남기고 계시는 것 같았다.

"막내야! 막둥이야! 부디 잘 지내거라."

난 와락 엄마를 부여안았다. 오빠가 반사적으로

"막내 잡아라!" 하며 나를 떼어내었다. 작은 언니가 나를 부여안고 우셨다.

"그러면 안 돼. 안 돼. 막내야. 그러면 안 돼. 엄마가 편히 못 가셔. 그러지 않아도 엄마는 너 때문에 발이 안 떨어지실 거야! 막내야... 막둥아..."

언니의 울음소리가 더욱 커졌다. 난 엄마가 너무너무 야속했다. 엄마를 도저히 보낼 수가 없었다. 엄마를 보낼 수 없는 내 처절한 마음은 아이러니하게도 어느새 엄마에 대한 원망으로 바뀌고 있었다. 내 마음이 아우성치며 묻고 있었다.

'엄마 왜, 어떻게 나를 혼자 남겨두고 엄마만 그렇게 혼자 가실 수가 있으세요? 어떻게요?'

엄마는 어떻게 그렇게 그림같이 곱게 누워계실 수 있느냐고, 엄마가 어떻게 나를 두고 그렇게 가실 수 있느냐고, 나를 두고 어떻게 그렇게 고운, 평온한 평소의 모습으로 가실 수 있느냐고, 어떻게 나를 혼자 나 두고 가시면서 그렇게 편안하시냐고 묻고 또 물었다. 내 숱한 몸부림치는 절규에도 엄마는 그저 말없이 누워계셨다.

사람은 영감의 동물이라고 말들 한다. 아마도 엄마는 다른 누구보다 마음으로 세상을 사셨던 분이셨기에 삶의 매 순간을 더 진지하게 바라볼 줄 아시는 눈을 가지셨던 것 같다. 엄마가 세상을 떠나시기 며칠 전, 마치 자신이 이제 세상을 하직할 시간이 되었다는 것을 아시는 듯이 작은 형부에게 말씀하셨다.

"고맙네. 나(엄마)와 처제(나)를 데려와 함께 살게 해줘서. 고생 많았고 너무 미안했네. 철없는 처제까지 싸 안아줘서 정말 너무나 고마웠네." 엄마의 그 말씀은 결국 유언이 되었다. 작은 언니는 엄마의 유언이 된 그 말씀을 되새길 때마다 울고 또 울었다.

엄마와 막내는 아버지 돌아가시고 단둘이 고향인 제기동에 살고 있었다. 오롯이 둘이 하나가 되어 생, 삶을 이어가고 있었다. 유난히 햇살이 빛나던 겨울 어느 날이었다. 집 앞에 트럭이 멈추더니 작은 언니와 형부가 차에서 내리셨다. 작은 언니와 형부가 엄마와 나를 데리러 오셨다. 작은 언니와 형부는 아버지 돌아가시고 나와 엄마가 단둘이 살고 있던 제기동 집의 짐을 단숨에 모두 정리해 트럭에 실으셨다.

제기동을 떠나던 날, 마지막으로 온갖 희로애락이 담긴, 엄마의 평생이 담긴 제기동 집을 휘휘 둘러보시면서 엄마는 끝까지 눈물을 보이지 않으셨다. 엄마와 나를, 둘을, 오롯이 둘을, 그렇게 살도록 두기에는 형제들의 마음이 너무 편치 않았나 보다. 큰언니에게도 오빠에게도 결코 함께 사시지 않으시겠다던 엄마는 결국 작은 형부의 끈질긴 권유로 작은 언니와 형부와 함께 살게 되었다. 그렇게 작은 언니 집에 더부살이로 살게 된 엄마는 내내 이 사실이 마음에 걸리셨던 것 같다.

돌아가시던 그날까지. 숨을 거두시는 그날까지......

시간의 흐름이 불현듯 낯섦으로 다가온다. 더러는 무상하게. 더러는 무심하게. 봄이 가고, 여름이 가고, 가을이 가고, 그리고 또 다시 언제나 엄마가 떠나시던 바로 그날이 온다. 그러면 난 언제나처럼 늘 똑같은 어리석은 물음을 한다. '만일 엄마의 다친 머리에서 한 방울의 피가 흘러나와 순환되었다면 혹 지금도 엄마가 살아 계실까?'하고.

해마다 초겨울의 바람이 불면, 어느새 떠나시던 날과 똑같은 엄마의 모습이 내 곁에 와 조용히 머문다. 푸른 옥색 비취색 한복을 곱게 입으시고 먼 여행 준비를 마치신 엄마가 손짓한다. 저 멀리서......

2

냄새가 났다. 강렬하고 짙은 냄새였다. 아주 생소하고 전혀 느껴보지 못했던 냄새가 코를 찔렀다. 갑자기 현기증이 일고 어지러워 몸이 휘청거렸다. 이국의 공항에서 처음 막내를 맞이한 것은, 안타깝게도 토를 유발케 하는 생소하고 이질적이고 역겨운 냄새였다. 간신히 몸을 지탱하며 입국 심사를 받기 위해 길게 늘어선 줄 뒤에 섰다.

입국 심사를 위해 굵은 밧줄로 줄의 경계를 지으며 이어진 펜스가 놓여 있었다. 수속이 참으로 오래 걸렸다. 어쩔 수 없이 오래 서서 순서를 기다렸다. 등 뒤로 줄을 잇는 발소리가 계속 들렸다. 심사를 마치고 나가는 앞사람들의 수가 줄어드는 만큼 어느새 뒤에 또 다른 모습의 사람들이 줄을 이었다. 언제쯤 내 차례가 되어 입국 수속을 끝내고 공항을 나설지 가늠이 되지 않았다.

그때였다. 내 앞으로 대여섯 명 앞에 서 있던 아시아계로 보이는 한 젊은 남자가 갑자기 입에 거품을 물고 쓰러졌다. 그 모습을 보고 모든 입국자가 다 타국인이 아니었을 터인데도 그럼에도 누구 하나 의사를 부르는 사람이 없었다.

"Please, Call a doctor!", "Call a doctor!, Please, Please..." 몸을 지탱할 수 없을 만큼 역한 냄새와 장시간의 비행으로 지치고 피곤한 상태로 영국, 런던 히스로 공항(HEATHROW Airport)에서 입국을 기다리며, 발설한 첫 영어가 '의사 좀 불러 주세요!'였다. 한 세대도 훨씬 이전인 70년대를 막 지난 80년대 초였다. 지금 너무나 국제적으로 유명한 인천국제공항이 세워지기 전이었다.

김포 공항을 떠나, 꼬박 하루가 걸려, 그것도 다른 나라 '싱가포르' 경유로 도착한 이국, 영국 그곳에서 처음으로 내뱉은 영어가 '의사 좀 불러 주세요!'라니 수십 년이 지난 지금도 그때의 난감함이 아직도 생생히 가슴에 남아있다. 다행히 바로 의사가 달려왔고, 조치가 취해졌다. 그 젊은 남자가 그 후 어떻게 되었는지는 들은 바가 없다. 지금도 아득하고 깜깜했던 그 순간으로 돌아가 혹 그때와 꼭 같은 상황을 다시 맞닥뜨리게 된다면 아마 여전히 같은 말을 했을 것 같다.

냄새! 그 역하고 토할 것 같은 기분을 갖게 한 그것이 생애 처음 경험한 '인종 냄새'라는 것을 알게 된 것은 그 후로도 꽤 오랜 시간이 지나서였다. 한 세대도 훨씬 이전, 80년대는 쉽게 해외여행을 다닐 수 없던 시대였다. 지금처럼 아주 편리한 캐리어도 물론 없었다. 두 손에는 흡사 짐가방처럼 검은색 텐트 천으로 된 바퀴 달린 캐리어의 손잡이를 놓칠세라 잡고 있었고, 등에는 감색 백팩을 메고 있었다. 8월 히스로 공항은 찜통 같은 뜨거운 열기와 세계 각국에서 온 상상조차 할 수 없는 수많은 다양한 사람들이 품어내는 사람의 체취, 인종 냄새로 무거운 두통과 복통을 호소해야 했다. 살며 한 번도 경험하지 못한 우여곡절을 치르며 입국 수속을 다행히 끝냈다. 식은땀이 온몸을 적셨다.

목적지인 런던대학(UCL)을 찾아가려고 지도를 구하려 Information에 섰다. 지치고 허기진 모습이나 그러나 최대한 정중하게 "Could I have a Map?"하고 말을 건넸다. 답이 없었다. 같은 문장을 세 번이나 옮겼으나 아무 대답도 듣지 못했다. 'Can I...'가 아니라 정중한 'Could I...' 로 표현했음에도 그들은 끝내 답이 없었다. 순간 낯섦이 주는 불안과 어색함으로 수세에 몰린 마음이 바닥으로 급격히 가라앉았다. 급기야 생각을 가다듬고 이번에는 강한 악센트를 곁들여 힘을 주어 '맙'(map)하고 발음했다. 그제야 안내원은 씩 웃으며 런던 시내 지도와 영국 전도를 건네주었다.

그때 알았다. 말로만 들었던 영국인의 영국영어 자국 영어에 대한 자부심을 한눈에 확인할 수 있었다. 자기 자신이나 자기와 관련된 것에 대하여 스스로 그 가치나 능력을 믿고 당당히 여기는 그 마음, 자부심으로 똘똘 뭉친 한때 '해가 지지 않는 나라'로 전 세계 위상을 떨쳤던 영국인들은 입국자 모두에게 '미국영어 하지 마라', '영국에 왔으면 영국영어, 자신들의 모국어만 말하라'는 무언의 협박을 숨기며 미소 짓는 강력한 권유(?)를 드러내었다.

지도를 구하며 굽히지 않고 자신의 품위를 지키고자 했으나 바닥을 친 마음은 어느새 자신을 스스로 치유하며 존중하려는 '자존감'으로 발동되었다. 마음을 다독이며 콩닥거리는 가슴을 보란 듯이 곧게 폈으나 아이러니하게도 이번에는 목소리가 나오지 않았다. 겨우 모기 목소리로 'Thanks.'를 했다. 곧 목적지를 찾아가기 위한 사투를 벌였다. 익숙하지 않은 회화도 문제였지만 영국 발음을 해야 한다는 강박이 오래 마음을 괴롭히며 통증과 경련을 일으켰다.

다시 영국영어로 곤욕을 겪은 것은 금요일 오전 수업을 마치고 나왔던 런던 시내에서였다. 맥도널드를 찾고 있었다. 유학 시절 내내 참으로 외로웠다. 당시 영국인들은 한국, 우리나라에 대해 거의 알지 못했다. 그들에게 'South of Korea'란 없는 나라고, 그들이 아는 한국이란 'North of Korea'였다. 사정이 그러하니 그런 상황에서 느끼는 외로움은 언제나 극한의 허기를 몰고 왔다. 외로워서인지 정말 배가 고파서인지 정체 묘연한 배고픔에 늘 엄마가 해 주시던 '이북만두'가 생각났다. 런던 환경에 채 다 익숙하지도, 알지도 못했던 유학 초창기 런던에서 만두 대신에 찾을 수 있는 유일한 음식이 햄버거였다.

학창 시절 학교에서 돌아와 솟을대문 밀고 들어서면 엄마는 기다리고 있었다는 듯 바로 “막내니?, 막내 왔구나!” 하시며 여름에는 이미 준비한 삶은 국수 대접에 담아 멸치육수 부어서, 겨울이면 김이 하얗게 피어오르는 이북 만두를 가장자리에 제비꽃이 새겨진 하얀 접시에 가지런히 담아 간식으로 내어주셨다.

런던 시내를 배회하며 늘 잘 챙겨 먹으라던 엄마를 생각하며 맥도널드를 찾고 있었다. 정확히 입국하던 날과 데자뷔가 되어, 이번에는 “Where is McDonald's?”를 여러 번 반복해야만 했다. 그 누구도 쉽게 맥도널드 가는 길은 알려주지 않았다. 수없이 같은 문장을 반복하다 이제 딱 한 번만 더 해보자며 “널”에 강한 악센트를 주어 발음했다. 그러자 거리를 지나가던 한 노부인이 손가락으로 맥도널드를 가리켰다.

순간 보도에 주저앉았다. 하얀 눈물이 주르륵 볼을 타고 흘러내렸다. 도로 한복판에서 엄마 잃은 세 살 아이가 되어 펑펑 울었다. 맥도널드를 찾느라 퉁퉁 부은 발뒤꿈치가 벗겨져 피가 났다. 피로 얼룩진 신발을 벗어들고 런던 시내를 맨발로 걸었다. 이미 눈여겨보는 사람 따윈 안중에 없어서인지, 아니면 이성이 아픈 감성을 제어할 수 없어서인지 왼손에 들은 지도에 의지해 기숙사로 돌아왔을 때는 이미 해가 서산 너머로 지고 있었다. 어두워졌다.

4시면 모든 점포의 문이 닫혔고 유일하게 그나마 먹거리를 살 수 있는 곳은 편의점이었다. 편의점을 그냥 지나쳤다. 그리곤 주머니에 있던 파운드와 실링을 소중히 지갑에 담았다. 햄버거는 결단코 사지 않았다. 온종일 아무것도 먹지 못한 굶주린 배에서 쪼르륵 소리가 났다. 기숙사 방에 들어서자, 잠든 룸메이트의 숨소리가 들렸다. 침대 옆 세면대에서 손을 씻었다. 두 손으로 조용히 물을 받아먹었다. 밤하늘의 별들이 유난히 총총했다. 늑대와 여우의 시간이 오고 있었다.

3

영어 텍스트의 표지가 눈길을 잡는다. 표지를 장식한 그림 아래로 아주 작은 글씨로 런던 브리지라고 적혀 있다. 템스강의 양쪽 편을 이어주는 다리, 그 다리 이름이 런던 브리지다. 런던 브리지, 그 이국적인 모습이 오래 한 소녀의 마음을 달뜨게 하고 가슴에 각인되어 결국 평생 한길만을 걸어가는 영문학도로 세운다. 영어에 대한 외곬의 바라봄은 이후 영문학자로서의 정체성으로 고착된다. 막내는 이렇게 오직 한길 영문학자의 길을 걸었다. 호기심으로 마주한 영어 텍스트 표지는 그렇게 한 사람에게 한순간에 운명으로 다가와 그 길에서 단 한 번도 벗어나지 않는 삶을 살게 한다.

소녀는 50년대에 태어났다. 50년대, 한국인에게 50년대는 이루 다 형언할 수 없는 격동의 시대였고 경제, 환경, 문화 등 삶을 지배하는 모든 기초적 여건이 부족한 시대였다. 50년대생 막내는 국민학생때부터 글을 좋아했다. 막내를 명문중학교에 보내고픈 부모님은 국민학교 4학년 때 과외선생을 들였다. 막내는 공부를 잘했다. 당시 5대 명문이라고 불리는 학교에 시험을 치렀고 합격했다. 중학교 입학을 앞두고 부모님은 막내에게 손목시계, 금강제화 구두, 학교 교복을 준비해 주셨다.

입학 후, 3월 한 달이 다 가도록 학교에서는 영어, 알파벳 인쇄체와 필기체 대문자와 소문자를 가르쳤다. 한 반 정원이 무려 70명이나 되었다. 그 아이들 가운데 교복을 갖춰 입고 등교한 학생은 불과 서너 명도 채 안 되었다. 모두 너무 경제적으로 열악했고, 온전한 삶을 영위하며 살기 어려웠다. 막내는 입학과 동시에 교복을 갖춰 입었고, 입학 성적순으로 반의 임원이 되었다. 또한 1학년 전교생이

한 달에 걸쳐 익히는 알파벳을 오빠가 시켜준 선행학습으로 벌써 다 익혔기에 이미 영어에 관심이 지대했다.

그때부터였다. 영어 교과서 표지에 등장한 그 나라에 반드시 공부하러 갈 거라고 마음에 새겼다. 마음에 새긴 다짐 때문이었을까? 학창 시절 등하교 시 언제나 손에 영어단어장이 들려 있었다. 여러 번 단어를 보고 또 보았다. 그 덕택에 언제나 영어시험 일등이었다. 결코 탑의 자리를 놓친 적이 없었다. 영어 교과서 표지에 새겨진 이국, 이국적인 영국을 가슴에 담고 살았고, 결국 그 나라로 공부하러 김포 공항을 떠나 영국 히스로로 향했다. 나의 고향 서울, 제기동과 더불어 그렇게 런던은 어느덧 제2의 고향이 되었다. 제2의 고향, 런던에서 영문학과 더불어 살았고, 공부하며 놓을 수 없는, 다 헤아릴 수 없는 영문학 작품을 찾아 떠났던 문학여행은 그 후로 작가와 작품으로 평생 살아가는 영문학자로서의 일상이자 여정이 되었다.

학기가 끝나가고 있었다. 두 학교로부터 학점 이수 청강 요청이 허락되었다. 캠(Cam) 강에 다리를 놓아 단과 대학을 연결한 현대적 느낌의 케임브리지와 적벽돌 벽에 담쟁이넝쿨이 어우러진 고혹적인 면모를 갖춘 옥스퍼드였다.

청강을 허락한 두 학교를 찾아갈까? 셰익스피어 생가를 찾아 '스트랫퍼드 어폰 에이번'으로 향할까? 이도 저도 아니면 대학원 시절 그토록 애를 먹인 <켄터베리 테일즈>로 갈까? 쉽게 결정할 수 없는 문학의 정수들이 머리를 어지럽혔다. 그러다 문득 어제 읽은 작품으로 문학여행을 떠나자고 마음을 작정한다.

브라이튼 해변을 찾아 길을 나선다. 빅토리아역에서 기차를 탔다. 한 주 마지막 수업을 마치자마자 지도를 들고 나섰다. 갑자기 든 생각은 아니었다. 제인 오스틴의 <오만과 편견>에서 마지막 귀결로 향하는 챕터에서 저택도 대지도 아닌 브라이튼 해변이 공간으로 등장한다. <오만과 편견>을 주로 관통하던 공간의 배경은 집, 무도회와 같은 폐쇄적인 닫힌 공간이었다. 물론 시대적 상황이 여성과 돈이라는 담론적 주제가 이미 사람의 발목을 잡는 시대였기에 닫힌 공간이 주요소가 됨은 당연하다. 각자의 철학을 담은 여성, 베넷 가의 다섯 딸이 작품의 귀결을 향해가는 시점에 브라이튼 해변에 모인다. 둘째 딸 엘리자베스를 비롯한 네 자매와 배우자들이 모두 이 해변에서 그간 거대 패러다임에 갇혔던 일상의 긴장과 환경에서 벗어나 엄청난 해방감을 만끽한다. 묘사된 해변의 모습을 직접 눈으로 확인하고 싶었다. 그곳에 무엇이 등장인물들의 마음을 움직였는지 일단 길을 떠나기로 했다.

브라이튼 해변

해변에 도착하자 가장 먼저 커다란 장승처럼 서 있는 검은 철제 조형물이 눈에 들어온다. 조형물의 모습이 너무나 강렬해 보는 순간 숨을 참는다. 우리나라는 당시 연애는 말할 것도 없고 일거수일투족 행동거지 하나하나 타인의 시선을 많이 의식해야 했다. 수십 년이 지난 지금도 검은 조형물이 그 자리에 그대로 있는지 알 수 없으나, 브라이튼 해변의 검은 철제 조형물은 남녀가 아련하게 서로를 응시하며 키스하는 장면이었다. 남녀 두 사람의 얼굴을 조그만 다트 구멍을 뚫어 선명하게 연결했다. 멀리서 확인 불가능해 가까이 가서 보았을 때, 남녀의 키스하는 모습은 아름답다 못해 안타까운 숙연함을 주었다. 조형물의 두 주인공이 누구인지 알고 싶었다. 한참 말없이 바라보다 구멍 다트로 수놓아진 조형물의 선을 손가락으로 이어 보았다. 이유도 없이 말간 눈물이 주르륵 흘렀다. 순간 하늘을 향해 열린 공간 이곳에서 '위컴'을 계속 따라가는 '리디아'의 모습이 안쓰럽게 그려졌다.

해변에 각양각색의 모양으로 모인 자그마한 자갈이 발아래에서 가늘게 자박자박 울어대었다. 브라이튼은 자갈 해변이었다. 자갈이 고르게 놓인 곳에 다리를 쭉 펴고 앉았다. 자갈들이 아주 멀리까지 하늘과 맞닿아 수평선을 이루고 있었다, 수평선 아래로 자갈 해변이 끝도 없이 이어졌고, 위로는 광활한 파란 하늘이 보였다,

끝없이 이어지는 그 광경이 너무 아름다워 마음이 울컥했다. 외로웠고 외로웠다. 감정을 주체하기 어려웠다. <오만과 편견>의 '다아시'가 '애를 써 보았지만, 소용이 없습니다'라고 한 억누를 수 없는 감정이 바로 이러한 감정이었을까 깊게 혜윰되었다.

4

짙은 어둠을 타고 교회 종소리가 들렸다. 종소리가 묘하게 가슴 한편에 와 박힌다. 엄마는 여명이 오기 전에 늘 기도를 드리셨다. 새벽을 맞으며 두 손 모아 기도하던 엄마의 모습은 오래된 석고상처럼 언제나 같은 자리에 변함이 없었다. 그런 엄마의 영향을 받아서였을까? 새벽이면 기도한다. '마지막 순간까지, 숨을 거두는 순간까지 영어 글 책 (공교육) 강의 속에 살다가 가족을 위시한 누구에게도 누도 해도 짐도 되지 않게 가게 해달라'고. 늘 기도에 목이 멘다. 유학 시절 새겼던 초심으로 아직도 여전히 영어를 기도 속에 담는다.

멀리서 들려오던 교회 종소리, 종소리를 들을 때마다 '노트르담의 꼽추'가 온 힘 다해 종을 울리던 처절했던 모습이 생각났다. 새벽마다 교회 종소리를 들으며 눈을 떴다. 여닫이 창문을 앞으로 당겨 열고, 나무로 된 덧문을 양팔 벌려 활짝 젖혔다. 초가을의 새벽공기가 싸하게 얼굴을 스쳤다. 아주 상쾌했다. 룸메이트의 동정을 살피고 두 손 모아 '겁쟁이가 되지 않도록 하시고 나의 실패에서도 신의 손길을 느끼게 하소서' 타고르의 <기도>를 빌어 염원을 모았다. 이는 '무어든 잘하는 것보다 마음 다해 열심히 하는 것이 중요하다' 말씀하신 엄마의 기도와 언제나 같았다.

지금까지 달려온 꿈처럼 지나간 많은 시간의 발걸음이 모두 문학을 향한 여정이었다. 잠에서 깨면 언제나 기숙사의 까만 어둠이 먼저 반겼다. 룸메이트의 숨결을 느끼며 한 손에는 책을 다른 한 손에는 세면도구를 들고 화장실로 간다. 누구보다 일찍이다. 세계 각국에서 온 유학생이 모두 같은 화장실을 썼다. 샤워 꼭지가 달린 부스가 줄을 지어 나란히 서 있다. 물론 부스마다 커튼이 쳐져 사적인 것은 감춰지고 보호되었지만, 한 세대도 훨씬 이전 그 시절의 동양 변방의 조그만 나라에서 온 여학생은 늘 자신을 스스로 보호하기에 급급했다.

그래 새벽마다 잠을 줄였다. 한 층에 하나뿐인 욕조가 있는 샤워실을 차지하기 위해 잠을 줄이는 그 수고는 곧 루틴이 되었다. 당시 널리 퍼진 AIDS는 두려움의 대상이었다. 제일 먼저 일어나 욕조가 있는 샤워실을 점령했다. 먼저 욕조를 티 하나 없이 수세미로 빡빡 닦았다. 변기에 휴지를 빈틈이 없을 정도로 채워 둘러놓았다. 변기에 앉아 볼일을 보며 욕조에 물이 채워질 때까지 책을 읽었다. 그렇게 매일 화장실에서 읽은 헤아릴 수 없이 많은 영문학이 후에 영문학자의 지적 체계로 굳게 형성되어 강의 자산의 근간이 되었다.

샤워 후 기숙사 근처를 산책했다. 종소리로 하루를 열어준 교회에 다다르면 무의식적으로 예배당에 들어가 언제나 두 눈을 감고 두 손을 모았다. 기도를 올렸다. 기도 내용은 지금과 같은, 그리 많이 다르지 않은 마음을 다지는 기도이었다.

기숙사 카페테리아에 불이 켜진다. 그 순간 잠자고 있던 모든 사물이 순식간에 자신의 존재를 드러낸다. 침대에는 어젯밤에 읽던 책이 놓여 있다. 고대어를 배워야만 읽을 수 있었던 4182라인의 <베어울프>와 이야기라는 장르가 주는 환상을 열망하여, 영어와는 너무 다른 또 다른 언어, 중세어의 향연으로 이끈 <켄터베리 테일즈>다. 대학원 시절 지독하게 난제를 주었던 두 작품이다. 고대와 중세어를 몸으로 체화해야만 읽고 분석할 수 있었기에 두 작품에 생사를 걸듯 스스로 혹사하며 치열하게 한 줄 한 줄 익혀갔다.

중학교 입학 전 쓰고 외우던 알파벳을 익히던 그 순간으로 다시 돌아간 듯했다. 자신이 세운 원칙에 따라 누구보다 열심히 했다. 엄마 말씀을 새기며. 이국, 영국 이곳까지 와서 절대로 무의미한 시간을 보내고 싶지 않았다. 그렇게 고대어, 중세어를 익히고 가장 먼저 분석하고 연구했던 텍스트가 <베어울프>와 <켄터베리 테일즈>다.

영문학의 이야기, 모든 작품으로 들어가고 싶은 열망이 용솟음쳤다. 그러나 변화무쌍한 서안해양성기후 지대에 있는 이국, 영국 런던의 날씨는 서두르지 말고 템포를 늦추라고 가만히 속삭였다. 하루에도 몇 번씩 해가 떴다가 비가 내리기를 반복하는 날씨 덕분에 자연스레 비와 친구가 되었다. 런던은 날씨의 일교차가 아주 컸다. 언제 비가 올지 알 수 없었다. 그 당시 접는 우산은 아마도 없었던 것 같고, 런더너(Londoner)라면 당연히 까만 긴 우산을 준비해 날이 화창하면 지팡이 삼고, 또 비가 오면 비를 막기 위해 아주 멋진 자태로 들고 다녔다. 런더너가 되어 런더너로서 살고 싶은 마음이 간절해서는 아니었으나 근검절약하는 유학생이었기에 더욱 긴 우산을 동경하는 마음이 컸다.

잔잔히 비가 내렸다. 백팩에는 긴 우산 대신 카디건을 챙겨 넣었다. 그리곤 수많은 작품이 손짓하며 불러대는 도서관을 향해 문학 여정을 향한 오늘의 발걸음을 힘차게 옮겼다. 목록함에서 목록 위치를 확인하고 서고에서 <켄터베리 테일즈>를 꺼냈다. 도서관의 웅장한 공간이 주는 묘한 억눌림이 걱정과 불안으로 다가왔다. 생소하고 낯선 것이 익숙해지는 데에는 반드시 시간이 주는 마법을 요했다.

책을 읽어 내려갔다. 잔잔히 내리던 비가 어느새 멎고 도서관 창문으로 찬란한 오후의 햇살이 고개를 들이밀었다. 그 이후로도 비는 언제나 친구가 되어 텍스트의 배경지를 찾아 나설 때마다 내렸다. 그때마다 비가 내렸다. 비를 좋아한다. 외로운 친구의 곁을 지키듯 늘 비가 그렇게 문학 여정의 시간을 함께 걸었다. 비가 소리를 낸다.

영국의 비가, 런던의 비가 오라고 다시 오라고 늘 기다린다고 소리를 들려준다.

5

'피가 철철 묻은 손을 어찌 닦을 수 있느냐'고 울부짖던 <맥베스>가 마지막 강의였다. 아마도 맥베스처럼 내 심연에서도 지독히도 아프게 피가 철철 흘렀던 것 같다. 맥베스의 절규는 허망한 인간의 욕망에 끝을 보인다. 멀리 공부하러 떠날 때만 해도 셰익스피어를 전공하게 될지 몰랐다. '스트랫퍼드 어폰 에이번' 거리를 걸었고, 셰익스피어 생가를 찾았고, 백팩 속에는 Hamlet이 담겨 있었다. 셰익스피어 생가 앞을 지날 때였다. 지브라 교차로(Zebra Crossing) 건너편에 서 있던 한 사람이 <한여름 밤의 꿈>(A Midsummer Night's Dream) 한 구절을 읊었다. 그러자 맞은 편에 있던 사람이 이어서 다음 대사 구절을 읊었다. 이번에는 누구랄 것도 없이 이쪽에서 한 구절 저쪽에서 한 구절 끝도 없이 <한여름 밤의 꿈> 한 편이 거리를 지나던 모두의 입을 통해 흘러나왔다. 가슴에서 뭔가 모를 뜨거운 것이 올라왔다. 순간 "아! 셰익스피어!!"하며 심호흡을 토해냈다.

결코 인도와 바꾸지 않겠다던 영국인들의 자부심 셰익스피어를 다시 각인하게 되었다. 가슴에 뜨겁게 셰익스피어를 담았다. 그렇게 시작된 전공은 참으로 많이 나를 외롭게 했다. 나 자체로 드러나는 존재감을 준 것이 '셰익스피어'이지만, 연구 과정 내내 확고히 잡히지 않는 짙고 깊은 좌절과 동시에 나의 분신이 되어 최강의 정점을 찍어 자만적 허영을 만들어 준 애증의 존재였다. 애증을 최애로 자신의 정체성으로 화하기까지, 그 후로 헤아릴 수 없는 수많은 세월을 지났다.

항해가 끝났을 때 새로운 길이 시작된다(As the voyage is completed, the road begins.).

비가 내렸다. 내리는 비를 맨몸으로 맞았다. 쏟아지는 비를 피할 곳이 어디에도 없었다. 한기가 스며들었다. 그렇게 얼마나 지났을까? 눈을 뜨고 보니 온몸을 적신 것은 비가 아니라 식은땀이었다. 현실에 비가 상상, 꿈속에서 쏟아지는 비로 식은땀이 되어 머리에서 발까지 흘러내렸다. 수년 전이다. 영문학을 떠나고자 정한 날이다. 2015년 1학기 학교의 적(的), 소속을 떠났다. On Time! 60의 나이! 자신이 정한 데드라인이었다. 그렇게 교적을 떠났다.

어린 시절, 귀가하는 아버지의 손에는 늘 책이 들려 있었다. 어제는 <소공녀>, 오늘은 <어린 왕자> 내일은 어떤 책을 아버지가 건네주실지 항상 궁금했다. 아버지는 “책을 읽고 어떤 생각이 들었니?” 물으셨다. 그게 전부였다. 다른 말은 어떤 말도 하지 않으셨다. 아버지는 "학문을 하며 비루하거나 비굴하거나 초라하거나 당당하지 못한 짓은 마라" 평소에 유언처럼 말씀하셨다. 그 말씀을 늘 가슴에 두었고 지키며 올곧은 학자로서 시간을 지나자고 스스로 독려했다.

평생을 있던 곳, 내 삶의 모든 시간이 지났던 곳, 마지막 강의를 마치고 강의실을 나섰다. 갑자기 눈앞이 흐려지고, 온몸에 힘이 빠져나갔다. 다리가 풀려 그 자리에 주저앉았다. 그렇게 그대로 얼마의 시간이 지났는지 모른다. 학교 캡틴이 오고, 동료 선생님들이 오고, 선배가 오고, 후배가 오고, 제자들이 순식간에 몰려왔다. 눈물이 볼을 타고 끊임없이 흘렀다.

그날부터였다. 무기력으로 무식욕의 상태로 수액을 맞으며 하루가 지나고, 많은 나날이 지났다. 한 세대 이상 한결같이 자리했던 '적을 떠남'은 한순간에 밀물처럼 몰려오는 소멸의 강을 건너는 것이었다. 탈진 상태에서 허덕였다. 기란 기는 다 빠져나갔다. 시간이 무심하게 흘러갔다. 한 달, 두 달 시간을 죽이는 것만이 최선이었다.

어느 날, 찬란한 여름 오후의 햇살이 서재를 밝혔다. 간신히 몸을 추스르며 책장에 손을 뻗어 원서 한 권을 꺼냈다. 읽기 시작했다. 한 권, 또 한 권, 그리고 다시 또, 또 한 권. 읽은 책의 수가 70권째 되는 날이었다. 무기력, 무식욕, 허공 응시로 대변되었던 공황장애에서 조금씩, 조금씩 소생하기 시작했다. 책이었다. 책이 '내 삶의 중심'이었다. 평생 텍스트 읽고, 연구하고, 가르치고, 아티클 쓰고 그 외에 별로 한 게 없었다. 내 전 생애에. 평생을 영문학에 묻혀 살았다.

기적처럼 나를 다시 서게 한 것은 책이었다. 나는 나의 '분신'이자 '중심'인 '책'을 놓지 않는 길에 여전히 서 있다. 잠재된 인재의 활용과 사람을 중시하는 마음이 연결된 강의 요청이 여러 학교에서 왔다. 시간 강사로 맡겨진 강의에 최선을 다했다. 수강한 학생들이 앞으로 어디서 누구를 만나더라도, 분명 빛나는 모습으로, '나는 누구'라는 정체성을 갖춘 모습으로 일취월장해 가기를 기대한다.

늘 강의하던 장소를 떠나 새로운 교육기관에서 수강생을 맞이한다. 강의 화두는 '책으로 형성되는 사람됨'이다. 10대 아이들에게 '꿈을 가지고 도전하게 하는 항로' 그리고 생애, 단 한 번만이라도 우리가 천착해야 할 '심연을 울리는 명문장'을 찾아가는 여정으로 수업을 구성한다. 그 생각을 중심에 두고 선정한 작가는 '셰익스피어'와 '로알드 달'이다.

배재중 첫 수업, 교실에는 온통 남학생이 자리를 메우고 있다. 먼저, 8회에 걸친 수업에 대해 오리엔테이션을 한다. 아이들의 눈에 호기심이 어린다. '누구지?', '어떤 선생님이지?' 그들의 눈길에서 숱한 질문이 읽힌다. 간단히 내 소개를 마친다.

이제 본격적으로 수업 시작이다. 첫 수업으로 선정한 책은 '로알드 달'의 <찰리와 초콜릿 공장>이다. 아이들의 눈이 빛난다. 그들의 눈빛에서 마음을 읽는다. 눈빛이 이미 '안다', '알고 있다'라고 말한다. '책의 내용을 알고 있다'라는 뜻이다. 그들의 눈을 보며 바로 진지하게 묻는다. "<찰리와 초콜릿 공장> 읽어 본 사람 있어요?" 몇몇 아이들이 손을 든다. 전체 학생의 약 3분의 1 정도다. 전 세계를 매료시키고 당대뿐이 아니라 현재에도 세계를 아우르는 유명한 책을 읽은 학생의 수가 생각보다 적다. 마음에 훅 찬바람이 인다.

칠판에 책(冊)을 한자로 적었다. 책을 왜 한자로 적었는지 물었다. 아이들의 생각을 불러내려는 시도였다. 몇몇 아이들이 생각을 얘기한다. 모든 답이 다 옳을 수 있다. 답을 정리하며 '책은 역사이며 철학이며, 사고며. 행동'이라는 철학을 아이들에게 전한다. 책에 그다지 마음이 없는 학생들을 보며 내면에 흐르는 안타까운 마음을 잡고, Idia Box를 꺼냈다. 아이들에게 마음에 드는 그림을 한 장씩 선택하게 했다.

"선택한 그림을 <찰리와 초콜릿 공장>의 제목과 연결해 떠오르는 생각을 한 문장으로 표현해 봐요." 순간 아이들의 웅성거림이 소요로 이어진다. 단 한 번도 이런 방법의 수업을 접해보지 않았음이 확실하다. 그럼에도 끈기 있게 한 사람 한 사람 차례를 돌려가며 각자의 생각들을 불러내게 했다. 그러자 아이들은 처음에 주저하고 머뭇거리던 마음을 버리고 서서히 조금씩 수업에 몰입해 갔다.

'문학작품 깊이 읽기'에 알맞은 '화두'를 제시한다. 생각하는 방법을 키우는 것이 그들이 살아갈 세계에서 가장 중요한 가치관을 세우게 될 것이다. 생각하게 하는, 생각을 요하는 수업을 진행하며 생각을 글로 표현하도록 유도한다. 시간이 지남에 따라 단 한 줄도 피력하지 못하던 아이들은 어느새 <오셀로>의 오셀로가 되고, 햄릿처럼 고뇌하는 모습을 보인다. 그리곤 "제가 해보겠습니다." 손을 들며 의견을 말하는 친구들이 점점 늘어났다. 아이들에게서 희망을 본다. 고전이라고 거부감을 느끼던 아이들이 고전이 그저 고전에 머무르는 것이 아니고 그 당대의 모습이 현대에도 계속 공존하는 것임을 확인하게 된다.

평생 가르치는 일을 업으로 가진 사람임에도 불구하고 100세 시대가 주는 엄중함이 무거웠다. 어떻게 내가 가장 익숙하고 잘하는 일로 '길'을 찾을지 오래 방황했다. 100세 시대가 무서웠다. 아니 글, 책을 놓는다는 게 무서웠다는 표현이 맞을 것이다. 내려놓음에 집중하는 지금, 강사료의 많고 적음은 상관없다. 마지막 순간까지 가장 익숙한, 가장 잘하는 일을 하다 가고프다. 간절함이 희망이 되어가고 있다. 희망이 뜨거운 목마름으로 가슴을 채운다.

공황장애에서 서서히, 조금씩, 찬찬히 소생해 가던 어느 날이었다. 여러 교육기관에서 '같이 하자'며 손을 내밀었다. 망설였다. 길고 긴 망설임이 오래 숙고하게 했다. 고심하며 조심스레 내미는 따스한 마음의 손을 잡았다. 그 마음이 나를 지금 이 자리에 있게 했다. 그래, 나는 지금도 이렇게 이 자리에 서 있다. 교직 떠난 영문학자로서의 정체성을 가지고. 앞으로도 남아있는 모든 날 이 자리에 이렇게 있을 것이다.

운무가 여전히 하늘을 덮고 있다. 커피 한 잔을 들고 열린 베란다로 나와 잔잔히 비를 내리는 회색의 하늘을 바라보았다. 잿빛 하늘에 양복을 입고 중절모를 쓰신 아버지와 고운 옥색 한복을 입고 한 손으로 치맛자락을 잡으신 엄마, 두 분이 나란히 손을 잡고 막내를 조용히 바라보고 계셨다.

운무에 실려 막내의 아린 마음에 와주신 두 분을 가슴에 새기며, 멍하니 오래오래 하늘을 올려다보았다.

이한나

내 마음의 형태

여는 말

나는 기록용으로 내가 다니는 장소들을 사진으로 자주 남긴다. 예전에 찍은 사진들을 다시 보면서 그때의 감정, 소리, 향기, 흘러갔던 장면들을 추억할 때가 있다. 그렇게 다시 사진을 보다 보면 몰랐던 점들도 발견하기도 한다. 내가 놓쳤던 아름다움이나 당시에는 보지 못했던 내 취향의 물건들, 바닥에 있던 흙의 자잘한 질감들, 잔디 사이에 난 아주 작은 꽃 같은 섬세한 것들을 다시 발견하기도 한다. 그때의 장소에 함께한 사람에 대한 그 당시에는 잘 느끼지 못했던 감정을 다시 알아차리기도 한다. 어떤 한 사람과 갔었던 장소 사진들은 다시 보면 유독 밝고 빛나는 느낌이 드는 매력적인 사진들이 있다. 그 사람과 함께 했던 그 시절에는 나의 마음이 미소로 가득해 같이 간 장소와 그 찰나를 밝고 섬광이 번뜩이는 것 같은 시선으로 바라본 거 같았다. 평소에는 잘 몰랐던 그 사람의 소중함과 좋아하는 마음의 크기를 다시 깨닫게 되었다. 과거의 지나간 시간이지만 나의 여정이 마음의 형태로 남아 간직되어 있었던 것 같다. 남겨진 사진을 보며 보관되어 있던 그 마음의 형태를 현재의 이 순간 가치로 다시 가져온다. 그렇게 재해석된 가치가 내가 나아가야 할 삶의 힘을 실어주는 기억과 정서가 되기도 한다.

모든 날에는 선한 순간이 있다.

따뜻한 느낌의 진한 갈색으로 입혀진 원목 인테리어로 통일된 카페를 방문했다. 카페 내부 한쪽 벽면에는 색감부터 연한 무해해 보이는 동화책들이 가득한 카페였다. 카페 입구 정면 통창 가운데에는 모든 날에는 선한 순간이 있다는 카페 슬로건이 쓰여 있었다. 그 카페를 마지막으로 방문한 지는 몇 년 넘게 지났지만, 그때 봤던 카페 슬로건은 아직도 뚜렷하게 기억이 새겨져 있다.

나의 날에도 날마다 선한 순간이 있었다. 출근길에 엘리베이터를 기다려주는 이웃, 작고 달콤한 간식을 건네는 동료, 바빠서 거리를 급하게 뛰어다닐 때 길을 비켜주는 행인들, 간혹 이지만 음식점이나 카페를 방문했을 때 받는 작은 서비스, 거리에 잘 꾸며진 공원을 보며 자연의 아름다움에 감탄할 수 있는 여유 등등 이러한 타인의 선한 순간들을 매일매일 받고 있었다.

나는 타인에게 얼마나 목적 없는 선한 순간들을 주고 있었을까?

목적 없이 주고받는 선한 순간들은 마음의 풍요로움을 만든다. 마음의 풍요로움은 삶을 넉넉함으로 이끌어 줄 것이다.

한 방울도 소중한 존재

숯불 로스팅하는 카페를 방문했다. 참숯으로 볶은 원두로 생산되는 고농축 더치원액을 매일 소량 추출하는 곳이었다. 오랜 시간장인정신을 가지고 한 방울의 가치를 소중하게 여기는 커피를 마시면 대접을 받는 느낌이 든다. 이러한 대접은 내가 지칠 때 어떤 날카로움에 마음의 상처를 입어서 내가 바닥으로 내려가 있을 때 다시 나에 대해 소중하다는 느낌을 받는다.

커피 한 방울의 가치도 소중하게 여겨지는데 하물며 사람의 존재 가치는 커피보다 헤아릴 수 없이 값진 것은 당연하다.

커피 한 방울이 소중한 것처럼 사람 하나하나 존재들이 각자 자리에 있는 것만으로도 귀중하다.

선이 곧은 식물

투명한 큰 통창이 카페 외관 대부분을 차지하고 통창 외곽을 따라 검은색 테두리 선이 있는 간단한 구조의 카페에 방문했다. 카페 내부에는 다도 도구와 위스키 술병들이 나란히 깔끔하게 진열되어 있었다. 아이스 아메리카노 한 잔을 주문했다. 아이스 아메리카노 한 잔에 따뜻한 물수건, 투명한 유리컵에 담긴 물 한 잔, 카페 명함까지 함께 나왔다. 창가 근처 유난히 선이 곧고 긴, 작은 푸른 잎 몇 개가 달린 식물을 눈으로 관찰하자 카페 사장님이 선이 곧은 식물을 좋아한다고 말해주셨다.

순간적으로 선이 곧은 식물에 대한 내 취향을 생각하게 되면서 동시에 선이 곧은 식물에 대한 의미들을 떠올려 보았다. 선이 곧은 식물을 선이 곱고 수려하다고 표현하며 그 훤칠한 곧음이 취향인 사람들이 있는 반면 그 얇게 곧아 있는 선을 금방 툭 부러질듯한 융통성 없는 나약함으로 표현하는 사람들도 있다.

나도 어떤 상황에서는 양보할 수 없는 내 신념과 원칙을 지키거나 매뉴얼처럼 루틴이 필요할 때가 있다. 어떠한 경우에는 소용돌이처럼 휩쓸리며 이러지도 저러지도 못하고 있다가 툭 넘어지는 날들도 있었다. 멀리서 지켜보며 곧음과 나약함의 사이 경계에서 곡선처럼 움직일 때도 있었다.

내가 강하게 신념을 지킬 때 어떤 사람은 나에게 고집이 세다며 고집불통으로 치부하기도 했다. 내가 이리저리 휩쓸려 넘어졌을 때 어떤 사람은 나를 나약하게 보며 불쌍하고 가엾게 여겼다. 내가 관망하며 곧음과 나약함의 사이 경계에 있을 때 어떤 사람은 내가 융통성이 있다며 나를 물 같은 사람이라고 표현했다. 모든 나의 태도가 상황에 따라 필요했었고 그에 따른 다른 사람들의 무수한 표현들도 수용할 수 있었다. 상황에 따라 몸짓, 손짓, 표정을 다르게 지을 때 나의 모습이 달라지는 것처럼 말이다. 때로는 그것이 나를 가늠하고 정의할 수 없는 애매함의 혼란을 주기도 했지만 다른 사람들의 나에 대한 무수한 표현을 '그럴 수도 있지'라고 생각할 수 있게 만들었다. 또 그 가늠할 수 없음이 내가 겁 없이 도전할 수도 있게 한다.

날지 못한다는 사실을 모르는 호박벌의 비행

이태원 우사단길 골목에서 주변의 낡고 날 것 같은 투박한 골목 분위기와는 다른 외형부터 유난히 정갈하고 유럽에 온 듯한 감성적인 소품 가게를 방문한 적이 있다. 이 소품 가게는 날 수 없는 구조를 가진 호박벌이 자기가 날지 못한다는 사실을 모르고 연약하고 작은 날갯짓으로 천 킬로미터를 이동한 호박벌 스토리에서 시작하였다고 한다. 덧붙여 한계 없는 삶을 살기 바라는 마음으로 작은 변화를 응원한다고 하였다.

나는 아토피를 몇 년 동안 심하게 앓았다. 얼굴에 진물이 날 정도로 심각했다. 바로 보이는 부위이다 보니 나도 모르게 자꾸 사람을 피했다. 그래서 나는 몇 년간 내 온 삶을 아토피 치료에만 집중했다. 아토피가 나았던 사람마다 치료법이 달랐고, 치료법이 정도가 없어서 아토피에 유명하다는 여러 가지 치료는 거의 다 받아봤다. 생활 패턴이나 음식도 치료법에 맞춰 절제했다. 몇 년 동안 병이 호전이 없었다. 호박벌은 연약한 자신의 작은 날개를 알아차리지 못했지만 나는 내 결핍이라고 생각한 아토피에 과도하게 집중하며 결핍이 나아지지 않음에 부정적인 감정만을 모으고 있었다. 그렇게 몇 년이 지나고 아토피가 차도가 없어 완전히 지쳐서 치료를 그냥 포기하기로 마음먹었다. 아토피를 평생 가지고 간다고 생각하고 아토피는 잊고 커리어 쌓기에 집중했다. 포기하니까 마음이 편해졌다. 그러고 나서 아토피가 기적처럼 나았고 피부에 대한 불편함 뿐만 아니라 사람을 대하는 면에서 자신감이 생겼다. 일상생활에서도 음식을 자제하거나 치료법을 따르지 않아 자유로워졌다. 아토피가 낫자 치료나 병에 집중을 더이상 하지 않게 되어 항상 힘들던 체력이 좋아졌다. 그래서 이전보다 많은 일들에 도전하며, 여러 경험을 즐겁게 해나갔다.

호박벌이 비행에 성공한 것처럼 결핍을 잊어버릴 때 기적이 일어난다. 호박벌처럼 마음의 한계가 없다면 무한하게 즐길 수 있다.

미세한 기압과 기온의 차이에 따라 달라지는 맛과 향

폭우가 쏟아진 날 방문했던 카페가 있다. 카페 내부에 크게 설치된 디스플레이에서 계속 비가 내리는 영상을 보러 가기 위해서였다. 비가 내리는 영상이 계속 나왔던 이유는 365일 비가 내리는 컨셉의 카페였다. 그 출발점은 비 오는 날 더 커피가 맛있는 이유가 뭘까? 라는 궁금증이었다. 커피를 추출할 때, 마실 때도 미세한 기압과 기온의 차이가 커피의 향과 맛에 많은 영향을 미친다고 한다. 한 해의 기상을 관측하여 가장 맛있는 원두를 선택하고, 그해에 생산되는 원두 특성에 따라 다른 로스팅 방식을 적용한다고 한다.

사람과 사람들이 함께 모였을 때 나오는 에너지도 기압과 기온 같은 차이가 있다. 어떤 사람들과는 이질감이 들고 자꾸 무언가가 미끄러지는 느낌이 드는 반면 또 어떤 사람들과는 함께 있는 것만으로도 채워지는 느낌이 들고 순조롭고 자연스럽게 이어지는 사람들도 있다. 전자의 경우 나를 숨기고 점점 더 멀어져가기에 바쁘지만, 후자의 경우 용기가 생겨 적극적인 모습도 나오고 어떠한 즐겁고 유익한 일들을 함께 만들어내기도 한다. 이것은 누군가의 옳고 그름의 문제보단 개개인별 또는 개인들이 모인 합이 만들어내는 미세한 기압과 기온의 차이이다. 이러한 미세한 차이들이 커피처럼 개인의 맛과 향을 다르게 만들 수 있는 간격을 만든다.

그럼, 기압과 기후가 내가 도저히 적응하기에 괴로운 사람이 상사이거나 가족이면 어떻게 해야 할까?

기상을 관측하여 맛있는 원두를 골라내는 것처럼 그 사람을 관찰해서 할 수 있는 한 최대로 나에게 적합한 상황을 골라내어 최소한의 생존을 위한 필요 충족 관계만 유지한다. 원두 특성에 따라 다른 로스팅 방식처럼 상황이나 각자의 성격에 따라 세부적인 것은 조금씩 달라질 수 있고 원두를 볶는 로스팅 과정 같은 인내심이 필요할 수도 있겠지만 이럴 때는 무엇보다 상대방에게 받는 영향을 극소화하여 나를 지키고 보호하는 것이 가장 우선이다. 정신적, 육체적으로 건강해야 내 고유의 삶을 지켜나갈 수 있기 때문이다. 지금 주어진 시간 들을 사랑과 평안함으로 가득하기에도 짧다.

입 밖으로 내지 못한 낱말을 두고 가셨으면 합니다.

벽면에 책들이 가지런히 놓인 책장 하나와 이인용 테이블 세 개 정도가 있는 개인 서점 카페를 방문했다. 삼인 이상은 이용할 수 없는 아담한 카페였다. 벽면 책장에 지극히 개인적인 사장님 취향의 시집과 소설들이 있었다. 책들을 구매할 수도 있었다. 카페에 나무 무늬가 보이는 갈색 네모반듯한 책상 위 흰색 줄 메모지와 노란색 연필이 있었다. 메모지 옆에 입 밖으로 내지 못한 낱말을 두고 가셨으면 한다는 말이 쓰여 있었다. 카페에 방문했던 사람들이 카페 사장님께 하고 싶은 말들과 책의 한 구절, 짧은 시 하나를 적어놓은 메모지들이 카페 한 면을 채워놓았다.

살다 보면 입 밖으로 내지 못한 낱말들을 마음에 쌓아 놓을 때가 언제나 있다. 마음 안으로 말을 집어넣는 수많은 경우 중 나는 예상치 못한 누군가와의 헤어짐으로 전할 수 없는 말들이 생각났다. 누구와의 헤어짐은 일어날 수 있다고 늘 생각하지만, 막상 나에게 생기는 개인적 헤어짐은 소소하지 않게 슬픔이 들어갔다. 특히 예상할 수 없었던 이별이나 나는 준비가 안 된 헤어짐은 더 많은 슬픔의 압축이 마음에 자리를 잡았다. 하고 싶은 말이 쌓이고 공유하고 함께 하고 싶은 장면들도 쌓이고 이런 것들을 전달하지 못한다는 점과 그 전부터 생겼던 억울함도 쌓인다. 결국 이러한 감정들이 발전해서 어쩌면 서러움과 또는 후회가 몰려오기도 한다. 그 시점에서 홀로 견디며 밀려 나아간다. 이럴 때 나는 나 스스로 공감해준다. 입 밖으로 낼 수 없는 말들, 누구에게도 공감받지 못하는 말들을 나 스스로 공감해 주며 내가 내 옆에 있어 주는 것이다. 나 스스로 자신부터 시작하는 돌봄은 결국 내가 타인을 돌볼 수 있는 모양으로 변하며, 그것은 타인에게도 전염된다. 이 전염은 하고 싶었던 말들을 스스로 경청해 주며, 말을 전하지 못한 대상에게 지금 나와는 상관없어도 잘 지내기를 바라는 마음으로 빌어 줄 수 있다.

해질녘의 울적함을 위로하는 공간

붉은빛 조명이 카페 창문으로 새어 나오는 카페를 방문했다.

노을 모습의 포스터가 카페 들어가는 입구부터 내부까지 여러 장 이어져 있었다. 붉은 주황빛의 색이 짙거나 연해지는 단면들이 모여 카페 한쪽 벽면에 크게 차지하고 있었다. 해질녘의 우울함을 위로하는 공간이 카페 컨셉 이였다.

하루가 끝나가는 해질녘의 우울함은 어디서나 찾아올 때가 있다. 기분이 좋은 날에는 지금 좋음을 더 이상 누리지 못할 때를 생각하는 울적함이라든지 남들과의 비교에서 오는 위기감, 삶의 끝을 생각했을 때 오는 무의미함, 당연하게 가지고 있던 소중한 걸 상실했을 때의 고통, 홀로 고립된 것만 같은 하루 끝에서 오는 울적함은 여러 갈래로 나누어진다. 해가 저물어가는 빛이 아름다운 것처럼 무언가의 끝이 다가와 저물어 갈 때도 아름다울 수 있다. 끝을 통한 비움은 또 다른 채움의 시작이기 때문이다. 새로운 시작의 채움을 알리는 저물어가는 빛깔은 저마다 특색있게 강렬하다. 해가 저무는 빛깔이 황혼으로 이름이 붙여질 정도로 말이다.

당신의 순간을 커피로 물들이세요.

여름날의 해가 쨍쨍한 오후에 네모반듯한 큰 창문 여러 개를 열어놓은 카페에 방문했다.

햇빛을 받아 주황빛이 도는 나무 원목으로 통일된 카페였다.

열어놓은 창가 근처에 앉아 안으로 들어오는 바람을 맞으며 창가 넘어 보이는 낯선 동네와 지나가는 낯선 사람들을 구경했다.

주문한 커피를 받았다. 커피 컵에는 주황색 굵은 글씨로 당신의 순간을 커피로 물들이세요 라고 쓰여 있었다.

생각해 보면 카페 투어를 좋아하는 나는 커피로 물들이는 순간들이 많았다. 그리고 재미를 위해 물들이는 순간들이 많았다. 카페 투어는 내 개인적 재미를 위해서라면 사회적으로는 사회의 일원으로 역할을 할 수 있는 것과 그 역할이 남들에게 선의의 도움을 줄 수 있는 것에 대해 재미를 느꼈다. 이 재미는 내 생업의 선택을 물들였다. 살아가는 순간에 많은 시간을 물들이는 생업을 재미로 물들이고 싶었기 때문이다. 생업을 재미로 생각한다는 주변의 비난들도 있었다. 이러한 비난 또한 내 삶의 행동과 나의 감정변화 이어서 내 가치관의 가지치기까지 연결되어 흔적들을 남겼다.

내가 지나왔던 순간들이 물들여서 결국 여러 가지 흔적을 남겼다. 그 남긴 흔적들이 섞이면서 지금의 나를 만들었다.

앞으로 어떤 것들로 물들여서 어떤 자국을 남길지 수없이 재고 따지며 재미 위주에서 벗어나 오로지 나의 이익을 생각하기 시작했다. 수없이 고민하고 어떤 게 더 이득일지 예측해 봤다.

예측은 전부 확실하게 장담할 수 없었다. 장담하던 일도 여러 가지의 변수가 생겼다. 어느 순간부터 반복되는 내 고민에 내가 지쳤다. 그 지침은 무엇도 선택하지 않고 아무것도 하지 않게 만들었다. 그 뒤로 나는 집중하여 선택한 것을 밀고 나가기로 했다. 집중하여 한 가지를 선택하고, 선택을 믿고 원하는 방향을 보면서 조절해 나가기로 했다. 어려움과 좌절이 오는 상황들이 올 수도 있다. 그래도 나 스스로에게 끊임없이 질문하고 내 내면의 소리로 선택한 내가 원해서 행동한 순간들이 내 색깔로 물들이는 자연스러운 나만의 길을 만들어 줄 것이다.

날개를 접은 공작새

아이보리색과 주황색 포인트로 이루어진 넓은 공간의 카페를 방문했다. 햇살이 가득 들어오는 통창이 있는 곳에 체리 한 개가 올려진 체리 빛 잼의 케이크, 단호박 크림으로 만들어진 연노랑 빛의 케이크, 새하얀 크림이 끼워진 노르스름한 스콘들이 모여있는 공간이 있었다. 디저트들이 놓인 공간 위로 타원형 모양 판 안에 날개를 접은 공작새가 보였다. 그리고 그 공작새는 카페 포스터와 카페 자체 상품 겉표지에도 곳곳에 보였다. 카페 심볼 로고의 공작새였다. 화려하고 무거운 날개 때문에 날지 못하는 공작새 모습이 SNS의 발달로 타인에게 보이기에 급급한 현대인들과 닮았다고 느껴, 날개를 접고 자신의 길을 걸어가겠다는 의지를 표현한 것이라고 한다.

사람들은 보이는 모습에 의해 가면을 쓰는 페르소나를 거의 가지고 있다. 각자의 페르소나는 역할에 의한 것 일 수도 있고 여러 상황이나 관계에서 나오는 요구사항에 반영일 수도 있다. 나 역시도 페르소나를 쓸 때가 있고 필수인 순간들도 있다. 보이는 모습이나 잘 꾸며진 이미지들이 이득이 되거나 배려가 될 때도 있고, 보호받을 수 있는 수단이 되기도 한다. 하지만 내가 나를 보호하기 위해 사용했던 만들어진 가면은 어떨 때는 왜곡된 전달을 만들어내기도 했다. 그 왜곡된 전달은 나를 따끔하게 쪼아대거나 무자비함으로 돌아오기도 했다.

보이기 위한 화려함에 치장하기 급급하여 잠깐 반짝이는 것보다 진짜 나의 상태를 잘 받아들여야 한다. 진짜 내 상태는 나만 알고 내가 적극적으로 알리지 않는 이상 대부분의 다른 사람들은 모른다. 다면적인 나는 내가 잘 알고 있어야 한다. 내가 잘 모를 수도 있기 때문이다. 그 앎에서부터 오는 초연함은 무엇보다도 빛날 수 있고 무엇보다 큰 혜안을 주기도 한다.

공작새처럼 날개를 접을 의지를 결심했을 때 다시 화려한 날개를 펼쳐보도록 주위에서 유혹하거나 흔들 수도 있다. 흔드는 것들에 대해 흔들리지 않고 중심을 잡는 것이 중요하다.

혹시라도 흔들리는 것에 이리저리 휘둘려도 잘 보듬어서 다시 날개를 접어주고 또다시 의지를 다지면 된다.

Dear. You

막다른 골목에 숨겨져 있는 파란색 대문이 인상적인 주택개조카페를 방문했다. 작은 아지트 같은 공간이었다. 친애하는 소중한 이에게 마음을 전하는 편지를 쓰듯이, 커피와 디저트로 일상을 써 내려가 평안한 시간을 제공하는 것이 카페 공간 컨셉이었다. '소중한 이'와 '친애하는'이라는 표현에 마음이 녹아내렸다.

내 마음이 내 것이 아닌 것처럼 휘어져 갈 때, 예민함과 날카로움으로 다가올 수 없게끔 가시 울타리를 치려고 할 때, 친애하는 이라는 표현이 다시 다정함으로 익숙한 일상의 평안한 마음 상태로 돌려주기도 한다.

매일 별 탈 없이 지나가던 밤이, 지새우는 밤으로 바뀌어, 희미한 실낱같은 하나의 희망도 없이 걷잡을 수 없는 어둡고 부정적인 감정으로 잠식되어가는 중에 점 같은 친애라는 단어를 떠올려 다시 희망으로 선을 이어서 친밀한 사랑의 온도로 마음의 한 면을 채우기도 한다. 친밀한 사랑의 부름으로 어둠 속에서 각자의 등불을 다시 켜 사라지지 않고 깜빡일 수 있다.

내가 카페를 다니는 이유

어느 순간부터 나는 몰입과 고립에 빠졌다. 취미나 일에 몰입하기도 하지만 나의 생각, 어떤 물건이나 보이는 것들의 일부분, 한 장소에서 시간에 따라 지나가는 여러 사람과 낮에서 저녁으로 바뀌는 햇빛과 어둠 등에 몰입한다. 이러한 몰입은 나를 고립으로 자연스럽게 이끌어 주었다. 내가 고립을 사실 원했었기 때문이다. 여러 곳에서 이런저런 사람들과 일을 하거나 대화를 나누었지만, 느닷없이 만남이 더 이상 만남이 아닌 것처럼 느껴졌다. 지금 나누는 대화나 만나는 사람에게 집중할 수 없었고 내가 투명 벽이 되어 그 사람들이 나를 통과하는 느낌이었다. 모든 만나는 일들에 질렸다. 기대감이 없어지고 눈빛부터 미동 없이 암담했다. 그 뒤로 나는 모든 것들에 떨어져서 고립으로 다가갔다. 고립은 나 혼자 집중하며 시간을 보낼 수 있는 일들을 찾게 했다. 혼자 무수한 생각들에 빠지고 혼자 영상도 보고 혼자 밥을 먹거나 혼자 쉽게 할 수 있는 아무거나 했다. 일도 협력이나 팀워크를 최소한으로만 하고 일을 더 하더라도 혼자 더 일을 했다. 고립에 점점 가까워질수록 편해지기 시작했다. 그러나 이 편함도 언젠가부터 고독이 오기 시작했다. 고독을 선호하지만, 어느 날에는 쓸쓸함이 더 클 때도 있었다. 고립하기 위해 사람들을 외면했던 시간 중에 나를 떠나가는 사람들도 있었다. 쓸쓸함이 커질 무렵, 남아있는 사람들에게 일대일로 다시 찾아갔다. 일대일부터 조금씩 다시 나누고 의지하는 시간을 가졌다. 그러면서 점점 다시 새롭고 낯선 사람들을 만나고 싶었다. 그때부터 무작정 카페에 가서 시간을 보내며 사람들을 둘러보았다. 새로운 장소에서의 신선한 느낌들이 좋았다. 혼자 카페를 다니면 몇 마디 말을 걸어주시는 카페 사장님도 있었다. 처음에는 그 몇 마디 말도 불편했다. 시간이 지나면서 카페 사장님들이 때때로 말을 걸어주시는 몇 마디의 어색함에도 아무렇지 않게 익숙해졌다.

새로운 카페를 다닐 때마다 항상 그 공간들만의 다른 아름다움을 발견했다. 처음 카페에서 아름다움을 발견했을 때 항상 흑백으로 된 흐릿함의 고정된 상태만 보다가 색채가 들어간 생생한 시야가 저절로 넓어지는 것 같은, 시력을 찾은 느낌이었다. 이러한 느낌들이 포개지면서 결국 내가 사진으로 기록을 남기게 했다. 매일 흘려보냈던 내 일상이 기록으로 남겨질 수 있었고, 기록이 늘어나면서 일상의 소중함을 진심으로 감사 할 수 있었다. 이 감사함은 내가 봤던 찾았던 여러 아름다움을 나누고 싶어지는 마음 까지 다다랐다. 그리고 계속 새로운 아름다움을 찾아내어 담고 싶어지는 원동력도 생겼다. 그 원동력이 내가 여러 위치의 카페를 찾아다니게 해주었고, 카페를 넘어 온갖 장소로 이끌었고, 장소에서 두루두루 사람들과 소통하였다. 이제는 사람들 사이에서 일어나는 아름다운 일들을 찾고 싶어졌다.

일상에서 느꼈던 아름다움의 기록

마음이 고요할 때, 고유 출판사

전 남자 친구로부터 심하게 스토킹을 당하고 협박을 당했다. 강제로 집밖에 나갈 수 없었다. 밀려오는 각종 불안함과 위협에 대한 걱정 그리고 내 잘못도 들어가 있을 내가 선택한 이전 시간의 슬픔과 후회 때문에 집에 누워 있었다. 이불이 날 계속 잡아끌었다. 이불이 날 휘감아 가둬 삼켜줬고 그게 편했다. 그런 시간 들을 한동안 보냈다. 항상 약속이 있었고 외출을 자주 하던 나에게는 혼자 집에서 아무것도 하지 않고 동굴에 있듯이 지나가는 시간 들은 꽤 오랜만이었다. 주위에 적막이 흐르는 시간 들이 많았다. 시간의 흐름을 적막과 함께 찾아온 창문을 통해 들어오는 빛의 변화와 공기의 온도가 달라지는 걸로 알았다. 그것밖에 없는 시간과 공간에서 내 마음의 고요함이 저절로 떠올라왔다. 내 마음의 감정에 집중됐다. 집중되는 감정을 좀 더 알고 싶고 잘 다뤄주고 싶어서 다시 책을 보기 시작했다. 책을 보다 보니 전에는 생각하지도 않았던 글쓰기의 새로운 도전을 해보고 싶었다. 글쓰기로 내가 누려야 할 풍요로움을 다시 찾고 싶었다. 글쓰기의 막연함을 걷어내는 내용과 글쓰기의 두려움 문제 해결, 글쓰기를 용기라고 표현한 고유 출판사의 광고 문구에 홀리듯이 책 쓰기에 신청했다.

첫 오프라인 모임에 도착했을 때 출판사 입구에 있는 이야기를 수집한다는 배너의 문구부터 마음에 들었다. 경청하겠다, 경청을 함께 하자는 것 같은 느낌을 받았다. 스킵과 요약이 익숙하고 내 할 말 생각하기가 먼저인 요즘에 익숙하지 않은 문구였다.

처음 고유 출판사에 들어갔을 때 제일 먼저 눈이 향한 건 긴 책상에 세워진 낯선 명패들이었다. 낯선 사람들과 함께 있는 낯선 명패들이 어색했다. 처음에는 낯선 사람들이 모인 생소한 공간에서 나오는 불편함이 있었지만, 막상 모임이 시작된 시간만큼은 집중할 수 있었다. 오랜만에 밖에 나오니 내가 여기저기 긁혀져 있는 것 같은 몸과 마음이 짓눌려 있던 무거운 상태가 의식되었다. 오프라인 모임의 회차가 늘어날수록 고유출판사 공간에서 보이는 모습들이 확장되어 갔다. 휴게실에 있는 에스프레소 머신과 차 종류, 벽면에 전시된 이전 기수의 책 내용들, 모임 때마다 달라지는 간식의 종류들, 사무실 방에 있는 책의 제목들, 창가에 있는 고유 출판사의 추억 모음 물건들과 고유출판사 스토리와 사진이 담긴 책자 등 내 눈으로 장면들이 점차 증폭되어 들어왔다.

내가 쓰는 글도 카페 공간에서 나왔던 풍요로움에서부터 내 이야기로 점차 들어갔다. 결국 내가 밝히고 싶지 않았던 최근 나의 상태 이야기도 쓰게 만들었다. 마음의 고요함에서 출발한 나의 글쓰기가 점차 나의 이야기에 온전히 집중하는 글로 손을 잡아끌어 줬다. 나의 일상에도 변화가 생겼다. 밖에 나갔을 때 혹시나 모르는 내 안전에 대한 불안감과 알 수 없는 위태로움이 조금씩 옅어져 갔다. 안 해 보던 일들에 도전하기 시작했다. 카페를 다니며 생각만 했던 바리스타 국제 자격증도 취득했다. 10년 전부터 더 이상 읽지 않았던 시나 소설도 조금씩 보기 시작했다. 무기력했던 일상에서 점차 적으로 행동의 시간이 늘어났다. 무엇보다 이전에는 전혀 예상하지 않았던 글쓰기가 내 일상의 시간 속에 있었던 것과 글쓰기를 염두 하는 나의 순간들이 움트는 것부터 내 삶과 내면을 조금씩 다시 다지는 시간이었다. 내가 또 다른 움트는 새로움의 씨앗을 뿌릴 수 있는 환경을 만들어준 고유 출판사와의 마주침에 감사한다.

처음 써보는 나의 글의 마무리

다음이 올 수 있을 것 같은 당연함도 이루어지지 않는 일도 있다. 라일락 나무에 만개한 보랏빛 라일락꽃이 비에 떨어져 당장 내일이라도 볼 수 없는 것처럼 말이다. "다음에 또 같이 오자"는 누구보다 친밀했던 상대방의 말이 어떤 이유에서건 마지막이 되는 것처럼 말이다. 너무나 당연하게 생각했던 다음이 없어진 현재가 와있다. 돌아갈 수 없는 '시간'들이 '날'들이 되어 지나갔다. 예전에 이용했던 카페를 재방문했을 때 카페 사장님의 "또 오셨네요"라는 반가운 안부 말 속에 '또'라는 말로 이전의 방문이 정확하게 지난날들로 짚어져 다시 찾아올 수 없는 시점이 된 것처럼 말이다. 아쉬웠다. 내 아쉬움이 내가 겨우 스쳤다고 생각한 모든 환경과 과거로부터의 내가 연결되어 계속해서 삐져나왔다. 이 아쉬움은 내가 글로, 사진으로 가둬 놓았던 날들의 추억으로도 채워줄 수 없는 그리움이다. 이 그리움이 지나쳐온 환경과 장소를 거슬러 현재에서의 사람과 사람으로 연결을 바라게 해준다. 소통으로 이어지고 싶은 파장이 결국 여기 이 책이 글까지 왔다. 내가 이 글쓰기로 당신에게 살며시 안부의 인사를 전하고자 한다. 어쩌면 우리는 스쳐 지나갔거나 아님 좀 더 마주친 사이이거나 마주칠 사이일 수도 있고, 이미 친한 사이일 수도 있고, 내가 훗날 당신을 찾아갈 수도 있고, 당신이 나를 찾아올 수도 있고, 서로 이웃이 될 수도 있다. 내 마무리는 우리로서의 이어짐으로, 이 이어짐의 일부는 끝나가는 섭섭함에 대한 내 개인적 위안과 나머지는 내가 당신에게 보내고 싶은 사랑의 존재로 남기고자 한다.

체리

30년산 체리

30년산 체리

나에게 체리는 케이크 위에 예쁘게 장식된 과일이며, 응당 동생들에게 양보 해야 하는 '설움이 묻어난 것'이랄까. 과일을 선호하지 않는 내가 무심코 지나친 과일가게에서 내돈으로 나를 위해 구매한 뚜렷한 기억 속 첫 번째 과일. 꽤 값이 나갔지만 예쁜 색감으로 눈길을 사로잡기에 충분했고 맛 또한 과하지 않은 상큼함과 튀지 않은 달콤함이 조화로워 돈이 아깝지 않다고 느꼈던 과일이다. 심지어 사계절 내내 칼로리에 부담 없이 즐길 수 있어 과일계의 다이아몬드라고 불리는.

체리를 '내돈내산(내 돈 주고 내가 산)'한 이후 과일의 매력을 알게 되었고 비로소 다른 과일들도 직접 사 먹게 되었다. 과일이라면 입에도 대지 않던 내가 어느덧 집에 과일이 없으면 조금은 서운함이 들 지경이었다. 언니니까 양보 해야 하는, 궁금증으로 가득했던 작은 과일 하나가 나의 입맛을 바꿔준 것이다.

스스로를 위해 구매한 첫 과일 체리, 오롯이 나만을 위해 도전한 일이기에 과일 이름을 필명으로 엉뚱하지만, 진중한 나의 일부를 담아낸 이야기를 시작하려고 한다.

*

2020년 9월 긴장되는 기색이 심한 나머지 잠을 설친 채로 새벽같이 눈을 떠서 출근 준비를 했다. 그렇게 기다리고 기다렸던 첫 출근. 비록 논현동에 오르막길 위에 위치한 낡은 건물이긴 하였으나 사옥이었고 제시했던 초봉 또한 생각보다 나쁘지 않았기에(아니지, 지금 돌이켜 생각해 보면 나빴던 초봉 제시였다) 입사를 결정했다. 빳빳하게 다린 정장 치마와 셔츠를 입고 머리를 단정히 매만졌다. 집 밖을 나서는데 해가 짧아진 탓인지 어둠은 얕게 깔려 있었고 코끝엔 찬기가 돌았다. 아직도 그때의 느낌을 잊을 수가 없다. 대학교 졸업 후 사회 구성원으로의 첫 발걸음을.

한 분 한 분 모두 인사를 하러 돌아다니고 회사소개서와 주력 상품 소개서를 읽어보라고 건네주셨다. 몇 회독을 했을지 모를 만큼 읽고 또 읽어 나갔다. 할 일 없이 같은 일을 반복한다는 것은 참 고역이었고 그저 시간이 빨리 흘러 '내게도 본격적으로 인수인계를 해 주셨으면...'하고 바라는 마음이 커졌다. 어느덧 점심시간이 되었고 타 팀과 함께 정육 식당을 가서 소불고기를 먹었다. 수저를 세팅하고 그들과 함께 밥을 먹으니 제법 어엿한 직장인이 된 것 같은 기분이었다. (후에 알게 된 사실이지만 새로운 사람이 입사했을 때 그 식당에서 소불고기를 먹는 게 약간의 '국룰'이었다) 무한 반복하며 같은 내용의 소개서들을 읽다 보니 퇴근 시간은 다가왔고 긴장감과 피곤함이 한껏 몰려와 집에 도착한 후 바로 잠에 들었다.

반복적인 출퇴근의 피로도가 본격적으로 쌓이기도 전에 추석이 다가왔다. 직장인으로서 첫 연휴였기에 또 새로웠고 선물세트를 양손 가득 들고서 퇴근하는 길이란 말로 이룰 수 없이 뿌듯했다. 나를 대견히 여기는 가족들의 시선, 마음은 한없이 풍요로웠고 스스로의 나에게 취해 있었다. 스스로가 자랑스럽다고 느끼는 와중에도 별수 없는 직장인처럼 연휴 끝나는 출근 날까지 누구보다 야무지게 쉬어야지 라는 생각들이 가득했다.

어느덧 연휴는 끝났고 시간은 속절없이 빠르게 흘렀다. 나는 영업팀이었고 온라인MD의 직무를 맡았다. MD란 Merchandiser의 약자로 사전적 의미는 상품화 계획 또는 상품기획을 전문적으로 하는 사람, 덧대자면 주로 제품을 온오프라인 쇼핑몰에 입점 시켜 판매가 잘 이루어 질 수 있도록 연구하고 기획하는 사람이다. 허나 이는 사전적 의미일 뿐, MD들 사이에선 '뭐든 다한다'의 약자라고들 말한다. 입점 진행 뿐 아니라 재고 및 발주, 월 매출정산, 고객들의 컴플레인 해결, 프로모션기획 등 상품을 잘 팔기 위한 행동들을 뭐든 다 해냈어야 했다. 심지어 매출에 대한 압박까지.(사실은 매출에 대한 압박이 가장 컸다) 그래서 유독 경영관리팀과의 재고 혹은 매출 관련 서류들로 인한 트러블이 잦았고 답답함에 울기도 많이 울었다. 당시에는 몰랐으나 업무적인 부분 외에도 사소한 트집들을 많이 잡았던 사람들이 있었는데 지금 생각해 보면 그 사람들 덕분에 '한 귀로 듣고 흘리는 법'을 조금이나마 터득한 것 같다. 반면에 같은 팀원과의 동료애, 혹은 의리는 점차 두터워졌으며 차차 회사의 일원으로 성장해 나갔다.

사내의 전반적인 인원 배치가 변경된 탓에 전혀 몰랐던 분야의 업무도 배웠다. 아니지, 스스로 배워 나가야만 했다. 마케팅팀의 해체로 인해 내가 소속했던 '영업팀'이 마케팅 관련 직무들을 떠안고 '영업마케팅팀'이 되었다. 소위 말하는 '개떡같이 말해도 찰떡같이 알아듣는 직원'이 되고 싶었고 회사에서도 인정받는 직원이 되고 싶었다. 각종 마케팅 관련 커뮤니티에 가입 후 여기저기 물어가며 툴을 기초 세팅, 효율을 분석하는 법을 배웠고 열정을 쏟았다. 반면에 성과는 만족스럽지 못했고 단순히 나의 업무적인 스킬을 늘려 나가는 과정 그 이상도 이하도 아닌 날들이 반복이었다. 나의 노력이 모든 이들에게 닿지는 못하였으나 내 주위 사람들만 알아주면 된다는 생각에 무던히 애를 썼다.

회사라는 집단의 본질은 이익을 추구하는 집단이다. 대학교에서 배운 것을 이렇게 현실로 깨닫기에는 그리 오랜 시간이 지나진 않았다. 그럴듯한 성과는 없었고, 그저 나는 열심히만 하는 직원으로 비쳤다. (과연 '열심히 하는 직원'으로 비쳤을까?) 열정이라는 연료는 수명을 다하고 있었고 금세 동이 나버렸다. 일하는 것에 대한 권태로움 그 이상의 삭막한 감정이 들 때 비로소 나는 퇴사를 결심했다.

모든 직장인들이 퇴사를 결심하는 것은 흔치 않은 일은 아니다. 나 역시도 사직서를 제출했던 경험이 있었으며, 팀장님께 더 이상 다니지 못하겠다고 울며 하소연 한적이 꽤 있었다. 처음 퇴사를 결심했을 때에는 앞으로 나아가질 못하는 내 스스로에게 많은 실망감을 느꼈다. 겉으로는 안 그런 체 했으나, 항상 나는 새로운 분야에 대한 배움에 있어 즐거웠고 그 과정에 있어 늘 원하는 결과를 얻어낼 수 있었다. 노력한 만큼의 결과는 늘 내게 따라주었다. 사실 운이 좋지 않은 편이라 시험에는 혹여 내가 공부하지 않은 문제가 나올까 더 꼼꼼히 공부했고 인간관계 또한 '좋은 게 좋은 거다' 하고 참아가며 좋게 다듬었다. 그런 내게 '운이 참 좋았네' 혹은 '인복은 타고 났어' 하는 사람들이 속으로는 무척 싫었다. 모두 내가 얻기 위해 노력한 것들인데....... 하지만 회사라는 집단은 노력만으로는 성과가 나타나질 않았다. 이는 나에게 있어 물줄기를 콱 틀어막은 돌덩이 같았다. 다들 이렇게 힘든 회사생활을 가장이라는 이유만으로, 혹은 어른이기에 참고 다니는 건가 하는 생각이 머릿속을 지배했다. 더불어 이런 힘듦이 어른이 감당해야 할 몫이라면 영영 어른이 되고 싶지 않다고 생각했다. 기분은 점차 깊은 동굴 속에 빠지는 듯하였으나 가까스로 주위 사람들 덕분에 나올 수 있었다.

첫번째 퇴사를 결심했던 시점 이후 계절이 여러 차례 바뀌었을 때, 사옥은 이전을 했다. 사장님께서는 대치동에 땅을 매입하셨고, 아주 서둘러 그 위로 건물을 새로 지으셨다. 내가 다니던 낡고 언덕

길 위에 있던, 그야말로 가정집을 개조했던 사옥은 곧 재개발 예정이라 미친듯이 가격이 오른다는 유명 아파트 바로 앞, 통유리로 되어있는 그 근처 일대에서 눈에 띄게 우뚝 솟은 으리으리한 건물로 바뀐 것이다. 사옥의 이전 이후 난생 처음 동창에 걸려보았는데, 이 또한 사장님께서 '준공식을 해야 하니 여직원들은 의전을 해라' 라는 무언의 압박으로 한겨울에 구두를 신고 VIP들을 마중나가 의전 하며 추위와 싸웠던 탓이었다. 다들 겉으로는 '사장님이 유난스럽다' 라는 식의 반응들을 비췄으나 내심 이 일대에 땅을 사고 건물을 짓는 사람이 몇이나 될까 하며 이해한다고 생각했을 것이 틀림없다. 나 역시도 그리 생각했으니 말이다. 하물며 그 건물에 출퇴근을 하는 한낱 직원 뿐일 우리에게 조차 자긍심을 심어주기 충분한 외관이었으며, 친구들이 주말에 박람회를 오가며 "야, 너희 회사다!" 하고 건물 사진을 찍어 보내줄 때는 아닌 체 했지만 내심 조용히 올라갔던 광대와 어깨... 이와 같은 일들은 모두들 느꼈을 것이라고 자신하기 때문이다.(인정하기 싫지만 건물이 꽤나 있어 보이기는 한다.)

이 시기쯤 사장님과 학연으로 얽히신 어떤 분께서 고가 제품인 자사 의료기기를 SNS 공동구매 형식으로 놀라운 매출을 끌어내셨고, 해당 브랜드를 전력을 다해 밀자는 사장님의 방침대로 사내 분위기는 점차 변했다. 'MD'의 비중이 강했던 나의 직무는 의료기기 브랜드의 '마케터'로서 온전히 전환되었다. 의료기기는 마케팅적으로 굉장히 조심스러운 카테고리인데, 이는 이미지부터 시작해서 메인 광고 문구 혹은 SNS용 글까지 모든 광고 심의를 받아야 하기 때문이다. 하다못해 유튜브 채널 PPL마저도 콘티 하나마다 화면 캡처 후 심의를 받아야만 한다. 광고 심의를 받지 않은 이미지와 문구를 사용하여 '과대광고'로 신고를 받을 시 영업정지 및 벌금 등의 처분이 내려오는데 주로 일시불이 아닌 렌탈 개념의 체계로 판매하는 우리에겐 그리고 캐피탈 및 금융 협력사, 전국 각지에 있는 대리점주들에겐 굉장히 큰 타격이 있는 중대사이다. 해서 사실 실무진 입장에서는 그분의 SNS 영업이 꽤 아슬아슬한 줄타기를 하는 듯 노심초사하며 전전긍긍했지만 당장의 매출이라는 아주 큰 달콤함을 맛보신 사장님께서는 실무진의 매출에 대한 무능함을 탓하실 뿐, 그 이상의 제재는 하지 않으셨다.

'마케터'로서 기본적인 툴과 세팅, 간단한 효율 분석만 할 줄 알았던 나는 경쟁사의 SNS, 홈페이지 등을 상시 화면에 띄워 놓은 채 그들의 프로모션을 모니터링함과 동시에 하다못해 SNS 팔로워 수를 이길만한 아이디어를 내야 했고 끊임없이 보고서를 작성해야만 했다. 전부터 '브랜드 공식 계정을 키워야 합니다.'라며 주장했던 의견이 그제야 들리셨는지 서둘러 SNS 계정관리에 돌입하라는 지시가 내려왔다. 이때 BM으로서(Brand Manager) 내 입지를 다지는 첫발이 되었다. 정식적으로 광고대행사가 지정되었고, 유튜브와 SNS 그리고 블로그까지 대행사의 컨트롤, 심지어는 웹디자이너의 부재로 그들의 업무인 브랜드 홈페이지 제작까지 혼자 도맡았다. 혼자 진행하기에 많은 업무량이었고 내 본연의 업무가 아닌 부분도 있었지만, 다시금 '잘 해내는 직원'이 되고 싶어 무던히 애를 썼다.

대행사와 협력하여 일을 하는 와중에 나에게는 새로운 미션이 생겼는데, 그것이 바로 '임플로이언서'로서의 역할이었다. '임플로이언서' 란 직원(Employee)과 인플루언서(Influencer)의 합성어로 자신이 다니는 기업의 복지, 환경 등을 SNS에 공유하는 직원을 뜻한다. 주기적으로 직원들과 여러 가지의 주제를 놓고 인터뷰를 진행, 유튜브에 업로드되었으며 간간이 친구들에겐 "나 유튜브에서 너 봤어. 닮은 사람인 줄 알았는데 너 이름이 자막에 나와 있더라."라며 연락을 꽤 받기도 하였다. 백퍼센트 자발적으로 시작한 바는 아니라 '(물론 결혼 생각은 없었지만)아, 시집 다 갔네! 가뜩이나 화면발도 안 받는데...'라는 생각과 민망함이 곱절로 다가왔다. 각 협력사에선 '회사의 얼굴'이라는 듣는 내게 미소가 번질만한 칭찬을 해 주셨고 사장님 또한 직원들의 단합이, 그리고 유튜브의 조회수가 꽤 마음에 드는 눈치셨다. 이러한 활동들로 하여금 굉장히 빠른 속도로 사장님의 눈엣가시 같은 경쟁사의 SNS 팔로워 수를 '제꼈다'(사장님께선 늘 '제낄 수 있제?'라며 물어 오셨고 응당 나는 '네 제낄 수 있습니다!'라고 패기 넘치는 답변을 해야 했다.)

두 번째로 퇴사 의지를 확고히 밝혔을 때는 나의 자만심이었다. 대기업이 아닌 기업의 장점이자 단점인 부분은 업무 범위가 넓다는 것인데, 상품을 유통하고 판매하는 것부터 마케팅까지 모든 업무를 혼자서도 잘할 수 있을 것이라는 (당시에는) 자신감이었다. 1인 창업을 시작하고자 사직서를 제출했고 팀장님의 기나긴 설득 끝에 정상적인 출퇴근을 하며 퇴근 후 내 업무를 보는 조건으로 사직서는 반려되었다.

사실은 꽤 오래전부터 '직장인의 월급은 한계가 있으니 내 사업을 해야 한다'라는 생각이 컸으나 마땅한 아이템이 떠오르지 않아 시작하지 못하고 있었다. 그러던 어느 날, 1인 가구 혹은 맞벌이 부부에겐 '밀키트'가 야무진 상품이라는 사실이 뇌리를 스쳤다. 생각해 보면 요리하는 것을 즐기던 내게도 남은 야채들을 소진하는 것이 꽤 부담이었을뿐더러 1인 가구의 증가, 물가의 상승 등을 고려해 봤을 때 이는 뜬구름을 잡는 아이템도 아니었다. '유레카!' 밀키트라는 카테고리를 잡으니 그 이후 전체적인 시장 규모와 흐름을 읽는 것은 일도 아니었고 디테일한 계획들이 빠르게 세워져 나갔다. 나만의 밀키트 브랜드를 런칭하고자 노후를 위한 적금을 깼고(비혼주의자인 내 인생에 있어 노후 준비는 필수요소이다.) 끝끝내 브랜드를 런칭 시켰다.

회사에 다니면서 '개인 사유에 의한 연차 사용'이라는 품의서를 내기 여러 번, 적정 단가와 내 레시피를 실현해 줄 수 있는 공장을 알아보고 방문, 실사를 진행했다. 식료품 관련 공장이라 나의 거주 지역 기준 3시간 이상씩 걸렸었고, 교통편이 좋지 않아 꽤 애를 먹었다. 그럼에도 불구하고 꾸역꾸역 공장 비교를 위한 실사들을 나갔고, 내가 원하는 단가와 레시피 및 개발비용 등 세상 누구보다 꼼꼼히 따져 물었다. 공장 임직원들의 연령대는 최소 내 기준 '아빠뻘' 이상이었고 그들에게 얕잡아 보이기가 싫어 더욱 야무진 태도로 일관했다. (살짝 웃긴 이야기이지만, 당시 외제차 차주였던 지인에게 조금이나마 있어 보이기 위해 함께 가달라고 부탁했던 일화도 있다) 아무리 야무지고 세 보이는 태도를 유지한다 한들, 그들이 보기에 어린 여자애가 무턱대고 찾아온 것으로 비쳤을 것을 은연중에 느꼈다. 공장을 지정한 이후 레시피에 대한 피드백을 전달했을 때 첫 미팅과는 상반된 속도로 돌아오는 늦은 대응들, 그리고 이런저런 핑계들로 가견적과 다른 최소 발주 수량....... 매우 답답하고 열을 받긴 했으나 나는 크게 개의치 않았다. 몇 번을 수정하든 원하는 맛의 레시피로 만들어 누가 팔아도 자신 있게 팔 수 있는 밀키트를 만들 것이며, '상품의 퀄리티가 좋으면 언제든 그 상품은 빛을 볼 수 있다'는 실무를 하며 배운 모든 것들을 적용하겠다는 나의 집념이 있기 때문이었다. 디자인이라면 하나도 모르던 내가 로고를 직접 제작하고 브랜드명과 함께 상표등록을 했으며, 등록한 로고로 밀키트의 패키지 제작 작업까지! 내 고뇌와 손길이 닿지 않은 곳이 없는, 말 그대로 마치 내 아이 같은 상품이었다.

잠을 줄여가며 내 사업을 성공시키기 위해 다음 수순이자 자신 있었던 마케팅으로 또 한번 빠져들었다. 이때의 나는 사장님을 온전히 이해할 수 있었다(물론 지금은 아니지만) '하긴, 고작 얼마 안 되는 내 돈 투자했어도 늘 내 상품 생각 뿐인데, 사장님은 오죽 하시겠어....'라고. 셀 수 없이 N회차 샘플 수정 끝에 나온 내 아이, 내 상품은 맛에 대한 반응도 꽤 좋았고, 최소 비용으로 꽤 괜찮은 효율의 마케팅 성과까지 일궈냈다. 이는 성취감이라는 도파민에 취하기 충분했다. 반면 나의 행보를 시기 어린 눈으로 보는 사람들도 있었다. '돈 많은 남자 친구들에게 투자 받아서 하는 건가?'라는 말 같지도 않은 찌라시들. 순도 100퍼센트 내 자금 일뿐더러 그들에게 일일이 비하인드 스토리를 들려주는 것이 괜한 변명을 해대는 사람처럼 비칠까 혹은 또 하나의 '카더라'를 만들어 주는 일이려나 싶어 입을 닫았다. 들어도 못 들은 척, 추악한 질투를 사방에 흩뿌리는 사람들을 굳이 상대하기에 내 감정이 소모되는 것마저 아까워 일관된 무시로 대응했다.

허나 너무 스트레스를 받아 가며 무리를 했던 탓일까, 사람 일은 어떻게 될지 모른다는 옛말처럼 몸 상태가 급격히 좋지 않아졌고 2차 발주까지 신경 쓸 여력이 남아 나질 않았다. (다행히도 1차 발주분은 모두 판매되었다) 몸 상태가 좋아지지 않으니 그렇게 애정 했던 내 상품에 손을 댈 여력이 없었고 그리고 두려웠다. 2차 발주의 판매 추이가 어떻게 될지. 나의 급여를 지속해서 투자할 수 있을지. 몸도 마음도 약해져 있었고, 또 의지에 앞서 너무 급히 일을 벌였다는 생각들로 지배되었다. 그만두기엔 너무 아쉬운 성과인 것은 분명했으나 2차 발주를 미뤄 잠시 내려 놓고 원래의 회사 생활에 안주하는 선택을 할 수밖에 없었다. 스스로에 대한 확신이 없어져 갖은 생각들로 둘러싸인 내 모습은 형편없었고 생기를 잃은 듯했다. 카메라 앵글에 담자면 놀이공원에서 부모님의 손을 놓쳐 한자리에 우두커니 서 있는 아이의 사진을 흑백화 한 것과 같달까. 애니메이션으로 표현하자면 양잿물에 홀라당 하고 빠져 온몸에 털이 잔뜩 젖은 생쥐 정도.

'돈 주고 못 사는 값진 경험이었을 것'이라는 주변 위로들은 온전하게 나를 달래기엔 얕은 위로였으나 나 또한 경험으로 위안을 삼았기에, 그렇게 스스로를 다독여야만 했기에, 쓰린 내 마음을 흠뻑 달랬다.

마지막이자 나의 퇴사 결심의 처음 이유는 건강 상의 이유였다. 앓고 있던 병이 다시 재발하기 시작했고 감당할 수 없이 힘들었기 때문이다. 이 곳에서의 내가 다녔던 연차(나이는 어렸어도 입사순으로 나열했을 때 열 손가락 안에 드는 연차였다.)와 학원비를 지원해 주는 제도가 있음에도 퇴사하기에는 아쉬움이 없지 않아 있었으나 이번을 계기로 조금 쉬고 싶은 마음이 더욱 커졌다. 부모님의 동의가 있으면 아르바이트가 가능한 고등학교 1학년, 학창 시절부터 쉬지 않고 일을 해왔다. 돈이라는 요소는 나의 인생에 있어서는 필수였다. 온전히 쉴 수 있는 선택지가 나에겐 없었다. 오롯이 나를 돌아보는 시간을 갖고 싶어졌고 아주 예전부터 취미로만 쓰던 글에 대해 마주하고 싶어졌다. 내면의 나를 돌보아주고 싶어서.

퇴사 전 직장인으로서 마지막 숙제 같은 직장인 건강검진을 했다. (회사에서는 2년에 한번씩 건강검진을 하는데 벌써 두 번째 건강검진이었다) 정말 무엇인가에 홀린 것처럼 나에게는 굉장히 비쌌던 추가 금액을 지불하고 혈액검사를 했는데 이게 왠. 류마티스 양성이라는 연락이 빠르게 왔다. 가족들에겐 '아무것도 아니야.' 라고 너스레를 떨었지만 무서웠다. 이제야 온전히 나를 돌볼 시간을 가지려고 했는데... 오진일 수도 있으니 정량 검사를 진행해야 한다는 연락에 당연히 응했고 결과를 기다리는 시간 속에 나는 정보의 바다에 빠져 허우적댔다. 시간이 날 때 마다, 아니지 온종일을 검색에 매진했다. 검사 결과를 들으러 가는 시간은 꽤 길게 느껴졌다.

사건은 언제 어디에서도 발생하고 늘 예기치 못하게 일어난다.

검사 결과를 기다리던 일주일 새에 나에겐 잊지 못할 사건이 발생했다. 일괄적으로 하는 연봉협상에 나는 포함되지 않았다. 팀별로 연봉 협상을 위한 면담을 진행할 것이라는 전체 공지 메일에 그 어디에도 내 이름은 없었다. 경영관리팀에 문의하니 사실 인상폭이 컸던 계약서였으나 퇴사 의지를 밝힌 시점으로부터 나의 연봉은 동결되었고 해당 근로계약서에 서명하는 것은 의미 없는 일이니 포함하지 않았다는 것. 이성적인 감정 컨트롤이 어려웠다. 아니, 사실은 감정 컨트롤을 해야 한다는 사실조차 망각했다. 나의 20대를 바친 회사에서의 마지막이 고작 이 따위 대우라니. 그 누구보다 열심히 해왔음을 자부하던 나였고 소위 말하는 작은 기업에서의 부당한 처우들을 견뎌왔는데... (여직원이기에 손님의 커피를 타는 일, VIP손님들이 오면 의전을 해야 하는 일 따위 등 '요새도 그런 곳이 있어?'의 '그런 곳'이었다) 정신을 차릴 수 없이 깊은 배신감과 회사에 대한 모멸감, 역겨운 감정들이 모조리 쏟아져 나왔다. 객관화 시켜 생각해 보면 당연한 수순이겠지만 감정이 앞선 나는 받아들여지지 않았다. 물론 그것은 지금까지도 마찬가지.

헤어 나올 수 없는 감정들의 늪에서 허우적대며 시간은 흘렀고 결과를 듣는 날이 왔다. 류마티스 양성은 기정사실이고 대학병원에서의 치료를 시작해야 하니 소견서를 작성해 주겠다는. 아침에 손가락이 붓고 압통이 심해 움직임이 부자연스럽거나 관절 마디의 통증 등 내 몸이기에 어느 정도 예측은 가능했으나 육성으로 듣게 되니 무서움이 짙게 드리웠고 심장이 차갑게 식는 듯한 느낌이었다. '괜찮아 치료 잘 받으면 되지' 하고 나를 다독이기를 반복했다. 나아가 이직을 위한 퇴사도 아니었고 건강상의 이유에서 퇴직을 결정했는데 나를 차갑게 내친 회사에 대한 역한 원망스러움을 모른 체 할 수 없는 지경에 이르렀다. 하루마다 글로 감정을 다스리려 했지만 출근을 하고 일과를 보내는 내내 가슴이 턱 하니 막힌 듯한 고통스러움으로 가득 찼다. 매몰차게 구는 회사에 퇴사 날을 받아 둔 채 출근하는 것 또한 고역이 아닐 수 없었다.

정말 감명 깊게 읽은 책의 내용 중 하나는 생각이 많아지거나 감정의 정리가 필요할 때 걷기를 해보라는 부분이 있었다. 벌써 N회독을 하는 나에게 너무 적합한 처방이었고 퇴근 후 몇 정거장 전에 내려 걸으며 내 감정을 살폈다. 아무 생각 없이 걷다 보니 감정이 다소 진정되는 듯한 느낌이었다. 더 이상 회사에 대한 악감정보다는 나의 마음에 대해, 그리고 앞으로의 날들을 차분히 정리해 봤다. 손가락 관절의 휨 혹은 합병증으로 인한 얼굴 발진 등, 인터넷에서 보던 무서운 증세까지는 나오지 않은 상태이니 치료하면 금세 나아질 것. 그리고 정제되지 않은 감정들을 꾸준하게 글로 써내려 가면 격양된 감정들이 한풀 꺾일 것이고, 차분해진 마음을 쌓아 내면의 단단함을 키우겠다는 것. 여기까지가 내 선에서 할 수 있는 최대의 마음 정리였다. 회사에 대한 원망스러운 마음도 그만 거두기로 했다. 미워하고 나빠하는 마음이 점점 커져서 내 마음을 온전히 잠식하게 되면 또 스스로를 갉아먹는 일이 되겠지.

마음을 다스리는 나날들을 반복하는 와중에도 시간은 흘렀고 어느새 마지막 출근날이 되었다. 첫 출근을 했을 때만큼의 긴장감을 느꼈다. 그때와 마찬가지로 잠을 설쳤고 복잡한 감정들을 뒤로 한 채 길을 나섰다. 늘 그렇듯 회사의 분위기는 전과 같았고 이 모습 안에 내가 없다는 내일을 상상하니 펵 슬픔이 올라왔다. 그간 회사에 대한 감정들을 많이 내려놨다고 생각했지만, 마지막으로 인사를 하니 또 눈물은 참을 수 없이 새어 나왔다. 스스로 돌아봤을 때 무척이나 열심히 했고 나의 애정과 열정 어린 이곳에서 생활들이 오늘로써 마지막이라는 것에 대한 허무함, 그리고 차마 털어 내지 못한 정이었다. 나를 내쳤다고 생각했으면서도 정이 남아있었나....... 물론 회사에 대해 너무나 많은 실망을 했지만, 이 회사를 통해 알게 된 소중한 나의 인연들을 더 이상 자주 볼 수 없다고 생각되어서였을까.

소중한 인연들과 함께해 힘들었던 순간들을 쉬이 털어버렸던 날들이 있었다. 소중한 인연들에 대한 이야기를 살짝 가미하자면, 첫 번째로 마주한 소중함은 나의 짝꿍이자 내 사랑T라고 블로그에도 자주 언급했던 친한 언니이다. 평균 연령이 매우 높았고 남초 회사의 대명사였던 우리 회사에도 드디어 내 나이 또래의 햇살처럼 따듯한 미소를 지닌, 무려 여자 사람이 입사했다. 그녀는 비록 나보다 늦게 입사하긴 했어도 단단한 경력을 지니고 있는 사람이었다. 경력과는 별개로 전 회사와 너무 상반된 전산 시스템에 대해, 그리고 사내 분위기에 대해 낯섦을 많이 느낀 듯 보였다. 그런 그녀에게서 힘들어하던 나의 입사 초창기 모습이 비쳤고 더욱 마음이 쓰여 더욱 꼼꼼히, 그리고 이해하기 쉽게 일을 알려주었고 빠르게 적응할 수 있도록 더욱 그녀를 살뜰히 챙겼다. 인계가 완전히 끝나 내 본연의 업무만 맡아 진행하던 어느 해 겨울, 회사는 감사를 받는 시기가 도래했다. 한 해를 마무리하는 감사에 대한 자료 준비였기에 그녀는 부담감에 마음이 꽤 힘든 듯 보였고 나는 그런 마음을 달래며 함께 저녁 늦게까지 남아 업무를 마쳤다. 이를 계기로 우린 급속도로 가까워질 수 있었다. 너무 상반된 성향인 사람이었기에 서로의 부족한 점을 채울 수 있는 관계가 되었고 깊게 의지할 수 있었다. 늘 '우리 언니 건드리기만 해?'하며 나는 그녀의 든든한 동생이 되었고 항상 내 건강을, 그리고 내 행복을 우선시해 주는, 정말 '언니가 있다면 이런 느낌이겠다'고 느끼게 해주는 사람이었다. 약간의 자랑이지만 언니의 결혼식 당시 부케도 내가 받았다. 관련된 이야기를 살짝 더 추가하자면 그녀는 굉장한 '사랑꾼'인데, 비혼주의자인 나에게 "너를 무조건 사랑하는 사람이 꼭 나타날 것이고 그러면 그 누구라도 다 결혼하게 되어있어. 네 결혼식 때에는 내가 플래너처럼 다 해 줄게. 걱정하지 마."라고 늘 나의 결혼을 장려해 '결혼 바이럴 맛집이네'라는 나의 반응을 자주 끌어내곤 했으며 "무슨 행동을 해도 다 예뻐 보이는 사람이 있는데 그게 내 남편이랑 너야."하며 나를 늘 사랑스럽게 봐주는 그런 사람이었다. 나를 사랑스럽게 봐주는 그 모습이 더욱 사랑스러웠던 그런 사람. 그녀는 내게 "네가 있어 버틸 수 있어."라고 입버릇처럼 말해주었지만 나 역시도 마찬가지였다.

두 번째 소중함은 해외영업팀의 팀장님이다. 그녀는 누가 봐도 존경할 만한 성품을 지녔으며 다개국어에 능통한 그야말로 인재다. 외국 바이어들과 그들의 언어로 이야기를 나누는 모습을 보아하니 같은 여자가 보아도 매력 있고 너무나 멋있으며 넋을 놓고 그녀의 목소리에 귀 기울이게 만드는 그런 사람이다. 늘 어린 직원들을 걱정하고 존중하셨으며 배움에 열정을 쏟는 모습이 내가 생각했을 때의 '진짜 어른'이었다. 대학교 때부터 가장 존경했고 지금까지도 가장 멋있는 사람을 떠올리면 생각나는 교수님이 한 분 계신다. 그분께서는 '예쁜 사람, 잘생긴 사람'이 아닌 '인성을 갖추고 멋있는 사람이 돼라'고 늘 말씀하시어 귀에 못이 박힐 지경이었는데 '교수님께서 말씀하시던 멋있는 사람이 이분 같은 사람을 말씀하셨던 거였구나...' 하고 느껴질 만한 사람이었다. 누구보다 당당한 모습으로 해외 영업에 앞서던 그녀였지만 사실 속은 누구보다 여리고 동물을 사랑했으며 겉모습과 달리 속상함에 눈물도 보일 줄 아는(물론 친한 사람들 앞에서만) 그런 소녀 같은 사람이었다. 언제부터 사람 대 사람으로 끌려 왠지 한 번 더 이야기를 나눠보고 싶다는 마음에 조금 더 다정함을 표했는데, 역시 같은 마음이었는지 나에게 곱절의 다정함을 건네 주셨다. 가끔 내 아침 끼니를 걱정하며 짧은 메모와 함께 바나나를 내 책상 위에 올려 두었는데, 짧은 포스트잇 메모 속에도 나를 걱정하는 마음이 깊게 담겨 있어 그녀가 줬던 나를 향한 러브레터는 내 자취방 벽면 한구석을 차지했다. 그녀의 마음을 받고 있을 수만은 없어 나도 나의 마음을 담은 작은 메모와 요깃거리를 그녀의 책상에 두었는데 항상 정말 고맙지만 '지금은 돈을 아끼고 나중에 더 좋은 어른이 되어 어린 사람들에게 베풀어야 해요'하고 감히 내 작은 마음으로는 상상할 수도 없는 넓고 깊은 마음을 보여주었다. 서로를 향한 간식 돌리기 릴레이 끝에 '여은파', 이름하여 여자들의 은밀한 파티라는 저녁 자리를 갖게 되었고 속에 있는 이야기를 한둘씩 주고받으며 금세 각별한 사이가 되었다. 이로 하여금 팀장님과 나, 즉 우리는 누구보다 아끼는 '언니와 동생 사이'가 되었고 다들 서로 너무 '돈독한 거 아니냐?'며 우리의 사이를 흐뭇하게 바라보았다. 늘 내게 걱정 어린 마음을 담아 '건강이 우선이고 늘 자기 자신 먼저 챙겨야 한다'고 잔뜩 이야기를 해주고서는 잔소리가 많았다며 귀여운 모습을 보였던 사람이었다. 전혀 잔소리로 들리지 않고 애정의 언어로 들렸는데 말이다. 후일담이지만, 그녀에게 살짝 '나의 책에 당신의 이야기를 녹였다'고 전하니 '인생 이야기 중 값진 한 페이지에 들어갈 수 있어 고맙다며 늘 나의 성장을 응원한다'는 그녀다운 이야기를 해주었다.

그녀들뿐 아니라 회사에서 속상하거나 힘들어할 때 휴지를 가져다주며 '같이 저녁 먹자'고 혹은 분위기 전환용의 정체를 알 수 없는 유머를 던지며 내 눈물을 멈추게 했던, 나의 기분을 살펴주었던 이들 모두에게 받은 애정은 나에게 몸들 바를 모를 만큼 너무 과분했다. 이들의 존재는 나의 회사 생활을 김밥의 속 재료에 비유하자면 '햄'과 같이 없으면 안 될 만큼 컸다. 내가 가장 좋아하는 거니까.

이들은 직장인들이 가장 피곤함을 느낀다는 월요일임에도 불구하고 '누구 퇴사 파티인데 여부가 있겠냐?'하며 선뜻 송별회를 열어 주었다. 언제 울었냐는 듯 함께 웃으면서 사진도 찍고 맛있는 저녁 겸 술자리가 진행되었다. 최고의 안주는 역시나 회사에 대한 원망이었고, 회사에서 만난 우리들만 공감할 수 있는 이야기들로 자리를 가득 채워 나갔다. 자리는 꽤 오래 이어졌고 막차 시간이 다 되어 감에 한둘씩 자리를 떠났다. 내 사랑 T라고 지칭했던 언니는 웃으면서 "또 보자!"라고 인사를 건넸고 나는 또다시 울음이 터질 수밖에 없었다. 날마다 가족보다 더 많은 시간을 보낸 우리였고 친자매처럼 하나부터 열까지 소소한 이야기들을 나눴던 사이였는데 "내일 봐" 가 아닌 "또 보자"여서 였을까. 물론 앞으로도 자주 볼 테니 그런 인사를 해준 것일 테지만 유독 내 마음에 아프게 다가왔다. 나에게 있어 이별은 언제 해도 참으로 쓰리고 아리다. 언제 겪어도 적응되지 않는 것이며, 늘 '눈물짓게 하는 그런 것'이랄까.

후에 나는 같은 곳에서 근무했던, 내가 애정 하는 그들과는 별개로 협력사와의 두 차례의 송별회를 했다. 물론 그 중 한번은 그야말로 대표님들도 계신 자리였기에 큰 감정의 동요 없이 '유종의 미를 거둔다'는 느낌으로 참석했고 두 번째 송별회는 꽤나 각별하게 진행되었다. 광고 대행을 맡아 함께 일을 진행했던 실무 담당자와 유튜브 촬영과 편집을 맡아 주셨던 PD님들, 촬영에 출연자로 나와 주셨던 분들로 구성된 송별회였다. 이들 또한 굉장한 조력자들이었는데, 정말 각기 다른 분야에서 소위 이름을 꽤 날리는 분들이다. 내가 회사에 입사하지 않았더라면 영영 모를 사이로 지냈을 전혀 다른 분야의 사람들. 그런 분들이 고작 나를 위해 초저녁부터 귀한 시간을 내어 주셨고 나의 퇴사 이야기에 마음을 기울이며 공감을 해 주셨다. 나이대도 다양하였으며 많게는 50대까지 계셨는데 모두 또래인 것처럼 사진도 찍고 노래도 부르며 나의 좋지 못한 감정들이 상기되지 않게 무던히 애를 써 주셨다. 그중 실무를 가장 가까이서 했던 분은 내게 손 편지와 작은 선물을 건네 주셨는데 이 또한 내게 굉장한 감동이었다. 같은 공간에서 근무했던 것도 아니었을뿐더러 함께 손발을 맞춘 지 1년도 채 되지 않았는데(함께 일한 시간이 무색하게도 굉장히 합이 잘 맞았다.) 편지에서 느껴지는 그녀의 진심은 깊고 진했기 때문이다. 송별회를 마친 후 귀갓길에서 생각에 잠겼는데 '이들을 알게 되어 너무 큰 영광이다'고 느꼈으며 회사에서 근무했던 날 중에 이런 귀한 인연들과 마주한 순간들도 있어 '참으로 다행이다'는 생각이 스쳐 지나갔다.

이렇게 나의 첫 직장에서의 끝을 마무리했다. 사회 초년생이자 1인 창업가로서 울기도 많이 울었고 대단히 많은 일들이 있었지만, 대부분의 악한 감정은 글로 적어내며 휘발되었고 비로소 소중하고 귀한 추억들만 남았다. 직장생활에서의 부당함, 억울함을 느끼며 얻은 상처들을 딛고 일어나는 법을 터득했고 내 사업을 준비하고 런칭하는 과정에서 성급히 서두르지 않는 법, 나에 대한 뒷얘기에 상처받지 않고 넘기는 법 그리고 과감히 그만둘 줄 아는 법을 배웠다. 이 과정들을 통하여 조금 더 단단해 진 내가 그야말로 '어른'이 된 것 같아 으쓱해진다. 물론 완전한 '어른'이라고 자신하기엔 아직 부족하겠지만 서른 살의 나는 이십 대를 바친 회사에서 퇴사하기까지 과정을 성장통이라고 생각한다. 아픈 만큼 성장했으며 이를 계기로 나는 조금은 더 성숙한 사람으로 거듭날 수 있었다. 물론 앞으로 살아감에 있어 더 많은 시련이 올 것이고 그때가 되면 언제 그랬냐는 듯 다시 아파하고 힘들어하겠지만 더 이상 내면의 나를 갉아먹는 듯한 감정에 잠겨 있고 싶지 않다. '살면서 가장 후회되는 것들'이라는 시 중에 마지막 구절인 '나를 1순위로 두지 않고 타인을 위해 살아왔던 것'이라는 구절이 있는데 유독 내게 큰 울림이 되는 구절이다. 타인이 준

상처들에 얽매여 나를 돌보지 못하고 나쁜 감정에 잠겨 있는다면 그것 또한 나를 1순위에 두지 않고 내 마음을 아프게 하는 것이고 타인으로 인해 살면서 후회되는 일은 하고 싶지 않기 때문이다. 어린 시절에 성장통을 겪은 이후로 육체적 성장이 이루어졌다면, 서른 살의 성장통을 겪은 나는 내면의 성장과 더불어 스스로를 갉아먹는 감정으로부터 한결 자유로워졌다고 자신 있게 말할 수 있으니까.

언젠간 서른 살의 성장통을 겪고 있는, 불과 몇 달 전의 나와 같은 사람을 만나게 된다면 체리 한 움큼 같은 응원을 건넬 수 있는 내가 되기를 바란다.

*

생각해 보면 나는 참으로 눈물이 많은 사람이다. 스스로 생각하기에는 어린 마음에 감정의 동요가 커 그런 것이라고 치부해 왔다. 하지만 조금 더 성숙해진 지금의 내가 생각하는 나는 어린 사람이 아닌 여린 사람이라고 느낀다. 여리기에 타인과 숨어드는 것이 쉬울 뿐더러 순순히 그들과 감정을 나눌 수 있는 것이라고. 눈물과 웃음이 많아 감정의 폭이 완만하지 않고 경사가 심한 것이 때때로 좋지 않게 보일 수 있지만 여린 마음을 지닌 사람이기에 감정에 솔직히 반응하는 것이고 이 또한 나의 고유함이라는 것을 깨닫게 되었다.

흔히 말해 '대책 없이' 회사를 관두고 나를 위해 미뤄왔던 일들을 해 나가는 것에 중점을 두어 생활하고 있지만, 이번의 쉼을 통해 나만의 우주를 확장하기에 전념할 것이며 넓어진 나의 우주 속에 작지만 여리고 단단한 나의 유일함을 눈부시게 빛낼 것이다. 앞으로 살아가면서 많은 일들을 겪고 지금의 내 모습과는 달리 퇴색될지라도 부디 나의 유일함을 자랑스레 여기는 마음만은 잃지 않기를.

Thanks to.

나의 첫사랑이자 튼튼한 열매로 맺힐 수 있게 해준 나무.

항상 내게 '엄마의 첫사랑이 되어주어 고마워'라는 울음 짓게 예쁜 말을 해대는 사람.

그녀 덕에 이 세상과 만날 수 있었다. 그녀는 무조건적인 사랑으로 나의 모든 일에 아낌없는 격려를 퍼부어준다. 부족함 없이 컸다고 하면 거짓말이겠지만 그녀의 필사적임이 느껴져 마음만은 든든히 성장할 수 있었다. 언젠가 유명인이 되어 상을 받게 되거나 흔히 말하는 성공을 갖게 되었을 때 제일 먼저 그녀의 이름을 부를 것이며, 그녀의 행복을 위해 달려왔노라 말할 것이라고 늘 다짐을 짓게 했다. 나의 인생 중 일부의 이야기가 세상 밖으로 나오는 순간, 그녀에 대한 고마움을 함께 적어내고 싶다. 부디 아프지 말고 건강히 살아요. 우리.

김영신

마음에 기대어

프롤로그

나는 나를 쓴다는 것을 너무 쉽게 생각했다. 첫 단어부터 머뭇거린다. 막막해져서 일단 아무 글을 쓴다. 생각이 같은 여럿이 모여 책 쓰는 프로젝트라는 단 하나의 지점에 의지하여 그냥 나대로의 글을 쓴다. 여럿이 내가 쓴 글을 객관적으로 보아주는데 낯설다. 내가 나니까 생각하는 부분들만 많이 보여 어떻게 써야 하나 허둥거린다. 쓴 글을 카페에 공개하는데 뻘쭘하다. 비슷한 시간에 올라온 여럿의 글들도 읽어본다. 읽어보니 서로의 글들은 무엇인지 다르면서도 어딘지 흡사하다. 그래도 여럿이 쓰는 것이니 의지가 되고 용기도 생긴다.

나는 글의 한계를 짓지 않고 글감에 굳이 소소해지지 말며 쓰고 싶은 대로 거칠게 써보라는 조언을 들었다. 갑자기 힘이 나서 호흡도 좀 세게 쉬어 보았다. 왤까? 왜지? 오카리나 연습 때마다 힘을 빼라는 말을 너무 많이 들어서인지, 있는 힘을 굳이 뺄 필요 없다는 말을 처음 들었다. 거칠게 잡아당기는 글, 어디로 갈지는 모르는 궁금한 글의 손을 잡고 어디론가 함께 가고 싶다는 작가님의 조언도 들었다. 나중을 미리 걱정하지 말고 그냥 거칠어져 보라는 것은 미래를 계산하지 말라는 의미일 것이다. 그냥 나대로의 글을 쓰라는 의미로 받아들였다. 이 사람들의 목소리가 음악처럼 느껴졌다. 마음 안에 있는 이야기를 퍼 올려 쓰는 글은 매장량을 알 수 없는 오래된 우물물 같다. 마중물 여럿이 모여서 수압을 올려줄 때 내 마음도 딸려 오면 좋겠다.

마음 안에는 어떤 우물이 있다. 그 크기와 깊이에 대해서는 불분명하여 말할 수 없다. 이야기를 간직한 원액들이 여전히 그곳으로 흘러들었을 것이라는 짐작만 할 뿐이다. 비유로만 드러낼 수 있다. 토머스 머튼과 같은 수도자가 어떤 신비한 세계의 존재에 대해 매일 썼던 영적 일기처럼 쉽게 읽기 어렵다. 나는 이 물이 맑고 시원했었다는 사실을 기억하고 있다. 마음에서 글감이라도 길어 보려고 작은 두레박 안에 마중 글을 쓴다. 여전히 두서가 없다. 읽음과 씀이 낮과 밤처럼 연결되어 있고 과거와 미래가 현재에 섞여 있다. 무거운 옷을 입은 겨울이 웅크린 몸을 더욱 낮추며 봄을 향해 걸어간다. 벚꽃 피는 소리가 들린 것도 같다. 쓰다가 자꾸 멈추어 나를 가만히 바라본다. 그 무엇도 보이지 않아서 눈을 감고 소리를 들어 본다. 마음이 흐르는 소리를 듣다가 나를 찾았다. 옛 우물 앞에서 나를 가만히 들여다본다. 글감이 준비되면 첫 문장은 글감에 기대서 시작해 볼 수 있겠다고 생각했다.

나를 찾아내 놀라웠던 짧은 순간이 지나고 나면, 곁에 있는 분을 위해 서로의 마중 글을 읽고 의견을 내는 합평을 한다. 함께하는 동료 작가들을 만난 것은 이 프로젝트 최대의 수혜 중의 으뜸이라는 생각이 든다. 나의 글은 힘이 센 글이 될까. 힘이 빠진 글이 될까. 한 방이 있는 거창한 글, 베스트셀러 작가로 등장할 그런 글을 쓰고 싶다는 대책 없는 말도 해본다. 여전히 출처를 알 수 없는 열정이 사라지지 않는다. 견딜 수 없는 허기가 든다. 나중을 미리 걱정하지 말고 그냥 거칠어져 보라는 환대 앞에서 무덤덤해질 수가 없다. 나는 그냥 마음에 기대어 나를 쓰겠다.

벚꽃 지면 나뭇잎들이 돋고

의도적으로 감싸서 훗날 보려고 숨겨둔 것이 있었다. 아깝고, 아쉽고, 특별해서 감춰 둔 것인데 우리 가족들도 잘 모르는 것이다. 벚꽃이 필 무렵이면 보고 싶은 H의 편지 한 장이다. 그것이 나타나면 잠시 뻘쭘해질 수도 있을 것인데 고작 몇 번의 이사로 분실될 줄은 나도 몰랐다. 이렇게 예전 이야기를 시작하면 뭔가 놀랄만한 반전이 있을 거라고 기대할지 모르겠는데 내겐 그런 반전이 있는 이야기는 별로 없다. 이 이야기의 시작은 영등포 중심지에 삼보 극장이 있었던 무렵으로 거슬러 올라간다. 복고풍 감성을 굳이 꺼내고 싶은 것은 아니지만, 단체 영화관람으로 갔던 삼보 극장에서 닥터 지바고 오마 샤리프가 결연한 표정의 연기를 할 때 등장하던 영화음악에 매료될 무렵이었다. 짬뽕에 들어있는 오징어 다리가 나한테는 늘 한 개쯤 덜 들어있음으로 인해 세상이 불공평하다는 것을 깨닫던 무렵이기도 하다. 그러나 역시 그런 예전 풍경 이야기를 하려는 것은 아니다. 내가 늦은 겨울과 이른 봄에 더욱 벚꽃을 기다리게 된 것은 상암동 하늘공원이 난지도였을 때 그곳에서 의문사로 발견된 H의 소식과 관련이 있다.

H는 당시에 한몸인 듯 어울려 다니던 우리 셋을 그룹으로 지도하던 대학생 과외 선생님이었다. 과외방의 주인이며 H의 고교 동창인 P 오빠가 머리끝까지 이불을 쓰고 자다가 '어. 왔어.' 하며 일어날 때 산발로 변한 머리카락의 신기함이 얘깃거리가 되던 나름 풋풋한 시절이었다. 서울대학교 신입생이던 H는 우리들의 영어 선생님이었다. H가 어떻게 생긴 사람이냐고 묻는다면 180센티의 키, 만화를

찢고 나온 MBC 드라마 W의 주인공 강철을 닮았다고나 할까. 그런 H가 동명사와 부정사를 설명하면서 공책에 예문을 적을 때 막힘없이 쓰던 영어 문장 글씨는 너무나 멋있었다. 틀린 문제를 알려주면서 '뭘 이렇게 몰라'하는 목소리는 세상의 모든 과목 중에서 신기하고, 멋지고, 어렵고, 친해지고 싶었던 영어를 정말로 특별하게 만들어 주었다. 영문법은 단순한 단어 외우기와 사뭇 달라서 수학과같이 풀리는 정답에 익숙한 이과적인 내게 고통의 종합 선물 세트와 같았다. 완전 정복 참고서의 해석과 영어 교과서를 외우고 성문 영문법을 베개 삼아 자면서 점차 알게 된 영어의 세계는 내게 내신성적 향상의 교만함을 주었다. 단기 동계 훈련 같았던 과외를 뒤로하고 우리 셋도 뿔뿔이 흩어져 진학했는데, H의 무엇이 그렇게 빠른 입대를 하게 했는지 나는 모른다. 그가 내게 특별했던 것도 그는 몰랐을 것이다. 잘 지내고 공부 열심히 하고 커서 꼭 후배가 되라는 내용이 들어있는 편지를 써주었다. 알았다면 그런 황망한 편지를 모두에게 썼을 리가 없다.

H 오빠가 죽었대. 벚꽃은 만발하게 피어 환장하게 아름다운데, 계주 달리기의 마지막 주자로 힘껏 달리다가 발이 꼬여 넘어진 것 같던 내 마음을 친구는 몰랐을 것이다. 난지도에서 변사체로 발견된 H에 대해 우리 셋은 누구도 말하지 않았다. 멈춘 우정 사이로 해마다 오는 봄에 벚꽃이 피면 H가 생각난다. 내게는 소설 같은 하나의 사건이다. 내가 영어 교사가 된 것은 H와 직접적인 관련은 없지만 끈 떨어진 연처럼 길을 몰라 헤맬 때 쓰고 또 쓰면서 시 문학에 기대어 지낸 십 대와 무관하다고는 할 수 없을 것이다. 벚꽃이란 사람 속을 헤집어 뒤집어 버리려고 피는 꽃이라고 생각이 들 만큼 짧게 핀다. 만발한 날은 정말 며칠 되지 않는다. 봄날이 바로 벚꽃이라고 말

한다면 그 비유처럼 빛나는 청춘 같은 꽃, 눈물에 흐려지는 연분홍 구름 같은 꽃이다. 세찬 봄비에 떨어진 벚꽃을 보면 H가 생각나고, 그의 아까운 청춘이 나의 어떤 일부가 되었다고도 생각해 본다.

봄이면 벚꽃을 사랑해서 벚꽃 아래에서 종일 책을 읽으면서 지낸다. 꽃 지면 황망한 마음에 며칠 동안은 책을 한 권도 읽을 수 없지만, 꽃이 다는 아니다. 벚꽃이 지고 나면 벚나무에는 상상할 수 없을 만큼 싱그러운 나뭇잎들이 자라서 뜨거운 여름날에 그늘이 되고, 꽃자리에는 열매가 열린다. 나뭇잎은 나무의 생명을 책임지는 일꾼으로서 햇빛과의 일터에서 성실하게 호흡하는 진정한 나무의 삶을 이룬다.

다람쥐처럼 독서의 씨앗들을 숨겨두며

직업의 특성상 나의 읽음과 쓰기는 일정한 시간적 패턴을 갖는다. 새 학기가 시작되는 3월은 책 읽기가 버거워진다. 마음은 온통 학생들과 수업에 집중되어 있고, 아이들에 대한 조건 없는 이 집중적인 몰입은 2차 지필 평가가 끝나는 7월 초순이 되어야 약간 느슨해진다. 마치 짝사랑에 빠져버린 것처럼 밤낮없이 학생들에게 시간과 마음을 온통 빼앗긴 채 혼자 사랑을 앓는다. 사랑이라고 표현하면 거부감이 드는 사람이 있을지도 모른다. 감히 사랑이라니. 나도 선생님에게 나쁜 감정이 들었던 기억이 있고 오랜 세월이 지났어도 여전히 그 사람이 싫다. 모두 싫지는 않았으나 오랜 학생 생활 중에 선생님들이 다 좋았던 적이 없다. 옹이 같은 마음의 상처 혹은 기억이 평생에 걸쳐 이토록 여전한 것을 보면 선생님이라는 존재가 갖는 영향이 분명히 크다. 누구의 앞에 서는 일은 준비 작업이 필요한데, 어린 사람들 앞은 더욱 그렇다. 나는 서로 보이는 것만 보게 될까 봐 늘 두렵다. 내가 누군가에게 그 시간의 추억이 된다는 것이 긴장된다. 아이들에게 잘 보이고 싶은 마음, 아이들을 잘 보고 싶은 마음, 또 어떤 무엇들이 섞여 있다. 첫사랑에 빠진 것처럼 잠을 설치기도 한다. 그래서 더욱 서가를 서성이며 책을 고르고 꼼꼼하게 읽는지도 모른다. 나를 견고하게 조이는 유일한 작업은 독서라는 볼트 나사뿐이다.

책을 읽는 이유를 물어오는 사람들은 따뜻하다. 마음을 말하고 싶기 때문일 것이다. 단 하나의 점으로 집약되는 클릭의 디지털 시대를 살면서 새삼 종이책이 갖는 물성에 대한 위로는 아마도 반세기 전에 태어난 작가들이 원고용지에 손글씨로 글을 쓰며 얻던 위로와 비슷할 것이다. 문장력이 수려해서 읽는 자들이 쉽게 다가오고 한 줄의 문장만으로도 시공을 넘나드는 작가들은 이미 많다. 그들이 쓴 책들은 도서관의 정보화 시스템 안에 저장되었다. 책 일부는 전자책으로만 출간되어 책의 몸이 사라졌다. 현대인들의 편리함과 종이를 발행하지 않는 것이 지구 환경에 도움이 된다는 절박한 이유로 책을 만져볼 수 없는 나의 상실은 미미할 뿐이다. 책의 길을 따라 걷다 보니 시공이 초월 된 책 숲에 모여있는 사람들은 절대로 먼저 말을 건네지 않았다. 다만 책의 말은 문장으로 마음에 닿았고 내 생각에 스며들었다. 눈을 감고 품에 안고만 있어도 심장을 눌러 온기가 전달되는 종이책에는 배움과 위로가 깃들여 있는 것이 확실하다.

더러 경험치를 높이고 싶어 직장 독서 모임에 들어가기도 한다. 근래 유명하다는 책을 중심으로 여럿이 모여 책의 말과 그 책에 대한 말을 듣고 성장해보려고 서둘러 읽는다. 이렇게 학기가 틈새 없이 바빠도 간혹 쓸쓸하다. 독서 모임은 이러한 쓸쓸함을 채워주지 않는다. 내 스타일이 아닌 책들을 억지로 읽다 보면 정보들만이 저장될 뿐 웬만해서는 생활이 변화되지 않는다. 프란츠 카프카의 말처럼 책이 나의 도끼가 되려면 내가 장작이어야 하는데, 운이 좋으면 어떤 책에서는 감탄도 하고 툭툭 마음이 흔들리지만, 생활의 루틴은 견고해서 바뀌기가 쉽지 않다. 책이라는 도끼가 나의 어떤 낡은 부분을 과감히 끊어낼 겨를이 좀처럼 오지 않는다. 신학기 계획을 짜고 업무를 기획할 때는 더욱 그렇다. 생각에도 여유가 없고, 혁신이라든가 재구성이라든가 이런 말들은 그저 말일뿐이다. 업무 인수인계를 무조건 답습할 수는 없고 더욱 예민해진다. 모두 다른 업무로 재배치된 독서 모임 단톡방은 서로 간의 덕담이나 격려의 친목회로

변해버린다. 독서력은 사라지고 '닥치면 다 한다'라는 이런 말이나 남긴다. 독서가 삶이 되고, 삶에 독서의 영향이 있으려면 생활이 변화되어야 한다. 루틴의 경로가 미세하게 변화되어도 생활은 바뀐다.

삶의 시간을 의도적으로 비워내야 어디선가 흐르는 물소리가 비로소 들리는 그런 좋은 순간이 분명히 있다. 내가 보이고 나는 나를 만나 격하게 반가운 순간이다. 나를 만나러 책으로 들어간다고 해도 여러 번 가장 많이 만진 책은 아마도 교과서일 것이다. 가방에 담고, 꺼내어 손 닿는 곳 가까이 두는 책이다. 마우스를 쥐고 클릭하면서 모니터를 띄워 수업을 해도 교과서는 늘 곁에 둔다. 학생들에게는 가장 버리고 싶은 분리수거 종이류이기도 할 것인데, 교과서의 대중성이 삶의 의미와 닮았다고 느껴지기도 한다. 현대인들에게 돈이 되지 않는 것에 행동이 움직일 수 있을지, 마음이 가지 않는 곳에 돈을 쓸 수 있을지, 필요한 모든 것들은 돈을 끌어당기는 원인이지 않은가와 같은 물음을 해본다. 쓸모없고 의미 없는 아름다운 것들에 대해서 생각한다. 마음이 아파진다.

나는 전방위적으로 책을 읽는다. 시와 소설이 진정한 문학이라고 생각하지만 읽음과 씀의 거리가 넓다. 조곤조곤 써 내려간 수필은 작가의 마음이 쉽게 읽힌다. 곧 마음이 열리고 행간을 짐작할 수 있기 때문이다. 책을 읽는 사람들은 책에 또 다른 길이 있다는 것을 안다. 길이 길을 만들고, 만나고 싶은 이는 그 안에 아직 살아있다. 시간도 공간도 문득 사라지고 무릉도원에서 한나절 지내다 온 것처럼 현실 세계로 돌아오면 늙어진 나를 발견하고 조급해진다. 어제오늘의 바쁜 일들이 문득 의미가 없다는 것을, 그대가 죽기 전에 빨리 진정성 있는 그 한마디 말을 전해야 한다는 것을, 쓸모없고 의미 없지만 아름다운 것들과 곧 사라질 우리들의 뭔가에 대해 재빨리 적는다. 오랜 시간을 들여 나는 이러한 책 읽음의 메모들을 켜켜로 겹쳐서 씨앗 속에 숨겨 수업 시간에, 학생들과의 그 어떤 겨를마다 심어두었다. 다람쥐처럼.

학생들과의 만남은 집단 대 개인에서 개인 대 개인으로 조각조각 흩어지며 모인다. 잠깐이라도 마음이 서로 스치면 나는 그 틈에 보이지 않는 작은 씨앗을 하나씩 심는다. 수업 시간마다 심는 것인데, 들을 귀 있는 아이들은 진작에 눈치챘을 것이다. 그 씨앗의 발화를 내 평생 알 수 없고 몰라도 상관없는데, 아이들이 졸업하고 나면 견딜 수 없이 쓸쓸하다. 나도 훌쩍 떠나고 싶어진다. 중학생들과 함께 지내다 보니 쉽게 사춘기적 감정에 이입된다. 하고 싶고 되고 싶은 것이 있는 아이들은 뜻밖에 드물다. 드라마와 영화에 나오는 꿈 많은 아이는 마음속에나 있다. 내가 심은 몇 개의 씨앗들은 따뜻하고 편안한 공간에서는 발화되기 어렵다. 혹여 내 학생들이 세상 앞에서 거부당하고 실패해서 쓰라리고 고통스러운 어느 날이 온다면 문득 발화될 것이라고 짐작할 뿐이다. 나는 그저 교사 농부로서 학생들을 애지중지 키우다 더욱 늙어지고, 글감이 없어 일단 무조건 첫 문장을 써보자는 고통과 쓰는 일의 고단함에 시달리다가 뭔가 한 방이 있는 이야기를 쓰는 J. K. 롤링과 같은 작가가 될지도 모른다고 생각한다. 또 책을 읽는다.

마음이 고요한 날에

해결되지 않은 업무가 벌레들처럼 한 마리씩 기어 나와 태연하게 알을 까고 오랫동안 공들여 집을 짓고 벌레가 벌레를 만들듯 그 생각이 멈추지 않게 맴돈다. 지난 일에 대해 말하고 싶지 않다고 말하며 쓸 때 지난 일들이 아니고서야 쓸 건수가 없다는 것이 막막해진다. 키워드 몇 개를 늘어놓는다. '젊음이 싫다'라든지, 일산 킨텍스에서 임영웅 콘서트가 끝난 후 차를 빼는 순간에 맞춰 딱 전화가 연결되고 '웬 사람이 이렇게 많은 거냐'며 현장에서 들리는 왕왕거리는 소리를 굳이 배경음으로 듣는 느낌이라든지, '이제는 실천하는 삶을 살아야겠다'며 일을 벌이고 여기저기 존재감을 알리는 말들이다. 숨겨두었던 단어들도 꺼내본다. 본캐와 부캐, 저녁이 있는 삶, 켈로이드 피부, 넘버 원의 갑질, 넘버 투의 딴짓, 숨겨둔 밴드에서 올라오는 부고들, '구독과 좋아요'의 강요, 그대의 이름과 같은 단어들이다. 꺼내어 마음을 들여다 보는데 펴 올려 써보기도 전에 답답해진다. 숨을 쉬려면 지금은 멈춰야 한다. 마음이 고요한 날은 멈춤이 있는 날이다.

서로 달라야 이끌림이 있고 다름을 맞추느라 열심히 묻고 답하는 재미도 있는 것이다. 그러니까 같은 극끼리 밀어내는 자석의 성질과 같은 것이다. 이상하게 밀어내지는 사람과 업무를 해야 할 때가 있었다. 나이도 나와 비슷했고 사는 동네도 이웃이었는데 좋기는 커녕 싫어서 힘을 다해 멀어지려고 노력했던 때가 있었다. 나는 못나고 못된 성격을 부리느라 그녀와 말을 섞기 싫어 미친 듯이 활동수업을 하고 보고서를 썼으며 헤드폰을 사서 귀를 덮고 100시간이 넘는 직무 연수를 들었다. 시도 때도 없이 뭘 꺼내서 먹으라고 권하고, 목소리가 터무니없이 크고, 이동할 때 내 차를 얻어 타야겠다고 양해를 구하는 그녀의 당당한 표정이 싫었다. 나는 이웃한 그녀와의 사이에 책 벽을 쌓아둔 채 마구 책을 읽었다. 생각해 보니 내가 다방면의 많은 책을 읽게 된 것과 나름 공개 수업에 자신감을 갖게 된 것은 그녀의 도움이 컸다는 생각이 든다. 싫어서 도망가다가 주인 없이 굴러다니는 종이복권이 발길에 차여 주웠는데 3등쯤 맞아서 갑자기 400만 원을 얻게 된 느낌과 비슷하다.

사람 사는 게 거기서 거기 같지만 처한 상황과 그 사람 자체에 따라 느끼는 체감 온도는 다르다. 95도 건식 사우나에서 뜨거워서 죽을 것 같지만, 사우나를 즐기는 사람이라면 그 정도는 버텨야 16도 냉탕이 시원한 느낌과 비슷하다는 것을 안다. 반신욕만 하던 사람이 남들이 풍덩 들어가니까 따라 들어간 냉탕 16도가 추워서 화가 날 정도로 너무 차갑게 느껴지는 것처럼 느낌 온도는 다르다. 그러나 실은 조금만 알고 보면 사람이 사는 게 정말 거의 거기서 거기인지도 모른다. 정말 뜨거울 때는 추위가 오히려 시원하고, 얼어붙을 것 같이 추울 때는 사우나의 뜨거움도 버틸만하다고 말하듯이 정도의 차이가 다를 뿐 추움과 더움의 체감 온도의 느낌도 비슷하고, 고민과 고통도 비슷할지도 모른다. 사랑하는 것도 가까이에 있는 이를 조금씩 알아가는 것이며 밀어냄을 멈추는 일이라면 사는 것과 크게 다르지 않다. 거리를 지키느라 그대를 알지 못했다. 마음이 고요한데 그대 생각에 잠이 오지 않는다.

검게 타버린 하늘의 눈물

냉동건조 커피에 프림과 설탕을 섞어 마시던 때를 지나 핸드드립으로 분쇄한 커피를 내려 마시게 되면서 커피 맛을 알게 되었다. 민감하게 미묘한 김치 맛을 아는 것과 비슷하다. 안데스산맥 고산지대 어디쯤에서 커피콩을 하나씩 따는 품을 팔아 먹거리를 구해야만 한다는 어린이에게 대해서나, 내전으로 부서진 아프리카 르완다에서 남편과 아들을 잃은 여자들이 커피나무를 심고 커피콩을 따서 팔아 삶을 살았다는 이야기들도 고소하고 향긋한 커피 향 앞에서는 잘 실감 나지 않는다. 고양이에게 결코 소화될 수 없는 생두만을 사료로 먹이고 소화 불량으로 배설한 원두로 로스팅 한다는 루왁 커피에 대해서도 잘 몰랐다. 카페인을 가득 품은 커피를 마실 때 만나는 현재의 나, 커피를 마주하고 만나는 풀어진 분위기의 나, 명료하게 정리되는 두뇌에게 전달되는 도파민에 중독된 감각 때문일 수도 있다. 커피가 있어 추억들이 있게 된 것인지, 추억들 사이에 늘 커피가 있었던 것인지도 불분명해진다.

16그램의 분쇄 커피를 정확하고 깔끔하게 포터 필터에 담아 단정하게 도징하여 압력을 가해 추출하는 에스프레소의 28초의 기다림은 커피의 맛이란 바로 적절한 시간의 맛이라는 것을 느끼게 한다. 커피는 지구의 눈물이기도 하다. 건조한 바람과 진한 햇볕이 교차하며 애지중지 길러낸 열매의 시커멓게 타버린 알맹이가 마침내 부서져 물로 떨어진 하늘의 맛이다. 중력과 교감하는 맛이다. 한 철 맺은 열매의 과육을 모조리 파헤쳐 버려야만 만날 수 있는 생두를 무쇠 가마솥에 속이 검게 타도록 뜨겁게 덖어야 원두가 된다. 비로소 이 원두를 철저히 분쇄한 가루가 95도쯤의 물과 만날 때 커피 향이 올라온다.

사람의 마음을 흔드는 이 향은 커피가 나서 자라 열매 맺혔던 땅과 커피나무의 역사를 담고 있다. 나는 취미로 바리스타가 되어 커피에 대해 알기 전에는 원두란 그 맛이 그 맛이고 커피 추출 기계만 좋으면 된다고 생각했었다. 커피란 마주 앉은 사람이 주는 분위기의 맛, 그날의 맛이라고 생각했기 때문이다. 온종일 마시는 이 향기롭고 쓴맛 속에 숨어있는 의미를 나는 몰랐다. 일상에서 아무거나 다 좋았던 선택은 커피를 마시면 마실수록 그 맛에 민감해진다. 커피에 대해 조금 알고 나면 다시는 루왁 커피를 선택하지 못하고, '아무거나'를 마시던 이전으로 돌아가지 못한다. 마치 어른이 되면 다시는 이전으로 돌아갈 수 없는 것처럼. 쓴맛은 어른의 맛이다. 어른이 되어야만 허락되는 각종 주류의 맛도 쓴맛을 기본으로 하는 것을 보면 어른의 맛은 쓴맛이 맞다. 떫었던 유년을 지나 삶의 맛이 다양해지면 쓴맛이 맛있어진다. 어른이 된 것이다. 사건들을 의도적으로 묻고 잊으며 어른이 된다. 나는 커피 알갱이를 덖을 때처럼 뜨겁게, 시커멓게 타서 지금의 나를 형성하는 원두가 되었다고 생각한다. 그렇게 기억하고 싶은 것들만이 나를 이룬다. 고생한 이유도 없이 그저 내 손에 쥐어지는 한 덩이의 먹거리 앞에서 고단했을 사람들이 생각나기도 하고, 한 잔의 에스프레소를 받아 들면 툭 마음을 건드리는 지구의 검은 눈물 같아서 차마 목 넘김을 쉽게 하지 못한다.

마침내 카카오톡에 그대가 보낸 느닷없는 화해의 문자가 풀썩 나타날 때 커피를 마시고 싶다. 커피나무가 혹독한 환경에서 체리를 맺은 단단한 내부의 알갱이를 로스팅한 커피를 마실 때 가늠할 수 없는 깊은 쓴맛과 커피나무가 전하는 다정한 것들이 마음에 닿는다. 계절이 쓸려 지나는 틈 사이마다 아름다운 순간이 있다. 아름다움에 마음이 향한다. 대부분 사라지는 것들이다. 커피 맛을 아는 어른이 되었다는 것은 채워진 일상들 사이로 비움이 있는 공간을 의도적으로 만들며 산다는 것이다. 고독한 일이다.

소설을 쓰려고 소설 같은 꿈을 꾸는지

그러니까 그 꿈의 시작은 이렇다. 젊어진 내가 계속 달리는 것이었다. 온통 불타오르는 폐허의 도시에서 푹푹 꺼지는 땅의 균열 사이로 현생인류가 매장한 폐플라스틱과 아직 분해가 진행되는 닭 뼈들이 검게 또는 희게 드러났다. 기억에 존재하지 않은 그들은 계속해서 나를 부르고 있다. 누구인지 알 수 없는 사람들인데 너무나 간절하게 나의 생존을 위해 고함친다. “피해! 피해야 해! 한 층은 안 돼! 공간 너머까지 이동해야만 해! 더 뛰어!”라는 이해 불가한 내용의 목소리다. 그 목소리는 5층 아파트 높이 정도의 기계 팔에 체포된 사람들의 울부짖음을 뚫고 나를 달리게 한다. 한 무리의 사람들과 산기슭 쪽으로 달렸는데 번쩍하는 광선에 맞은 내 곁의 사람이 쓰러졌다. 산의 입구가 폭발하면서 쏟아진 흙에 섞인 비릿한 이끼가 입안에 들어왔다. 앞서 달리던 사람을 따라 몸을 던졌고 풀썩 공간의 땅으로 떨어질 때 두 팔로 몸을 감싸 통처럼 굴리며 왼쪽으로 떨어질 때 나는 아얏소리를 질렀다. 떨어지면서 살짝 닿은 왼뺨에 알루미늄 바닥의 차갑고 딱딱한 감촉이 느껴졌다. 급하게 몸을 일으켜 보니 나는 전면이 유리창인 직사각형의 돔 안에 들어와 있었다. 비탈진 산기슭에 신기한 옷차림의 사람들이 모여있는데 생존이 목적이던 꿈속의 내게는 그들의 행색은 중요하지 않았다. 목소리의 주인은 누구일까? 누가 나를 구하려던 것일까? 여기는 언제 어디인가? 나는 여전히 나인가? 지구인가? 외계인가? 생각들 사이로 그가 나타났다. 분명히 낯이 익다. 누구? 이끼가 섞인 흙을 뱉어버렸는데도 입안에는 지끄러운 무엇이 남아있다. 오줌이 마려웠고 잠은 깼다.

정발산을 걷다가 가만히 하늘을 보고 있으니 마음 안에서 이야기가 들려온다. 서로의 본심을 모두 알았고 웬만해서는 내용에도 크게 괘념치 않을 친구에게 말을 걸듯 내가 내게 말을 건넨다. 나는 여전히 출처가 불분명한 꿈에 관해 생각한다. 이틀이나 지났어도 현실처럼 생생한 꿈이다. 물론 마음 안에서 이루어지는 일들이라 입은 열지 않는다. 클라우드에 저장된 엄청난 용량의 기억처럼 무게감이 없기에 우리의 대화는 자유롭다. 세상의 사물들을 힘주어 바라볼 필요도 없다. 다만 서로에게 집중하는 시간이 짧아 훅 스치는 싸늘한 바람과 등산화의 투박한 밑창으로 느껴지는 블랙 아이스의 미끄러움에 바닥을 집중하게 되자 떠다니던 이야기는 연기처럼 흩어진다. 사람들 몇몇이 과장된 몸짓으로 두 팔을 휘두르며 스쳐 가고, 노란 바탕에 빨간 점이 박힌 뜨개 옷을 입힌 강아지를 앞세운 여자가 종종걸음으로 지나가고, 귀마개가 달린 갈색 모자를 쓴 노년의 여성이 1미터쯤 떨어진 곳에서 무릎을 굽혔다 펴는 동작을 하고 있다. 아무도 말하지 않는다. 눈을 마주칠 이유나 순간도 없다. 아마 눈이 마주쳤다면 굳어진 표정이 들켜 급하게 시선을 돌리거나, 아예 자리를 뜨면서 의도하지 않은 불청객에 대처하기 위해 더욱 작은 나만의 장소로 숨어들지도 모른다.

뭘 써야 하나. 일상의 가림막으로 덮어둔 마음은 이내 부글거리고 복잡해졌다. 담담하게 살던 이전의 루틴으로는 이젠 되돌아갈 수 없다. 어느 시간 안에 있어도 휘발되어 날아가는 생각 속의 문장들을 붙잡아야 하고, 한 방의 충격이 있던 사건의 기억을 찾아 마음이 첫눈처럼 흩날린다. 독자의 마음을 잡아당기는 글, 어디로 갈지 모르지만, 뒤가 궁금해지는 글, 열정 가득한 글, 삶을 빛내주는 좋은 글의 손을 잡고 싶다.

이야기 너머의 어떤 이야기를 상상하는 일

쿠팡 플레이나 디즈니 플러스, 넷플릭스에서 몰아보는 드라마 16부작과 같은 콘텐츠들을 마치 장편 소설처럼 몰아볼 수 있는 시대가 보편화하였다. 연기자들의 고급스러운 연기는 다시 보기 기능과 섞여 콘텐츠 뷔페처럼 바로 눈앞에 놓여있다. 대부분 맛이 다른 작품들인데, 봐야 하는 시간이 길고 선택의 폭도 넓다 보니 공감의 의미도 사뭇 다르다. 탄탄한 시나리오와 제작비를 기반으로 시작되는 영화는 상대적으로 많지도 않고, 세련된 촬영 편집 기술과 배우들의 연기가 차지게 받쳐주지 않으면 개봉 후 오래 생존하기란 쉽지 않다. 정이삭 감독의 미나리(Minari, 2021)나 박찬욱 감독의 기생충(Parasite, 2019)처럼 세계 영화제에서 수상하지 않아도 이야깃거리들이 생성되는 영화가 개봉되기를 기다린다. 2020년부터 2022년까지 코로나 19로 영화관 출입이 제한되었다. 집안에서의 고립이 일상화되자 긴 호흡의 넷플릭스 16부작 드라마를 몰아보면서 비로소 알게 되었다. 그동안 보았던 영화들의 아쉬움과 싱거움이 시나리오의 아쉬움과 싱거움이었다는 것을. 나무 한 그루씩만 보던 식물 공부가 숲을 한 바퀴 돌아보게 된 것과 같은 느낌이다. 숲에는 그 나무뿐만 아니라 소나무와 단풍나무, 상수리나무들과 다양한 야생화, 청설모와 딱따구리와 같은 동물들이 함께 살고 있음을 알게 된 지식의 증폭감 같은 것이다.

이야기를 좋아하는 나는 양파 연극교육연구회원이다. 양파란 고양 파주지역의 앞뒤를 떼고 우리가 부르는 말이다. 연극을 좋아하는 사람은 수다 떨 사람이 별로 없다. 드라마나 영화는 스포일러만 아니라면 할 말이 더러 있으나, 연극은 그날 그 회차의 그 배우들의 연극이 서로에게 공유되지 않으면 할 말이 있어도 함께 나눌 사람이 없다는 뜻이다. 조용한 우리는 일산 아람누리에서 '조씨 고아, 복수의 씨앗' 연극을 관람한 후 다른 날에 다시 만나 서로의 말을 들었다. 나의 말은 마치 물고기가 물을 만난 듯 유창한 모국어로 쏟아져 나왔다. '아 맞아 그래 나도'와 같은 단문들이 감탄사와 섞이고 버무려지면서 내 말이 그 말이고 그 말이 내 말이 되어 굳이 소리 내지 않아도 좋았을 공감이 된다. 말이란 내가 하고 싶은 말을 타인의 말로 듣게 될 때 완벽해진다. 공감되지 않는 말은 서둘러 귓가를 스쳐가고 기억에 남지 않는다. 좋아야 들려오고, 받은 감동은 마음 안에 메시지를 남긴다. 양파 연극교육연구회 사람들은 소극장 연극 공연을 하기도 한다. 배우들이 읊는 15분쯤 분량의 대사가 주는 양의 깊이는 가늠하기 어렵다. 작가들은 쓰느라 힘겹지만, 배우들은 그 책을 외우느라 힘겹다. 연기할 상황의 몸짓을 하며 상대방 대사를 치고 들어가 열정적으로 토해내는 대사들은 상상만으로도 이미 너무 어렵다. 외우고 또 외우는 세상의 모든 배우와 시나리오나 희곡 작가들과, 보이면 안되지만 없으면 안되는 관계자들이 존경스럽다.

비가 내리고 바람이 불어서 창문을 야무지게 닫아야 하는 저녁이면 갖가지 서사를 가진 이야기들이 궁금해서 밤이 깊어 가도록 스크린에 몰입된다. 왼쪽과 오른쪽의 시력이 다른 눈은 쉽게 피로해져서 따갑고 난시 때문에 이따금 두 개로 겹쳐 보이지만 그다음 이야기의 궁금함을 참지 못한다. 책에서 만나는 이야기의 맛과 배우를 통해 만나지는 이야기의 맛이 다름을 느낄 때는 서슴없이 비교 분석에 들어가 예전에 박찬욱 감독이 영화 평론가 시절에 썼던 영화 평론에 못지않을 주관적인 진단을 하기도 한다. 수없이 비껴가는 주인공들의 사랑과 오해와 덧없을 사회적 명성이나 지위 또는 모호한 좌절 같은 것들에 대해 한 번씩 곱씹다가 흥분하며 이야기 너머의 사연을 상상해 본다. 심지어 주인공이 홀로 쓸쓸하게 라면이라도 후루룩 먹을 때는 점심 혹은 저녁 메뉴가 떡라면 아니면 라뽂기 더 나아가 부대찌개에 넣어서 끓여 먹을 라면이 된다. 주인공이 이른 새벽에 도착한 정동진 바다쯤에 이르러서는 아무래도 이번 주말에는 바다에 가야겠다는 바쁜 마음이 든다. 이야기 중독이 틀림없다.

쓸모 있음과 쓸모 없음의 간격

나는 굳이 말하지 않으면 상상하기 어려운 기술을 가지고 있다. 나는 사람을 보면 두상의 스타일이 보이고 어떻게 자르면 예쁠까 생각한다. 고객이 원하는 머리를 당장 연출할 수 있는 쓸모 있는 기술이다. 머리 모양은 그 사람의 메시지가 분명하다. 머리 모양은 그 사람이 말하지 않는 이미지의 말, 말보다 더 진한 그의 정체성, 그 사람의 결연한 심경의 다짐이라고 생각한 적도 있다. 미용실은 머리카락을 자르고 끊어냄의 단절로서 새로움을 시작하는 이른 봄날 같은 공간이다. 첫사랑을 떠나보내고 단발로 자른 긴 머리의 단절 후 파마약을 발라 3번 로드로 단단하게 말고 1시간을 딱 기다려 15분 중화로 굳힌 파마는 과거를 끊어낸 머리카락 케라틴의 진정한 이별이다. 곱슬한 파마의 화학적 원리는 파마약을 발라 머리카락의 단백질 케라틴을 모두 끊어낸 후, 롯드로 둥글게 말아 끊어진 머리카락 사이를 중화로 굳히는 것이다. 중화란 산산이 조각난 머리카락이 만든 형태 사이로 케라틴 단백질이 굳어지도록 약을 붓는 행위다. 중화된 머리카락에는 둥글게 말았던 상처가 고스란히 남는데, 이 상태가 잔인할수록 파마가 잘 나왔다고 하는 것이다. 머리카락은 신경이 없기에 가닥가닥 끊어져도 비명을 지르지 못한다. 물과 열에 극도로 약한 모근은 일반적으로 모발이 살아가는 몇 개월의 휴지기를 가질 틈도 없이 빠질 수도 있다. 탈모라고도 부른다. 사라지는 것들은 모두 어떤 이유가 있는 과거다. 자르고 끊어진 상처 위에 새긴 곱슬한 정형의 틀, 혹은 더욱 매끈하게 편 직선의 틀, 두피에 가깝게 붙어있는 존재만으로 마음이 말랑거려진다면 새봄이 맞다. 이유 많은 과거와 단절한 사람들의 봄기운이 좋아서 덕담의 추임새를 건네면서 덩달아 새봄이 느껴지곤 했다.

처음에는 그저 남성 헤어컷만 좀 배우려고 했다. 첫날에 상고 컷과 댄디 커트, 이사도라 컷을 배웠다. 뭘 이렇게 죽기 살기로 연습을 하느냐며 말을 건네던 선생님과 시선이 마주쳤다. 요양원을 정기적으로 방문하신다는 선생님의 봉사를 따라가고 싶어졌다. 그 당시 나는 성당에서 봉사하던 교구 꾸르실료 국제부장에서 밀려났다. 지난 모든 일까지 현실과 섞여서 속으로 울고 있을 때였다. 밖으로 돌아다니는 신앙생활은 끝을 보았다. 내가 주님의 도구로 쓰였고 쓰여서 감사하다는 형식적인 말은 도움이 되지 않았다. 집으로 돌아온 내게 J의 더벅머리가 눈에 들어왔다. 봉사하느라 애썼다고 웃는 J의 길어진 머리를 보며 뭔가 잘못되었다고 생각했다. 어휴 미용실에 가서 좀 자르던가. 자격증이 없으면 봉사는 할 수도 없고, 진정한 미용의 세계에 들어갈 수도 없었기에 출퇴근 전후로 무릎 보호대를 대고 파마 마는 연습을 했다. 목표는 25분 완성이었다. 필기시험은 의미 있는 내용이었으나 실기시험은 쉽지 않았다. 한 달 동안 밤새워 연습하고 오직 운이 좋아서 미용사 시험에 합격했다. 토요일마다 열정페이만으로 미용실에 근무한 것은 디자이너가 되려면 손님 머리를 다 해봐야 했기 때문이다.

시험 동기들이 미용 면허를 낼 때 얼떨결에 휩쓸려 면허를 받았는데, 동기들은 퇴직 후 미용실을 낼 거라고 나도 모르는 계획을 세워 주었다. 미용실의 세계는 실력이라는 서열이 존재하고 나를 찾는 손님이 존재하는 사바나의 초원이었다. 주민센터를 통해 거동이 불편한 동네 어르신들의 머리를 잘라주는 봉사는 업무 담당자가 시청으로 발령 나면서 끝났고, 갖추면 좋을 여러 쓸모 중에 미용 기술이 제일이라는 생각으로 신이 났을 무렵에 코로나 19로 세상이 멈추고 미용실 출근은 끝났다. 오늘도 일단 머리부터 감는다. 앞 머리카락이 곱 슬하다. 롤 빗으로 동그랗게 말아 펴면서 뜨거운 바람을 쐰다. 머리카락의 고통은 느껴지지 않고 다음 장소로 떠날 생각만 분주하다. 보슬비가 내리는 날은 정성껏 펴고, 말고 세팅한 머리카락에 곧 습기가 머물러 세팅하기 전으로 되돌아간다. 살아있는 모든 존재는

왔던 곳으로 되돌아가려는 속성을 가진 것 같다. 퇴근 무렵에 정수리의 기름이 더해져 뭉쳐진 머리카락 몇 가닥이 이마 위에 붙는 것조차 서로의 존재를 함께 함으로 확인하려는 귀소 본능처럼 느껴진다.

J의 곱슬머리는 세심하게 이발소 스타일로 잘라준다. 내가 말하는 이발소 스타일이란 바리캉을 대기 전에 오직 빗과 가위로만 다듬어주는 것을 말한다. 머릿결이 가늘고 숱이 적어서 가위질할 때마다 왼 손가락이 베일 것 같아서 바짝 집중한다. J는 정확하게 한 달에 평균 1센티씩 머리카락이 자란다. 손가락을 두피에 대고 수직으로 머리카락을 들어서 모발 끝을 보면 머리카락들이 들쭉날쭉 자라있다. 평균의 허상이다. 미용 가위는 스치기만 해도 살이 베일 것 같이 예리하다. 두상 각도의 수직을 횡으로 자른 모발이 서로 다르게 자라있는 모습은 J가 한 달 동안 시달렸던 업무의 상황을 떠올리게 한다. 내 바리캉은 소음이 크지 않아서 할머니 손님들은 미용 중에 자주 졸았다. 바리캉(Barriquand et Marre)이라는 말은 불어로 이발기라는 뜻이다. 바리캉이라는 단어가 일본어가 아니라 프랑스어라니 신기하다. 바리캉을 잡고 손목 스냅으로 목덜미부터 탑 포인트를 향해 뒷머리를 밀어 올린다. 옆머리를 돌려 깎을 때 J는 깜박 졸고 두상 각도가 비껴진다. 머리를 단단히 잡고 말을 건넨다. 고개를 들라. 머리 손질을 끝내고 하는 말도 한결같다. 뒤통수가 밤톨 같아. J가 피식 웃을 때 나는 마음이 간지럽다.

강물처럼 흘러서 언젠가는

한 가지 악기라도 연주할 수 있는 사람이 되고 싶어 매주 한 번은 오카리나 앙상블로 연습하러 간다. 나는 쇼팽과 베토벤, 라흐마니노프의 협주곡이 연주되는 피아노 소리와 현으로 통 울림을 내는 바이올린 선율을 좋아한다. 요즘에는 의도적으로 대중가요를 많이 듣고 있다. 오카리나 앙상블에서 연주하는 오카리나 곡들이 대부분 대중가요이기 때문이다. 오카리나(ocarina)는 리코더와 비슷한 소리를 내는 이탈리아 관악기이다. 형체가 오리를 닮았다고 해서 붙여진 이름이다. 작은 거위라는 뜻이라고 한다. 내가 만난 한국식 오카리나는 우리나라에서 개발한 악기라서 연주법도 옥타브의 높이도 일반적인 오카리나와 살짝 다르다.

연주곡을 들을 때 어떤 음악은 혈관을 타고 흐르다가 마음에 새겨진다는 느낌이 들 때가 있다. 깊은 여운의 음악이 마음을 건드리면 위로를 받는다. 윤도현 밴드의 음악은 소나기처럼 쏟아지면서 마음을 적시고, 포레스텔라의 화음은 마음의 가림막을 긁어내어 버린다. 결국 듣던 숨까지 함께 토해내게 만드는 임윤찬 피아니스트의 연주는 농축되어있던 마음의 무언가를 두드린다. 음악이 심장을 지난다고 느껴지는 순간들이다. 김준모 오카리니스트의 어메이징 그레이스를 한국식 오카리나 베이스 악기로 들을 때는 왈칵 눈시울이 뜨거워진다. 음악을 듣다가 좀 울고 나면 하늘빛과 풀빛, 강물 흐름까지도 달라져 있다.

한국식 오카리나에는 몸으로 악기의 옥타브를 만들어 소리를 내야 하는 클로즈오버가 있다. 악기의 모든 구멍을 열고 손으로 만든 오카리나와 연결되어야만 내가 상상하는 그 높은 소리에 도달할 수 있다. 악기에 닿지 않은 두 손으로 감싼 나의 손이 또 다른 오카리나가 되어 내는 높은 라와 높은 시는 호흡이 받쳐주어야 나는 소리다. 클로즈오버의 소리까지 가지 않는 아름다운 곡들도 많지만, 클로즈오버를 연주하는 곡에는 거세게 몰려오던 습기 가득한 바람이 툭툭 빗방울로 떨어지다가 마침내 죽죽 내리는 빗줄기와 같은 시원함이 있다. 여리게 시작해서 긴 호흡으로 숨이 차도록 불다가 허파에 한 줌의 숨도 남지 않도록 뱉어낸 만만치 않은 연주 후에 거칠어진 호흡을 고를 때에야 객석이 보인다. 보이지 않는 저 너머 누군가의 마음이 별처럼 쏟아지는 것 같을 때다. 듣기와 연습하기만 하다가 마침내 정기 공연의 무대 연주 후에는 문득 여한이 없다는 이상하고도 신비한 생각이 들기도 한다. 호흡이 소리 전부라고도 할 수 있는 오카리나의 매력에 빠진 것은 아마 내가 교사이기 때문인지도 모른다. 나를 통과하는 그 무엇이 학생들에게 닿아야만 공진화하는 신비한 관계와 닮았다.

오카리나는 호흡과 몸의 자세가 악기와 일치해야만 좋은 소리가 난다. 연주하는 사람에 따라 연주 소리가 다르게 느껴지는 것은 악기가 사람과 일치되는 지점들이 다르고, 그 곡을 해석하는 감정도 다르기 때문일 것이다. 조성진 피아니스트와 손열음 피아니스트의 쇼팽 연주가 같을 수가 없듯이 손에 쥐는 작은 악기인 오카리나 소리도 모두 다르다. 솔로 오카리니스트로 무대에 서 본 일이 없는 앙상블 단원으로서 나는 함께하는 연주를 지향한다. 함께 부는 연주는 드세지 않다. 아무리 우렁찬 원곡이어도 오카리나로 단체로 부는 음률은 부드럽다. 한국식 오카리나 앙상블 연주의 매력은 튀지 않지만 정확하고 당당한 소리, 이중주나 삼중주로 연주할 때 더욱 아름다운 소리, 연주자들의 삶이 마침내 꽃송이처럼 피어나는 소리에 있다. '강물처럼 교원 앙상블'의 오카리나 소리는 평범하고 편안하다. 교실에서 나의 학급 운영의 목표는 아름답고 부드러운 인성을 지향한다. 음악을 닮아간다.

이문세 가수의 '슬픔도 지나고 나면'을 연습하다가 천국에 가신 아버지가 그리워 눈물이 나고, 이찬원 가수의 '18세 순이'를 연습할 때는 정말 가야 한다는 심정에 조급해지기도 한다. 윤도현 가수의 '흰수염 고래' 악보에 수없이 붙은 플랫에 파랗게 질리다가 이내 가사에 울컥해지고, 최정훈과 강민경 가수의 '우린 그렇게 사랑해서'를 연습하다가 서로 소환할 이야기가 많아져 쉬는 시간이 길어지기도 한다. 음악은 저마다의 영역에서 연주자와 듣는 자 모두의 마음을 흔든다. 대중가요를 연주하다 보면 가사 한 줄의 서사에 내 이야기가 입혀지면서 다른 음악이 된다. 동네 시냇물이던 나는 어느 날 '강물처럼 교원 앙상블'에 흘러들어 강물 속을 세차게 흐르는 강물이 되었다. 강물 안으로 들어와 보면 뜻밖에 유속이 엄청나게 빠르고 세차다. 나는 바다로 흘러가고 있음이 틀림없다.

시간이 느리게 흐를 때

이국의 도시 뒷골목을 지날 때 글의 마음이 불쑥 돋을 때가 있다. 낯선 동네에서 이방인이 되어 이곳은 완전히 숨을 수 있는 곳이라고 안심할 때다. 마음이 열리고 마음 온도가 변화될 때쯤이다. 낯선 장소, 낯선 사람들 속에서는 오롯하게 나만의 선택과 시선만이 존재하기 때문일 것이다. 걷거나 주변을 두리번거리는 시간마저 아주 천천히 흐른다.

포루투갈에 포루투라는 곳이 있다. 구스타프 에펠이 디자인했다는 동루이스 1세 다리를 건너 와이너리 투어를 하고도 시간이 남는 곳이다. 엘리제라는 이탈리아 여성을 만나 함께 다녔다. 그녀가 오래 다니던 직장을 때려치우고 왔다고 웃을 때 불쑥 글의 마음이 돋아났다. 이제까지의 일이 자기 인생과 맞지 않았다고, 그녀는 이제 그녀가 원하는 의상 디자인을 할 거라고 열을 내어 말한다. 서로 또 만나자고 손을 잡고 메일 주소를 주고받을 때 토스카나에 오라고 여러 번 말한다. 유창한 미국 영어 사이로 이탈리안 악센트가 미세하게 느껴진다. 내게서는 어떤 악센트가 느껴졌을까. 한 번만 들으면 절대로 알 수 없는 말레이시아 페낭 악센트가 그림자처럼 남아있을까. 너 어디에서 왔어? 이제 어디로 갈 거야? 서로의 떠나온 지점을 묻고 떠날 계획을 답할 때 이미 언어는 그 사람의 인생을 담고 있다. 달콤하고 도수 높은 포트와인을 몇 잔 마신 탓에 와이너리 투어의 마지막은 좀 어지럽게 끝난다.

포르투 전철을 타면 전철은 다정하게 동루이스 1세 다리를 건네준다. 소나기가 내리고 바람이 불고 상벤투 역으로 유치원생들 20여 명이 병아리처럼 뛰어들어 간다. 시간이 한없이 느려서 지루해질 때쯤 이국의 저녁 해도 불그레하게 사라진다. 동네 깊숙이 들어와 발견한 모퉁이 상점에서 몇 개 남지 않은 바게트, 요플레, 따뜻한 에그타르트와 순전히 색깔에 홀려서 애플 망고를 산다. 삼각형으로 건물을 짓기로 작정한 듯한 거리에는 삼각형 모양의 건물을 따라 길바닥도 삼각형으로 이어져 있다. 삼각형을 가로질러 골목을 두 개 지나면 숙소가 있다. 예쁜 베란다가 있는 이 숙소는 바람의 집이다. 예쁘기만 할 뿐, 밤새 바람이 함께 머무른 탓에 감기에 걸린다. 바싹하고 촉촉한 바게트와 신선한 요플레만으로는 기운이 나지 않는다. 모퉁이 상점에서 쌀과 간장을 사서 물을 넉넉하게 붓고 끓인 쌀죽 한 숟가락마다 간장을 올려 먹는다. 속이 풀리고 글의 마음도 풀린다.

인생의 암호와 삶의 내용 중에 반드시 겪어야만 갖게 되는 것이 있다. 바람과 밤을 지새우고 나면 함부로 바람이 좋다고 말하지 못하고, 와인 실러에 들어가 보기 전에는 세상의 와인들이 갖는 발효의 시간에 대해 함부로 가늠하지 못하는 것과 같다. 간접 경험만으로는 도달할 수 없는 그 무엇이 있다. 죽어서 익숙한 것들이 떠난다. 원하지 않아도 마치 게임이 끝나 모든 캐릭터가 화면에서 사라지듯 꺼진다. 죽음은 그런 단호한 것이다. 애도하는 시간은 따로 정해져 있지도 않다. 한 사람이 죽고 떠날 때 의도하지 않았던 인물들이 마치 공모한 듯 함께 사라진다. 여행이란 의도하지 않은 사람들을 만나 떠나지 않았으면 연결되지 못했을 사람들과 만나는 계획이다. 죽거나 떠나거나 같은 듯 완벽하게 다른 이 틈새에서 시간은 느리게 흐른다.

숙소에서 렐루 서점 가는 길에 J. K 롤링이 해리 포터를 썼다는 마제 스틱 카페가 있다. 아메리카노를 한 잔 마시는데 카페에 모여 있는 사람들은 모두 시간 주머니에 잠시 모아둔 모래알처럼 건조하다. 그래서 글을 쓸 수 있었을까. 아무도 들러붙지 않는다. 아무도 아무 관계가 아니다. 낯설고, 소란스럽지만 나의 세계가 아닌 곳에서 글의 마음이 돋는다. 나의 글은 시간이 느리게 흐를 때마다 돋아나 마음속 우물에서 원액 한 방울에 섞일 것이다. 시간이 좀 느려질 때면 글을 쓴다. 나의 마음이 담긴 글이 그대에게 닿을 때 그대는 읽다가 신기한 기시감에 가던 길을 좀 멈추고 마음이 따뜻해져서 울컥해지기를. 나와 닿기를.

에필로그

아무도 읽고 싶어 하지 않는 글을 쓰고 있는지도 모른다. 유명한 사람이 쓴 궁금한 글도 아니고, 어떤 깜짝 놀랄 사건이 있는 글도 아니기 때문이다. 평범해서 미지근하고 왠지 어제도 누군가에게 들은 듯한 기시감이 있는 내용일 수도 있다. 이 글은 그런 평범함으로 시작했다. 동네 카페에서 아줌마들 몇 명이 모여 누구도 듣지 않으며, 모두가 한꺼번에 떠드는 것 같은 내용이다. 마음의 자락을 한 꺼풀 걷어낸 곳에 흐르는 속마음을 드러냈기 때문에 집중하는 사람이 있으면 오히려 부끄러울 것도 같다.

사람들이 모이고, 헤어지는 순간마다 아름답게 피었다가 사라지는 꽃들이 생각난다. 사람들이 서로의 마음들을 내려놓거나, 시선을 엮어 잠시 허공에 묶어보거나 하는 지난 일들이 꿈처럼 느껴진다. 책을 쓰자고 모인 사람들과 힘겹게 헤어지고 돌아오는 길에는 이제 어떤 일로 모일 수 있을까 하는 아쉬움이 가득하다. 아쉬움의 뒤풀이 속에서 오래 끓은 어묵탕은 바다 맛이다. 책 쓰기 프로젝트의 작가들은 속의 말을 끝내 꺼내지 않는다. 이제 우리 글에서 만나요. 못한 얘기들은 글로 써요. 나는 이렇게 말한다. 추억이라고 말할 무엇이 없어 무책임하게 돌아서는데 귀갓길 경의선 전철 안에서 문득 오래전 마음의 우물안에 있었던 순수한 감정들이 갑자기 비처럼 쏟아지는 이유를 알지 못해 당황스럽다. 경의선 전철이 겨울의 끝을 지나간다. 새봄이 온 것이다.

새봄은 개학과 함께 온다. 개학은 새로움이 가득하기에 낯설다. 만나는 사람들 거의 새로운 사람들이고, 이전에 알던 몇몇 그들도 새로움을 입고 변화되어 있다. 새봄은 아직 겨울의 품에 있기에 쌀쌀하지만 불어오는 바람 속에는 온기가 있다. 따뜻한 봄의 맑음이 서늘한 인간관계를 보듬어 줄 것이다. 불어오는 상큼한 바람과 꽃피는 계절이 함께하므로 지나가는 순간들을 버텨볼 수 있기를, 마음을 어디에 두어야 할지 두리번거리는 순간도 짧게 지나가기를 바란다. 개학하면 진정한 봄날이 온다. 학교는 배움이 일어나고 변화가 거듭되어 삶이 진화하는 장소다. 새로운 아이들이 학급마다 모여있다. 봄을 따라 나는 부지런히 책을 읽고 아이들의 마음을 향해 흘러가고, 아이들은 개별적인 개성으로 새롭게 진화할 것이다.

그동안 여러 아이디로 살았지만, 마음을 드러내면서 이름도 드러냈다. 아이디 뒤에 숨어서 자유로움을 누렸다면 이제는 드러낸 이름의 무게를 감당하고 싶다. 감추어진 곳에서 축축하게 젖었던 내 이름이 햇빛을 받아 반짝 마르길 바란다. 이 글을 읽는 그대 곁에서 어제도 들은 것 같고 내일도 들을 이야기들을 쓰면서 살고 싶다. 그대가 들어준 나의 소소한 이야기들이 그대의 마음속 우물에 함께 흐르기를 꿈꾼다.

임유경

유경이의 쨍라이브 성장일기

1. **걸음마 한 발짝.** 내가 나를 알면
2. **두 발짝.** 나는 정말 끈기가 없는 사람일까?
3. **세 발짝.** 어른 친구들이 생겼어요.
4. **네 발짝.** 내가 한복 미인? 한복 미인 선발대회 도전기
5. **다섯 발짝.** 말의 힘, 글의 힘, 편지의 힘
6. **여섯 발짝.** 초, 록의 틈새 유경이가 될 꺼예요.
7. **일곱 발짝.** 누군가의 자랑
8. **떼어볼까, 여덟 발짝.** '수어'가 나에게 준 선물, 나의 선생님

걸음마 한 발짝.
내가 나를 알면

학교 다닐 땐 발표 시간만 되면 자체 묵언수행을 했고, 지목을 받을까 봐 시선회피 하느라 바빴었다. 하지만 책을 읽거나 영상을 본 후 글로, 내 생각을 기록했더니 '독 후 감상문' 상을 받게 되었다. 성인이 되어 회사 다닐 땐, 기억력이 안 좋은 탓에, 내 손엔 메모지와 펜은 필수 였다. 회의 때나, 상사분들이 어떤 얘기를 해주실 때마다 메모했더니 성실하다고 칭찬을 받았다. 나는 손이 매우 작아서 다들 '그 손으로 뭘 하니' 하지만 밥도 먹고, 글씨도 쓰고, 작은 틈새에 빠진 물건들도 꺼낼 수 있고, 너무 귀엽다. **내가 단점이라 생각하는 것도 타인에게는 장점이 될 수 있고, 내가 다른 방향으로 보완 하려고 하면 또 다른 장점이 될 수 있다.**

두 발짝.
나는 정말 끈기가 없는 사람일까?

끈기란 무엇일까?

국어사전엔 이렇게 명시되어 있다.

→ 쉽게 단념하지 아니하고, 끈질기게 견디어 나가는 기운

한글조차도 잘 몰랐던 7살 때에 동네 친구랑 다녔던 미술학원에

서. 세상에 발을 내딛기 전에 잘림이란 인생의 쓴맛을 보았다. 그것도 나만. 왜? 이유는 한 가지였다. 그림을 못 그린단다. 젠장... 학원이란 곳은 어떤 곳인가? 부족한 것을 조금이라도 채우고 배우는 곳 아닐까? 사람들은 음식을 먹고 한 번 크게 체이고 나면 트라우마가 생겨 그 음식을 두려워하고 쳐다보기도 싫어한다. 나에겐 미술이 체한 음식 같은 존재였다. 기억력이 좋지도 않은데, 그때 들은 말이

문득문득 떠올랐다. 그 후유증일까? 취미며, 일에서도 하다가 싫증 나거나 진전된 모습이 보이지 않으면 주변에 피해 끼치기도 싫어서 '난 또 못하는구나!' 하며 금방 포기하는 경우들이 많았다. 포기했던 직업들도 참 수없이 많았다. 꿈의 시초는 '호빵맨' 만화를 감명깊게 본 후. '잼 아저씨'처럼 다정하고 멋진 제빵사가 되고 싶었고, 엄마는 내 꿈을 이룰 수 있게 고등학생 때부터 제빵학원을 보내주셨다. 꿈은 크게 가지랬다고 성인이 되면 프랑스 파리로 유학 갈 생각도 해보았다. 현실은? 동네 '파리 ○○○'에서 바게트까진 구워보긴 했다. 그래도 이름있는 매장에서 빵도 만들고 자부심이 조금 있었지만 잠깐이었다. 실전에 부딪혀 보니 나는 새벽형 인간도 안되고 만드는 거보다 먹는 것을, 더 좋아하는 사람이었다. 판매는 또 어떨지 궁금함에 백화점 '베이커리' 매장에도 진출해 보았다. 처음엔 다양한 사람들을 상대 하는 일이 재미있었는데 또 어느 순간 밉상, 화상, 진상손님들 덕분에 저혈압이었던 나는 혈압이 올랐고, 스트레스가 솟구쳐서 그만두게 되었다. 이왕 이렇게 된 거 한 번 사는 인생, 세상엔 다양한 직업도 많고 주변에서는 오지랖 섞인 괜한 걱정을 하겠지만, 무시하고 젊음을 무기로 삼아 '최대한 많은 경험을 해보자' 결단을 내렸다. 관심 있는 분야는 혼자 모아둔 돈으로 공부하며 자격증 취득도 하고, 분야 가리지 않고 흥미 있어 보이는 일은 최대한 도전해봤다. 제약회사, 스포츠의류매장, 웨딩플래너, 화장품매장, 어린

이 직업 체험관, 어린이 한의원, PPL 광고회사, 사진 제작 공방, 카페, 바리스타학원 행정업무, 정육 회사 CS 관리, 피부관리, 식품회사 MD, 디퓨저생산 회사 등등... 웃기고 안타까운 사연 하나 풀자면 특이했던 진품명품 감별회사가 있었다. 여기는 입사 첫날 사장님을 처음 뵙고 인사 하는데 갈색의 내 머리카락을 보더니 보수적인 할아버지 사장님께서 '양아치 같다고 출근한 지 몇 시간 만에 집에 가라고' 했다. 이건 내 의지가 아니다. (면접 때부터 사장님이랑 대면 했으면 진작 안 갔을 텐데) 한 땐 반짝스타의 꿈도 꾸며 엑스트라에도 도전했지만, 이땐 마냥 연예인들을 볼 수 있어서 좋았고, 연예인들도 돈을 얼마나 힘들게 버는지 간접 체험을 잠깐이나마 해보았다. 발만 살짝 담그고 나온 회사도 많았지만, 직업별 특성도 알게 되고 더 존중할 수 있는 계기가 되기도 했다. 어쨌든 가족들은 내가 방황하는 아이처럼 보였을 테고, 요리와 빵 전공을 살리지 못한 아쉬움의 말도 많이 했던 터라 잔소리 듣기 싫어서 또다시 전공 관련 분야로 '전전긍긍'하며 다녔다. '요리에 대한 열정이 다시 생기려나?' 일말의 희망과 혹시나 잘 맞으면 오래 하고 싶었지만, 역시나 나에겐 요리는 취미 이상이 될 수 없었고, 빨리빨리 멀티가 되지 않는 나에겐 직업으로는 맞지 않는 것을 인정할 수밖에 없었다. 그림에 재능이 없어 보여도 계속 관심 가져 주고 알려주셨더라면 어릴 적부터 포기하는 법보다 끈기 있게, 노력하면 어느 정도는 할 수 있다는 것을 배웠을 텐데, 어느 순간부터 괜히 미술학원 선생님을 떠올리며 분노도 했었지만, 사실 누구를 원망할 것도 아니고, 지금에서야 생각하니 포기하기 위한 핑계의 수단 거리일 뿐이었다. 결국은 내가 그만큼 무엇을 붙잡을 만한 열정과 의지가 부족했고 그래서 아직 진짜 '실패'라는 경험은 없다고 생각한다. 제대로 노력도 안 하고 말만 '실패' 라하고, 성공해 가는 사람들을 부러워하는 것. 조차 더 양아치 같단 생각이 든다. 가끔 친구들을 만나게 될 때면 한 직장을 오래 다니는 친구의 인내심이 대단해 보였고, 회사는 달라도 한 분야의 전문가가 되어가고 버티고 승진하는 모습들을 보며 부럽기보다는 '대체 난 뭐 하는 사람일까?' 한심스럽기도 했다. 정체성의 혼란과 자책하는 날도 많았다. 친구들이 여행 가자고 유혹도 많이 했지만, 나는 경험치 쌓는 것이 '회사 투어' 여행이라 생각에 거절만 했고, 아직도 여권은 없다. 빠른 포기들로 인해 다양한 경험을 더 많이 해보아서 다행이라 생각하고 후회도 없다. 포기하는 것도 용기라고 들었다. 용기 있는 삶을 살았더니 어른들은 '프로포기러'인 나에게 말한다. "왜 이렇게 끈기가 없니?", "언제 정신 차릴래?" 이런 얘기를 들을 때면 한 편으론, '나는 내 적성을 찾기 위한 노력이었는데... 난 대체 뭘 잘못한 걸까?, 한 직장에서 오래 일을 안 한거?' '그놈의 끈기' 오죽하면 가장의 무게를 짊어진 것도 아닌데 퇴사를 한 후에도, 차마 또 그만뒀다는 말을 할 수가 없었고 실망을 안겨 주고 싶지 않았다. 그래서 나의 선택은 아침 출근 시간 때쯤 일어나 준비하고 집을 나서며 옆 동네 놀이터 가서 서성이다가, 어떤 날은 아파트 비상계단이나 옥상이라도 올라가 있다가 엄마 출근하는 모습을 보고서는 다시 집에 들어가서 일자리를 알아보곤 했다. 그 누구도 나의 마음을 알아주는 사람도 없어서 심장이 막힌 느낌으로 살아왔던 거 같다. 그냥 '나이만 먹고 살고 있는 인생이구나' '난 세상에 쓸모없는 사람이구나' 실의에 빠져있을 때가 많았다. 시간이 좀 흐른 뒤에야, 방송이나 SNS에서도 '실패해도 도전과 경험을 많이 하라고 메시지가 퍼지고 나니. 그동안 나의 경험들이 어느새 도전의 명대사가 되어있었고 친구들은 이렇게 말해 준다. "여러 가지 하고 싶은 게 많은 너 가 부러워" 혹은 "유경아, 항상 추진력 있게 도전하는 모습이 너무 멋있어!" **나는 끈기가 없는 게 아니라 하고 싶은 일들을 꾸준히 도전한 것이었다.** 앞

으로도 끈기 있는 삶에 목적을 두지 않고 포기하는 것에 미련도 없을 것이며, 하고 싶은 것들에 주저 없이 도전하는 삶을 계속 살아갈 예정이다.

아직도 이렇다 할 명함 한 장 없고, 아직도 꿈이 매일 바뀌고, 의식의 흐름대로 살아가고 있다. 하지만 시작하면 열정은 있는! 너무나도 평범한 사람 중에, 한 명이지만 분명 나와 같은 고민, 끊임없는 진로의 문제로 괴로워하는 사람들을 위해, 이런 사람도 조금이나마 공감을 공유 해주고, 위로를 해보겠다고 글을 쓰고 있다. 이렇게 살아도 '열심히 산다'라고 말도 가끔 듣고요. 인생 뭐 있겠습니까!. **고민보다 GO 해보고, 사회에 문제만 일으키지 말고 우리, 그냥 하고 싶은 거 도전해 봐요. 그 누구의 말보다 나 자신을 믿으면서요! 응원합니다! 화이팅!**

세 발짝.
어른 친구들이 생겼어요.

몇 년 전. 초록의 피톤치드를 맘껏 느껴지는 곳으로 '나 홀로 여행'을 떠나보고 싶었다. 하지만 막상 심각한 길치의 특성을 탑재한 나로서는, 괜히 무서움에 망설여졌다. 다행히 여행사 홈페이지에서 담양 죽녹원에서 → 보성 녹차밭까지, 당일치기 여행코스 패키지가 눈에 띄었다. 바로 신청하고 푸르름이 가득한 여름 주말. 홀로 첫 여행을 떠나보게 되었다. 나는 혼자 가지만, 다른 사람들과 가이드분이 안내해 주실 거에 안심이 되었다. 이른 아침 시간부터 시청역으로 도착해서 내가 타야 할 여행사 버스를 찾았고, 탑승해서 맨 뒤쪽 끝자리에 앉아 버스가 출발하길 기다리고 있었다. 좀 지나서 가이드분은 예약자 명단 확인 후, 드디어 버스는 나의 힐링을 위해 출발했다. 내 옆쪽에는 아주머니들이 줄줄이 앉아서 이야기를 나누고 있었고, 속으로 '친구들끼리 여행 가시나 보다.' 생각하고 다시 창밖을 바라보던 찰나 옆에 앉아 계셨던 아주머니께서 말을 걸어주셨다. "학생 혼자 왔어?" 이때부터 우리의 특별한 인연은 시 작이었다. 나는 웃으면서 "네, 근데 학생은 아니고 친구들은 아직 숲과 나무에 관심이 없어서 혼자라도 보려고요." 그때 같이 오셨던 다른 아주머니들도 갑자기 나를 보며 좋아해 주셨고, 옆에 아주머니가 말하셨다. "와, 다행이다. 우리가 원래 8명 모여서 가기로 했거든, 간식도 한 명씩 8인분 나눠서 가져오기로 했는데 한 명이 아침에 못 온다고 해서 1인분이 남아, 이거 다 먹어" 하면서 김밥이며 초콜릿 등 간식 꾸러미를 손에 쥐어주셨다. 거절할 틈도 없었고, 꼭 먹었으면 좋겠다고 하셔서 감사한 마음에 받고 나서, 나도 휴게실에서 호두과자랑 음료를 사서 하나씩 나눠드렸다. 죽녹원에 도착해서 먼저 식사 시간을 주었는데, 식당을 둘러보다가 "우리랑 같이 밥 먹자, 그래도 관광지고 혼자는 세트도 못 먹을 텐데" 제의 해주셔서 식당에도 같이 들어가서 다 같이 밥을 먹었다. 그때 서야 나도 제대로 한분 한분 소개를 듣게 되었고 나도 내 소개를 했다. 그래도 전부터 백화점이며 몇몇 곳에서도 어르신 분들이랑 일해봐서 어른들과 있는 것이, 어렵지 않고 엄마처럼 편안한 느낌이 들었다. 각각 자녀분들 나이도 내 또래와 비슷해서 아들 있으신 분들은 만남을 주선해 주시려고도 하셨고, 딸 있으신 분은 모녀 사이의 공감대 이야기하며 식사 시간을 보내고 있었다. 한 아주머니께서 "근데 우리들이 어떻게 만나게 된 사이인 줄 알아?" 여쭤보셔서 나는 "아 친구분들 아니에요?" 했더니

"마트에서 일하다가 구조조정 당해서 한 번에 다 같이 잘린 사람들이야, 일명 '짤 모임'이야. 그래서 더 돈독해."하며 다 같이 웃으셨고 나도 한마디 곁들였다. "오? 저는 유치원 다닐 때 미술학원에서 잘려봤어요. 그럼 우린 다 잘린 사람들이네요." 했더니 "이참에 서로서로 위로 해주고 격려해 주면서 지내면 되겠다. 그냥 이모라고 불러~"라고 말해 주신 분도 계셨다. 그리고 자리에서 일어나 계산하려는데 직원분이 나에게 말했다. "오늘은 젊은 가이드분이 오셨네요." 네? 우리는 또 잠깐 0.1초 생각하다 모두 웃음이 또 터졌다. 내가 '가이드' 인줄 알았던 거였다. 식사 이후 더 친해진 이모님들과 나는 죽녹원에서도 서로 사진도 찍어주고 같이 피톤치드를 느꼈고, 보성 녹차밭으로 이동할 때도 쉴 틈 없이 이야기꽃을 피웠다. 다른 사람들이 보기엔 그냥 한 무리로 보았을 것이다. 나는 원래 혼자 가서 구경할 생각에 삼각대도 챙겨가서 펼치니까 또 신기해하면서 "그래도 젊은 사람이 있어서 사진도 잘 찍히고 좋네."하며 좋아해 주셨고 다 같이 사진도 찍고 구경도 더 알차게 했다. 구경하다가도 각자 "여기가 이쁘네," 하며 갑자기 딴 길로 가려 하면, "시간이 없어요. 저희 이제 다시 버스 타야 해요." 내가 안내를 해주고, 순간 나도 가이드 얘기 들었던 말이 또 생각나서 피식 웃음이 나왔다. 서울로 다시 돌아 오는 버스 안에서는 체력이 소진되어 졸면서 왔고, 처음 만났던 시청에 도착해서 아쉬운 인사를 했다. 이모님께서 "우리 다음 달에는 중국 가는데, 만리장성 같이 가고 싶으면 연락해." 그리고 다른 이모님은 "오늘 아줌마들이랑 놀아주느라 고생 많았어. 보통 다른 젊은 사 람들이면 혼자 왔던 계획처럼 혼자 구경하거나, 우리랑 이렇게 오래 놀진 않았을 거야." 내가 대답했다. "에이, 오히려 혼자 온 애 이모님들이 놀아주신 거죠. 제가 더 감사해요." 그리고 이모님들과 번호교환도 하고 아쉬운 마음을 뒤로한 채 각자 집으로 돌아섰다. 이 여행담은 엄마조차도 "너도 내 딸이지만 참 특이하다. 아줌마들하고 어쩜 그렇게 잘 놀고 다녀?" 말하고, 사람들한테 말해줘도 신기해한다. 가끔 그때의 사진을 보거나 지역을 듣게 되면, 특별했던 이모들과의 '힐링 여행기'가 생각나서 웃음이 나며 회상해 본다. "역시 탁월한 선택이었어!" 그리고 **친구를 사귀는 데엔 '꼭 나이가 같아야 만이 아니라, 공통점이 있고, 마음만 통하면 또래가 아니어도 더 좋은 친구가 될 수 있다.'** (이모님들도 너무 소녀처럼 귀여우시고, 행복한 추억이라 이건 공유해야지!)

네 발짝.
내가 한복 미인? 한복 미인 선발대회 도전기

2023년 2월 어느 일요일 저녁. 다음날 출근을 위해 자야 했지만 내일 아침의 나에게 맡기며 핸드폰을 붙잡고 있었다. SNS를 구경하던 중 팝업광고 하나가 떠 있었다. '당신도 세계를 누비며 한복의 미를 알릴 수 있습니다.' 어? 한복이라면 일가견이 있는 난데! 어릴 때부터 한복을 좋아했던 터라 명절에 할머니 댁을 갈 때도 다들 평상복차림으로 입어도 무조건 '이때 아니면 또 언제 입냐?'는 생각으로 꿋꿋이 한복을 챙겨입고 갔다. 대회 내용을 다시 한번 읽어보니 1차 전형은 한복 입은 사진을 보내는 '사진 면접'이었다. 두 가지의 생각이 들었다. '나 같은 쩌리가 이런 대회를 어떻게 나가겠어~' 했지만 '뭐 밑져야 본전이지 돈 드는 것도 아니고' 지난 사진첩을 둘러보다가 경복궁에서 한복 입고 예쁜 척 뽐내고 찍었던 사진 몇 개를 고르고 서류 전형 양식을 작성해서 신청을 해보았다. 만약 한복 모델이 되면 '한복 스타가 되려나' 하는 망상을 해보며 잠이 들었다. 그리고 며칠 후. 한 통의 문자가 왔다. '지원하신 한복 모델 선발 대전 ○○○○○입니다. 1차 사진 서류 전형 통과입니다. 2차 실물 면접 준비해주세요.' 오? 1차 합격?, 놀라웠다. 후에 2차 실물 면접은 강남의 사무실에서 대표님과의 면접 후 이미지 사진 테스트였다. 그나마 주말이었지만, 장소는 강남이라 고민이 되었고, 잠깐 들렸다가 강남 구경이나 하지 뭐~ 하는 마음으로 사무실로 갔다. 대표님과 짧은 면담을 하고 옆에 스튜디오에서 어쭙잖은 인생3컷의 어색한 포즈를 취하며 사진을 찍고 '망했네' 하며 강남 지하상가 구경이나 하고 집에 왔다. 그런데 며칠 후 다시 문자가 왔다. '2차 실물 면접 통과를 축하드리며 3차 예심 준비해 주세요.' 한복에 대한 진정성이 통했나? 의아했지만 3차 예심의 내용은 '자기소개' 영상을 찍는다며 30초가량의 소개 내용 준비, 흰 티에 청바지 그리고 7cm 이상의 흰색 하이힐 착용 조건이 있었다. 걱정은 되었지만 소중한 평일 연차를 쓰고 3차 면접장에 갔다. 사실 이땐 거의 포기 상태라 힐 대신 단화를 신고 화장도 대충 내가 하던 식으로 하고 갔다. '어떤 사람들이 신청해서 오는 걸까?' 궁금한 마음에 구경하러 가보긴 했지만, 역시 한국 무용 학생들, 아나운서나 승무원 지망생, 현업에 종사 중인 기상캐스터, 몸매들도 쭉쭉 빵빵하고, 다들 아침 일찍부터 청담동 샵에 방문해 공을 들이고 왔다고 한다. 찐한 화장과 검은 머리에 단아한 쪽머리까지 힐을 신고 한 명, 한 명 카메라를 바라보며 멋있게 자기소개 촬영하고, 나는 넋 나간 듯 바라보며 엄지척, 해주었다. 내 차례가 되었을 때 "저 힐을 안 신고 왔어요." 말했더니 내 키는 평균치보다 작은탓에 힐이 필수였다고 했다. 그러면서 처음 본 사무실 여직원 한 분이 본인의 구두를 신어보라며 흰색은 아닌 검정 힐을 빌려주셨다. 발도 자라다 말아서 엄마 구두 신은 꼬마 마냥 걸을 때 질질 끌렸지만, 카메라 앞에선 주저리주저리 한복에 애정을 담은 멘트를 끝내고 '나름 좋은 경험 했다.' 뿌듯해하며 지하철을 타려는 순간 문자가 왔다. '3차 예심 통과 축하합니다. 잠시 후 ○○○에서 본선 OT 진행이 있으니 시간 엄수 해서 방문해 주세요' 머릿속에 물음표가 99,999개 떴다. 뭐지.. 몰래카메라인가..? '아, 이거 다단계 인가?. 내가 어떻게 합격이지?' 기쁘기보단 두려운 마음이 앞섰고 갔다가 괜한 봉변을 당하는 거 아닌가 하는 생각도 했지만 결국 또 OT 진행하는 장소로 조심스럽게 가보았다. 마지막 본선을 준비하는 자리로 30명가량의 합격한 사람들이 모여있었다. 대표님께서 "처음 1차 때부터 지원자가 2,800명 정도였는데 그중에 여러분들이 최종 본선에 진출하게 된 거니 지금도 자부심을 가져도 됩니다." 말씀 해주셔서 내심 이 안에 내가 포함 되었다는 것에 믿기지 않았다. 대회 날이 정해졌고, 그동안은 아무에게 말을 안 했었지만, 대회 날 반영 될 '온라인 인기투표'도 진행한다고 했다. 막상 이왕 시작한 거 민망하지만 꼴등은 면하고 싶은 마음에 한두 명씩 알리기 시작했고 투표까지 부탁했다. 처음으로 화장품 협찬이란 것도 받아보았다. 드디어 대회 당일날! 참가자 전원이 모두 청담동 샵에서 연예인들처럼전문가에게 헤어, 메이크업을 받을 수 있었다. 이것마저도 너무 특별한 경험이었다. 디자이너분이 머리를 손질 해주시며 나에게 무슨 일을 하냐며 물어보셨다. "그냥 직장 다니는데 궁금해서 신청해 보았어요. 근데 여기까지 왔어요." 말했더니 "다들 이력서에 칸 하나 더 채우려고 비슷한 직종의 사람들이 많이 지원해서 와요. 직장인이 지원해서 결선까지 온 거는 드문 일이에요, 이미 평타 이상 치셨어요!" 이 말을 듣고 나는 대회에 안 나가도 될 만큼 너무 감사한 마음과 자신감 상승에 어깨가 조금 솟아버렸다. 그래도 연차까지 내었으니 가야지. 처음이자 마지막으로 나인 듯 내가 아닌 이뻐진 모습으로 대회장을 향했다. 도착해서는 전문 한복 디자이너분이 참가자마다 이미지에 맞게 제작해 주신 한복이 있었다. 설레는 마음으로 대기실에서 각자의 한복을 입고 서로 이쁘다고 맞장구를 쳐주고 화보 놀이를 했다. 리허설을 간단히 마치고 대회가 시작했다. 워킹 모습, 자신만의 포즈를 취하고 소개까지가 심사였다. 나는 2번째 순서였다. 게다가 바로 내 앞에 참가자분은 현대 무용 전공 했던 리틀 박보영 닮은 미인 이었다. 바로 다음이 내 차례였지만 1번 참가자 미모에 감탄만 하느라 준비도 제대로 못 하고 내 차례가 되었다. 혹시나 우황청심환도 미리 먹어 놨지만, 무대 위에 서 있는 순간 현기증이 나버렸다. 앞에는 참가자들을 비롯한 명성이 높으신 심사위원분들과 기자분들, 어릴 적

학교에서 발표시키면 아무 말 못 하는 내가 역시 한결같은 모습이었다. 실신 안 한 게 정말 다행이라 생각한다. 모든 참가자의 순서가 끝나고 진, 선, 미. 발표가 있었고, 상을 받은 한 분 한 분 진심으로 축하해 주었다. 열심히 준비했지만, 아쉬운 결과에 낙심한 사람들도 있었지만, 나는 계속 이 대회까지 혼자 호기심으로 시작한 것, 대회장에 있는 것, 만으로도 너무 신기하고 기특한 마음만 남았다. 한편으론 '이것도 기회라면 기회였는데 경험도 좋았지만 좀 더 준비도 해보고 연습도 많이 할걸' 한복 스타를 잠시나마 꿈꿨던 내가 초심을 잃었던 거 같다. 간절함이 부족 했던 거 같다. 이제는 **초반에 '한번 해볼까?' 했던 마음을 유지하며 포기하고 싶을 때나 안일한 생각이 들 때 '한 번 더 해볼까?'의 마음가짐을 더 가져보게 된다.** 대회 끝나고 나서는 한동안 괜히 나에겐 민망하고 흑역사처럼도 느껴졌지만, 친구들은 말한다. "나 사람들한테 한복 미인 대회 나간 친구도 있다고 자랑하고 다녀", "넌 이제 며느리 프리패스 감이야" 또는 "유경아 다음엔 어떤 거 도전 할 생각이야?~ 넌 '도전 요정'이잖아!" **그리고 일 년 후. 2024년 2월. 지금의 나는 고요하게, 고유한 내 마음의 책을 쓰고 있다. 화이팅!**

다섯 발짝.
말의 힘, 글의 힘, 편지의 힘

우리는 가족들과, 회사에서 또는 친구들과 많은 대화를 나눈다. 대면이 아니어도 카톡이나, SNS를 통해서도 더 많은 정보를 공유하며, 모르는 사람들과도 쉽게 소통이 가능한 시대이다. 많은 정보를 얻는 부분에서는 좋지만, 사람들은 특성상 칭찬하는 것에 인색한 편이고 되려 부정적인 말, 남을 비하하는 말들은 청산유수처럼 잘한다. 그래서 대부분은 육체적으로도 한껏 고단한데 본인의 의지와 상관없이 듣게 되는 말들 때문에, 더 지치고 상처는 더 쌓이게 된다. 장애가 있는 사람, 가족 중에도 장애가 있다거나. 또는 외모를 가지고도 학교에서부터 왕따를 시키고 성인이 되어서도 무시하고 욕도 많이 한다. 어릴 때 키가 작다는 이유로도 "장애인이야?"라는 말과 놀림도 당했다. 사람들은 왜 그럴까? 본인들은 뭐가 그렇게들 잘나서 타인을 괴롭힐까? 주변에서도 내가 요즘 수어를 배운다고 하면 "배워서 뭐 하게?", "나중에 말 안 하고 살려고?" 이렇게 반응하는 사람들도 있었다. '아직도 세상이 변하려면 멀었구나' 한탄스러울 뿐이었다. 세상엔 완벽한 사람도 없으며, 우린 모두 잠재적인 장애인이다. 남의 일이 아니라 나의 일이 될 수도 있다. 이쯤이면 과연 진짜 장애는 누가 가지고 있는 것일까? 들리고 보이고 움직임이 편해도 생각과 마음이 건강하지 못하면 그게 더 문제이지 않을까 싶다. 또, 요즘에는 사람들이 많이 보는 영상 매체 대신, 집에선 동요를 듣거나 클래식을 듣고 동화책을 보며 마음을 정화 시키곤 한다. 밖에서 활발한 모습도 나지만 사람들이 말하는 유치한 것을 좋아하는 것도 '나' 인데 존중보단 "유치하다." 또는 "너가? 클래식을 듣는다니"

비웃는 말만 한다. 그럴수록 나는 또 말을 아끼게 된다. 내가 좋아하는 것이 잘못된 듯 마냥, 왜 부정을 당하는지 이상한 사회이다. 사람마다 특성이 다를 뿐인데 본인의 틀 안에서 상대를 볼 때 다름의 존중보다, 틀리게 생각한다. 예전에는 안 좋은 얘기 들으면 기분이 나빴지만, 언젠가부턴 그 정도밖에 생각이 얕고, 말하는 사람들이 안타깝게 느껴졌다. 나도 가끔 친구들이 고민을 상담할 때, 얘기를 잘 들어주고 상대의 얘기에 공감 해주고, 위로의 말, 때론 편지를 써줄 때면 '감동이다'라고 말도 꽤 듣는 편이다. 내가 말과 편지의 힘을 믿는 이유다. 말 한마디에 사람을 살릴 수 있고, 삐뚤어진 마음, 설령 장난이라도 그냥 내뱉은 말에 가시가 붙어있으면 듣는 사람, 글을 보는 사람은 자존감도 떨어질뿐더러 그 마음 상처는 회복하기가 어렵다. 주변에 사람들이 일이든 취미든 '망설일 때 어떤 일을 한다.' 용기 내어 말하면 걱정의 탈을 쓴 오지랖, 부정의 말보다, 힘을 북돋아 주는 말 한마디가 너무 소중하게 느껴진다. 진짜 걱정이 된다면, 제발 그 상대를 믿어주고 응원의 말 한마디 해주면 얼마나 좋을까? 칭찬과 격려의 말, 온기를 담은 말, 솔직히 돈도 안 들고 금상첨화인데. 무슨 사명감인지는 모르겠지만, 나는 매일 일방적인 작은 소망을 품고 산다. 에너지 충전이 되는 사람이 되고 싶다. 전자기기들도 어느 정도 사용하다 보면 지쳐서 배터리가 닳는다. 하지만, 충전을 다시 하면 생기를 얻어 사용할 수 있게 된다. 사람들이 지쳐있을 때, 나의 말과 진심이 담긴 편지에서 배터리처럼 충전이 되었으면 한다. 각자 하루의 끝에 좋았던 일, 좋은 사람들과의 만남을 통한 좋은 울타리 안에 나도 포함되길 바라는 마음이다. 친구들과 만나서 이런 생각을 말하면 "오지랖 아니야? 너가 왜 굳이?" 그러면 나는 대답한다. "히히 그러게나 말이야~ 근데 내 마음은 이런 걸 어쩌겠어~ **누구 한 명이라도 나로 인해 기분이 좋았다면 나는 더 행복한걸? 이런**

오지랖은 괜찮지 않을까?'

여섯 발짝.
초, 록의 틈새 유경이가 될꺼예요.

난 전생에 웅녀였을까? 싶을 정도로 초록의 자연을 좋아하고, 쑥을 참 좋아한다. 취미는 사람들과 만남을 통해 배우며 자아 성찰하는 것. 그래서 매일 쑥도 먹고, 자아실현이 쑥쑥 자라도록 노력 중이다. 어느 아침 출근길에 늦어서 뛰어가던 중. 우연히 도로변 길 위에 어여쁘게 초록줄기에 노란 꽃이 피어나 있는 꽃을 마주하게 되었다. 이 꽃은 아스팔트 엄청 작은 틈새 사이에서 나를 향해 '유경아 안녕?, 까꿍^^' 싱그러운 미소로 인사를 해주는 것 같았다. 그리고 혼자만의 텔레파시 메시지를 듣고 느낀 것이 있었다. **'어디에서든 틈새 공략하여 작지만, 작은 대로의 존재감을 발휘할 것이고, 싹 틔울 곳을 꾸준히 찾아 나서야지!'** 멋진 포부 같다. 나도 그렇고 이 글을 읽고 있는 모두, 혹시나 자신의 존재감에 의문이 들지언정 꼭! 본인의 싹은 트일 것이고 각자만의 꽃이 필 거라 믿습니다. **화이팅!**

일곱 발짝.
누군가의 자랑

1989년 12월 19일 유난히도 추운 겨울 새벽, 예정일보다 이른 진통이 느껴진 만삭의 산모는 응급으로 산부인과에 가야 했다. 그 진통이 느껴지는 와중에 배를 움켜쥐고 지나가다 보이는 교회 안에 들어가 '이 아이가 건강하게 태어나게 해주세요', ' 제발 건강하게만 자라게 해주세요' 간절한 기도를 하고 다시 대학병원에 있는 산부인과로 다시 발길을 옮겼다. 그리고 7년 만의 늦둥이인 내가 태어났다. 뱃속에 있을 때 병원에서는 아들이라고 말을 해줘서 아들인 줄 알았는데 첫째도 딸, 둘째도 딸이 된 것이다. 신생아 때부터도 폐렴이며, 온갖 병치레부터 치르느라 의료 수첩이 책만큼 쌓였었다고 했다. 이 얘기를 가끔 생일 때마다 어렴풋이 들었지만, 크게 신경을 쓰진 않았는데, 현재 엄마가 나를 낳은 나이도 넘겨가는 시점이 되니 "그 당시 얼마나 힘들었을지 마음이 아려온다." 유치원, 초등학교, 중학교 때까지도 학교에서 나의 희망하는 꿈을 적어 내는 시간마다 나는 항상 '엄마', 존경하는 인물을 적는 칸에도 어느 위인들보다 '엄마'였다. 아직도 나는 변함이 없다. "그냥 남자 만나서 결혼하고 애 낳으면 엄마 되는 거지, 뭘 그렇게 어렵게 생각해?"라며 말들하지만 나는 '엄마'라는 타이틀이 위대하게 느껴지고. 존경과 내가 과연? 우리 엄마처럼 내 인생을 희생하고, 쏟아부으며 살 수 있을까?! 아무리 생각해도 아직도 너무 어렵다. 나조차도 엄마 말을 엄청 안 듣고 자랐지만, 나중에 내 아이와 의견충돌이 생기고, 속상하게 하면 '과연 나는 어떻게 대응할지' 교육을 어떻게 시킬 것이며, 무조건 '좋은 엄마가 되어야겠다.' 보다도 자녀가 스스로 부모를 보면서 좋은 점을 닮고 혼자 활동을 하면서 주변의 사람들이 긍정의 물음으로 "너희 어머니가 누구니?" 라고 물을 때 당당히 내 자식이 나에 대해 떳떳하게 말해 줄 수 있는 좋은 엄마가 되고 싶다. 이런 여러 가지 생각을 하면서도 아직도 엄마한테 툴툴 소리 내는 나를 보니 참 글을 쓰기도 염치가 없어지려 한다. 내가 초등학교 입학할 무렵부터 부모님은, 맞벌이를 시작했고, 언니는 청소년기 때라 학교와 학원 다니며 공부하기 바빴다. 겁이 많은 나는 방학이 싫었다. 혼자 있는 자유보단 무서움이 더 컸었다. 아침에 엄마가 집을 나서면 엄마 뒷모습이 안 보일 때까지 난 손을 계속 흔들어 엄마를 배웅했다. 집에 혼자 있게 될 때면, 엄마 옷 혼자 입고 놀거나, 지점토 놀이, 내가 인형의 엄마가 되어서 혼자 엄마 놀이도 했다. 혼자 놀기의 달인이 되어가면서도, 문득 갑자기 천둥 번개 치거나, 무서워질 때면 이불을 뒤집어쓰고 저녁에 누구 한 명이 올 때까지 하염없이 이불속에서 울다 지쳐 잠든 적도 상당했다. 나도 어렸지만 '괜히 공부도 못하는 나 땜에 돈이 필요해서 일을 나가는 건가?' 생각에 미안한 마음이 들었던 것 같다. 그리고 엄마는 식당에서 일을 하는 것을 주변에 굳이 말하지 말라고 하셨다. 하지만 나는 먹고 싶은 것을 말하면 뚝딱 해주는, 요리를 잘하는 엄마를 더 자랑하고 다녔던 것 같다. 반면, 다른 친구들처럼 '엄마 카드'를 써본 적도 없고, 뭐 사달라고 떼쓴 적은 없는 듯하다. 서로의 힘듦을 소통보다는 마음으로 느꼈던 거 같다. 엄마 심정으로는 또 이런 상황들에서 더 안쓰럽고 미안함을 품고 있었던 것 같다. 그래서였던 건지 밤늦은 시간이나 어느 때라도 먹고 싶은 것을 말하면, '당장 해줄 수 있는 건 이것뿐이다.' 하며 '고구마 맛탕'도 새벽에 만들어 줄 때도 있었다. 정작 내가 엄마한테 해주었던 건, 건강에 신경 많이 써주었던 엄마를 위해, 안경 안쓰려고 눈 보호 하려고 공부를 안 했고, 내성적인 모습보다 활발한 모습을 좋아하는 것 같아 친구들이랑 만나서 놀기 바빠했다. 아침마다 이불 위에 세계지도, 어떤 날은 우리나라 지도를 번갈아 가면서 선물을 준 게 다였다. 내심 세상을 드렸다고 생각한다. 자식을 아끼는 부모의 마음은 다 똑같겠지만 교육의 방법은 다 다를 것이다. 친구들하고 대화를 나누다 보면 나는 참 강하게 자란 편이다. 비 예보가 있는 날이면 우산을 직접 챙겨주는 것보다 "오늘 비 온다고 하더라" 한마디 해주셨고 결정은 나의 몫이었다. 그 당시에는 우산을 안 챙겨갔다가 비가 오면 우산을 안 챙겨준 엄마를 원망도 했지만, 나중에 생각해 보니 우산을 챙겨왔어도 비가 안 내리면, 괜히 비 안 내리는데 짐 되게 챙겼다고 짜증을 냈을 것이다. 모든 결정의 책임은 누굴 탓하기보단 나에게 있었다. 그 덕인지 나도 무의식중에 무슨 일이 생겨도 타인에게 의지하기보단 혼자 해결하고, 내가 선택한 일, 주어진 일에 책임감도 강해졌다. 그 와중에도 틈틈이 깨알 같은 사랑을 주었다. 언제 한번은 안산에 살고 계시는 외할머니가 며칠 동안 우리 집에 놀러 오신 적이 있었다. 아침에는 가족들이 출근하느라 할머니는 낮 동안은 혼자 계셔서 마음에 걸리긴 했지만, 저녁에 하나둘 가족들이 집에 와서 같이 밥 먹고 이야기하는 것을 좋아 하셨다. 내가 먼저 퇴근해서 집에 들어설 때 할머니께서 "저기 귤 하나 있는 거 먹으렴" 하시길래 "귤 하나 있는 거 할머니 드시지 왜 남겨 두셨어요~?" 말했더니 할머니께서 하신 말 "아침에 너 엄마가 유경이 귤 좋아하니까 저거 하나 남은 거, 유경이 오면 주라고 하더라, 그래도 자기 새끼라고, 원래 자식이 있으면 부모보다 자식이긴 하단다" 괜히 나 땜에 못 먹고 남겨둔 할머니한테도 죄송하기도 했고, 되려 엄마한테는 "뭘 또 할머니한테 그런 말을 했냐, 할머니 서운하시게~" 투덜거리는 말이 먼저 나와버렸지만, 출근 전 귤 하나를 보면서도 본인 엄마보다 딸을 먼저 생각한 엄마를 모습을 생각하니 마음이 너무 뭉클해졌다. 글 하나에 사랑 과즙은 한가득. 그리고 마음속으론 나도 어서 엄마에게 자랑거리가 되어주고 싶었다. 그래도 일상에서도 칭찬에 목말라 있던 탓이었을까. 엄마한테 물어본 적이 있었다. "엄마는 왜 칭찬 한 번을 잘 안 해주는 거야?" 엄마가 말했다. "건방진 사람 되면 안 되니까" 아! 그런 깊은 뜻이, 그렇지만 "엄마!, 그래도 요즘 대회도 나가서 상도 받아보고요. 외부에서 받는 칭찬도 너무 좋지만, 집에서 칭찬받고 인정받고 싶어요. 그래도 사람들은 저에게 주체적인 삶을 살아가서 멋있다고들 해주네요. 나름 소신껏 손해 보지 않을 정도로 할 말도 하고 살고요. 집에서는 토 단다고만 생각할 수도 있겠지만요. 제 마음속 이야기도 부정보단, 믿고 응원을 해주면 더 큰 힘이 될 거 같아요. **새하얀 눈송이가 떨어질 때, 세상을 볼 수 있게 해주신 만큼, 계속 이쁜 눈꽃 송이가 될 수 있도록 노력할게요. 엄마도 건강만 해주세요."**

떼어볼까, 여덟 발짝.

'수어'가 나에게 준 선물, 나의 선생님

나는 청인(청각장애가 없는 사람)이다. 그동안은 가족이나 주변에도 청각장애가 있는 사람이 없었던 터라 소통의 불편함에 별생각 없이 살아온 거 같다. 2023년 초록의 여름이 시작할 즈음 우연히 한 영상을 보게 되었다. 청각장애를 가지고 있지만 청각도우미견의 도움을 받고, 누구보다 열심히 살아가는 내용이었다. 지금까지는 시각장애인 분들이나, 지체장애인분들 옆에서 도움을 주는 안내견과 보조건이 있다는 것은 알았지만 청각도우미견은 처음 보았다. 작은 강아지가 몇 개월 동안 교육을 받아서, 어느 한 사람의 귀가 되어준다. 알람을 듣고 주인을 흔들어 깨우고, 초인종 소리를 듣고 알려주고, 더 신기했던 것은 입이 아닌 수어로 '앉아', '기다려' 손짓에 따르는 것이었다. 누군가의 귀가 되어주고, 때론 친구가 되어주고, 안전을 지켜준다. 영상을 보는 동안 나에게 청각도우미견은 많은 생각과 마음의 울림을 주었다. 생김새는 작지만, 존재감은 너무 컸다. 평소에도 나눠주는 것을 좋아하는 편이었는데 더 깊게 어딘가에서, 나를 진심으로 필요로 하는 사람들에게 도움이 되면 얼마나 의미 있을까. 또 하나의 영상은 청각장애가 있는 아이의 부모들은 대부분 인공와우 수술(손상된 청력을 대신하기 위해 청각신경에 직접적으로 전기자극을 제시해 소리를 듣도록 하는 방식) 과 언어치료를 통해 아이에게 청인 세계에서 활동할 수 있게 힘을 쓴다. 본인 아이가 장애가 있다는 것에 부정하려 하고, 정작 아이들은 치료와 훈련의 한계에 부딪히고 수어로 대화를 하고 싶어 해도 부모는 수어를 배우지 않고, 점점 부모와 아이의 사이는 소통에서 멀어져가는 경우가 많다고 한다. 엄마의 생각은 어떤지 물어봤다. "엄마는 만약 내가 청각장애가 있었으면 어땠을 거 같아?" 엄마가 말했다. "내 자식이 앞이 안 보이면 난 점자를 배워서 알려줬을 것이고, 들리지 못한다면 수어를 배워서 알려주고, 대화를 했을거야" 그리고 "몸이 불편하고 안 들리고 안 보이는 건 중요하지 않아. 사는 방식이 다를 뿐이고 더 노력하고 살아가는 힘을 기를 수 있는 조건이 될 수도 있는거야" 이 말은 엄마의 입장이었지만 존경심이 느껴지는 멋진 어른의 말이었다. 사실 수어는 청각장애인 분들이 말 대신 손으로 표현하는 대체 언어 정도로만 생각했다. 그런데 2016년부터 한국수어도 한국어와 동등한 자격으로 인정받은 또 하나의 언어로 지정, 농인(청각장애 가진 사람으로서 농문화 속에서 한국수어를 일상어로 사용하는 사람)이 사용하는 고유언어 이기도 하다는 글을 보았다. 그렇다면 내가 다른 나라 언어는 몰라도 우리나라 언어는 알아야겠다는 생각이 들었다. '그동안 두 손으로 많은 것을 해왔지만 정작 손으로 말하는 것을 배우지 못해서, 내가 갇힌 세상에 살았구나' 수어를 배워서 한국의 모든 사람과 대화를 해보는 목표가 생겼다. 또 막연히 언어를 배우기 전에 그 문화에 대해서도 먼저 알아야 하고 접해보는 것도 중요할 거 같아서 농문화(수어를 사용하며 시각적인 기반 활동, 생활양식으로 빚어진 고유한 생활) 에 대해 정보도 꾸준히 찾아보았다. 한 나라 안에서 두 개의 언어사용, '장애'라기보단 청인의 세계, 농인의 세계가 있을 뿐이고 수어를 배워서 빨리 그들과 소통하고 어울리고 싶었다. 앞으로 좋아하는 이성이 생겼을 때, 그의 가족, 나중에 내 아이가 청각장애가 있을 수도 있고, 배워두어야 할 이유는 넘쳐났고 '왜 이제야 찾았을까, 아차 싶었지만' 지금이라도 배우는 게 다행이라 생각도 들었다. 하지만 수어를 배울 수 있는 교육기관은 한정되어 있고 많이 있지도 않았다. 우주의 기운이 도운 것 인지, 어떤 분이 재능기부로 수어를 알려주는 모임을 발견했다. 신기하기도 했지만 충격이었다. '세상에... 학원도 아니고, 재능기부로 언어를 알려줄 수도 있구나' 나는 집과 회사가 일산인데, 수업이 진행되는 곳은 서울 신림역 어느 카페였다. 왕복 3시간 넘게 소요 되는 시간이지만 배우고 싶은 열정으로 퇴근하고 설레는 마음으로 모임 장소에 향했다. 조용한 분위기의 카페에 다양한 이유로 수어를 배우러 온 사람들, 모임을 주최하신 선생님이 계셨다. 특수학교에서 청각장애 학생들을 가르치는 '교사'이셨고, '코다'(농인 부모 사이에서 태어난 청인 자녀) 라고 소개를 해주셨다. 일명 '웅쌤' 수어를 알려주심에 있어 해주신 말씀이 와닿았다. 하나의 언어를 배우고 익히는 것은 '낙원의 문을 여는 행위'와 같다. '와! 그 문 나도 열어

봐야지!' 이때부터 본격적인 '수어 배우기' 도전이 시작되었다. 영상도 있다고 하셔서 찾아보았는데, '수어 통역사'로 유명한 여동생분과 '코다' 관련 내용으로 강연하신 것도 보고, 관련 영화들도 보며 또 다른 세상을 조금이나 알게 되었다. 처음 손으로 배우는 언어라 긴장도 되었지만, 문제는 손이 생각처럼 따라주질 않았다. 펴져야 할 손가락은 안 펴지고, 접어져야 할 때는 또 안 접혔다. 더 큰 난관은 수어에서는 표정이 사람의 목소리 억양처럼 너무 중요한 것인데, 이마저도 자연스럽지 못해서 혼란스럽기도 했다. 내가 서툴게 손 모양을 하고 있을 때 옆에서 내 손을 잡아주며 모양을 바르게 잡아주신 분들도 있었다. 혼자 도전했으면 또 포기했을 위기였는데, 따뜻한 손으로 내 마음을 잡아준 것 같았다. 그래도 같이 배우는데 진전이 보이지 않는 나는 '왜 안 늘까?, 그만둘까?' 생각도 많이 들었다. 하지만 그때마다도 선생님의 한마디 한마디에 위로가 되었고, 다시 일어서게 되는 힘이 되었다. **'웅쌤'은 수어를 알려주시기도 하지만, 내 인생의 선생님이기도 하다. 헬렌 켈러가 설리번 선생님을 만난 것처럼 말이다.** 배우기 시작한 지 2개월 정도 되었으려나, 선생님께서 '수어 경연대회'가 있다고 알려주셨고, 나도 '참가에 의의를 두고 도전해 보자' 하며 추진하게 되었다. 우리 팀은 엄정화의 '페스티벌' 노래로 정했지만, 걱정과 우려가 만만치 않게 느껴졌다. 처음에는 선생님께서 노래 가사대로 수어 영상을 찍어서 공유 해주시면 각자 연습해서 날짜를 정해 다 같이 연습을 해보기로 했다. 선생님은 한참 초보인 우리들의 수준으로 눈높이 교육을 해주셨다. 혼자 하는 것도, 아니니 열심히 익히고 손의 동작도 틀리면 안 되겠고, 틈틈이 영상에 노래 한 소절씩마다 가사 자막을 넣어 내 방식대로 익혀보기로 했다. 혹시나 연습에 도움이 될까? 싶어 내가 편집한 영상을 공유했는데 팀원분들은 도움이 많이 되었다고 해주었고, '웅쌤'이 말해 주셨다. “저 대신 ‘배리어프리[1]’ 자막으로 영상 만들어 주셔서 고마워요.”

“와 내가 도움이 되었다니!” 그리고 ‘배리어프리’ 라고도 말해 주시니 더 큰 일을 해낸 거 같았다. 몇 개월가량 연습을 틈틈이 하고 경연대회 날! 가족과 친척들도 응원 도구와 현수막까지 가져와서 우리의 공연을 축하해 주었다. 90세가 되신 할머니까지 현수막을 들고 손녀를 응원해 주신 모습을, 무대 위에서 바라보니 울컥했고 하루 동안은 아이돌이 된 것 같았다. 모든 공연이 끝나고 우리 팀은 ‘열정 가득 상’을 받게 되었다. 수어를 배우면서 무언가의 결과물을 받게 되니 다시 한번 수어를 배우려 도전한 내가 너무 기특하게 느껴진 날 이었다. 이 노래는 나에게 더 소중한 플레이리스트 곡이 되었고, 연습하면서 가사도 와닿아서 힘이 되었고, 어느 때나 노래가 들리면 수어도 자동으로 할 수 있게 되었다. 대회가 끝난 후에 선생님도 감동의 눈물을 흘리셨다고 들었다. 격한 감동이 느껴졌을 때, 슬플 때 눈물이 났다고 솔직하게 말을 해주신 분, 나는 여태 로봇처럼 감정을 숨기고 살았는데 ‘어느 상황이든 눈물을 흘리는 게 창피한 것 아니고 솔직한 거였고, 그 마음이 전달될 때 상대한테도 더 와닿는 거였는데.’ 이제야 나도 조금씩 표현하는 법을 배우기 시작했고, 눈물 흘리는 것에 창피해하지 않기로 했다. 또 처음으로 누군가가 나의 배움의 성장을 기다려 주신 분. 아무리 돈을 내고 배우는 학원에서도 강사들은 조금만 답답하면 억양에서부터나 표정에서도 답답하거나 귀찮은 표정들이 딱 보인다. “아 저번에 알려드렸는데, 잊으셨어요?” 하는데 우리 웅쌤은 매번 똑같은 거를 계속 물어봐도 항상 밝고 맑은 미소로 처음 알려주시는 것처럼 친절하게 알려주신다. 나는 물어보면서도 속으로 어쩔 땐 ‘이 정도면 화낼 만한데, 나 이제 슬슬

1 베리어프리 : 사회적 장벽을 허물자는 운동. 공연쪽에는 음성해설, 자막해설, 화면해설, 수어통역이 동반한다.

혼날 때 된 거 같은데?' 생각해도 돌아오는 답변은 "계속, 하시다 보면 돼요, 언어라서 어려울 거예요", "저도 아직 모르는 게 많아요." 라며 겸손하시고 다정한 말투로 다독여 주시며 안심을 시켜주신다. 틀리면 눈치를 보고있어도 웅쌤은 "괜찮아요^^ 배울수록 헷갈릴 수 있어요" 또 울컥하게 하는 말이었다. '아! 나도 혼나지 않고 이렇게 꾸준히 무엇을 할 수 있는 사람이구나, 아니, 이였구나.'

"나.도.할.수.있.는.사.람" 인 걸 느끼게 해주신 너무너무 감사한 분이다. 어떠한 말에도 부정 없이 존중하고 받아들여 주시는 분. 가을 주말. 한강 잔디밭에서 모인 적이 있었다. 이야기를 나누며 퀴즈를 내며 놀고 있었다. 선생님이 문제를 듣고, 대답했는데 정답은 아니었다. 나는 옆에서 깐족거리는 말투로 "어? 쌤 아니래요, 틀리셨네요."라며 놀렸었는데, 정작 선생님은 덤덤한 듯이 "뭐 틀릴 수도 있죠"라며 답했다. 머리를 한 대 '쿵' 맞은 느낌이었고 며칠 동안 그 한마디가 맴돌았다. 나도 결국 무의식중에 정답만 찾으며 살아왔고, 틀리면 창피한 거라는 고정관념에 박혀있었나 보다. 좀 틀려도 괜찮고, 유연한 삶을 살아갈 수 있게 해준 강력한 한마디였다. 사실 나이로 보면 3~4살? 차이라 친언니보다도 어리고 다른 친목모임 형태였으면 '오빠'호칭도 되었겠지만 대체 이분은 '어떤 인생을 살아오셨길래 항상 선한 모습과 평화주의의 성품을 지니게 되셨을까?', '천사같은 선생님'이라는 말 밖에 안나온다. 속상한 일이 생겨도 선생님만 보면 마음의 정화가 되는 느낌이다. 가끔 존경한다고 말해도 존경하지 말라고 하시는데, 그게 어렵다. 더불어 같이 수어를 배우는 회원분들도 나에게 너무 큰 힘이 되어주어서 소중한 사람들이 되었다. 아직도 수어의 길은 너무 어렵지만, 만날 때마다 '점점 실력이 늘고 있다며' 격려와 응원, 칭찬에 감사함을 느끼고 친절하게 수어를 알려주시는 웅쌤을 생각해서 더, 더 열심히 배우고 싶어지는 욕심이 생긴다. 불과 9개월 전에는 손으로 하는 자음, 모음도 어설퍼서 현타를 느꼈지만, 요즘은 새로 오신 분들에게도 조금씩 알려주고 똑같이 서투른 손 모양으로 잘 안된다며 걱정하는 분들에게 "진짜 계속 하다 보니 되더라고요." 하며 더 무한 응원을 해주고, 매일 매일이 신기하고, 울컥할 때가 더 많아지고 있다. 모임에서 처음부터 봐왔던 분들은 '인간 승리'라고도 말해 주셨다. 무엇을 배우기 위해, 정식학원도 아닌 모임의 형태로, 많은 사람이 교류하는 곳은, 처음이라 긴장할 때가 많다. 그래도 사람들 사이에 정적을 못 참는 나는 모임이 있을 때면 혼자 헛소리를 많이 하게 되었는데 그래도 재미있게 봐주셔서 어떤 분은 '선물 같은 존재다.' 어느 분은 '갑자기 혜성처럼 나타나서 모임에 활기를 불어넣어 줘서 고맙다'라고 해준다. '덕분에 경연대회도 좋은 경험 하게 되었다.'라며 고맙다는 인사도 받는다. 내가 이런 감개무량한 말들을 들어도 되는 사람인지 생각을 해보게 되고 이 말들, 사람들 덕분에 하루하루 살아갈 힘이 생긴다. 혼자 나약한 생각과 위축되고, '계속 해도 되려나?' 속앓이하고 있을 때마다, 어떻게들 느끼는 것인지. 나를 더 찾아주고 선생님도 계속 미션을 주시고, 그러면 나는 어느새 또 이뤄나가고 있었다. 우연히 어떤 시를 보게 되었는데 '민웅쌤' 과 수어로 분들이 생각나서 바로 받아 적은 것이 있어요. 언젠가는 꼭 이 '시'도 보여드리고 감사의 마음을 전하고도 싶었기 때문에. 용혜원 시인의 '함께 있으면 좋은 사람'이라는 시에서 살짝 한 구절 인용해 오면 (전체적으로는 별도로 기회 되면, 제가 읽어드릴께요.) '둥지를 잃은 새가 새 둥지를 찾은 것만 같았습니다.' 정말 둥지를 잃은 새처럼 삶의 방향을 잃어 헤매고 있었을 때, 새 둥지를 찾은 것 같았고요. 희미하게 꺼져가던 작은 촛불을 '웅쌤'이 다시 타오르게 만들어 주셨고, '회원분들이'옆에서 그 빛을 비출 수 있게 도와주셨어요. 얼마 전 제가 '마을 글쓰기 공모전'당선되었을 때도 누군가에겐 "너 그거 하나 당선됐다고 나중에 또 책 낸다고 나대지 마라, 넌 거기까지야!"라는 비난의 화살을 맞고 너무 아팠는데, '웅쌤'이 이렇게 말해 주셨죠. "우와~! 유경님 너무 축하해요. 이러다 '작가' 되시는 거 아녜요?" 이 한마디로 다시 저는 치유가 되었고, 하루에 상반된 두 사람의 말을 듣고 집 오면서 많은 생각과 함께 하염없이 눈물이 흘렀어요. 지금 이렇게 글을 쓰고 있는 것에는 청개구리 심보가 있어서, 하지 말래서 더 쓰고 싶었고, 칭찬의 말에도 고래가 되어 더 춤을 추고 싶은 의미로도 쓰고 있고요. 도전에 주저하는 사람들에게도 '무엇이든 할 수 있다.'라는 것을 보여주고 싶었어요. 제 인생의 '터닝포인트'가 되어주신 '웅쌤'에게도 감사의 인사와 더불어 너무 좋은 선생님을 만난 것을 다른 분들께도 자랑도 하고 싶었어요. '사람 한 명을 알아가는 것은 그 사람의 인생이 오는 거다'라고 하는데 앞으로도 계속 선생님의 선한 모습들을 닮아가고 싶어요. 앞으로 제가 많이 배워야 하겠지만요. 이 모든 힘을 얻어서 앞으로도 다가올 힘든 일들도 밀치기보다, 정의롭게 맞서면서 이겨낼 방법들을 많이 터득한 거 같아요. '쓸모없는 사람'이라 생각했던 사람에게 점점 '쓸모 있는 사람'으로 만들어 주셔서 매일 감격이고요. 새로운 세상을 살고 있는 듯 해요. 인류애가 가득한 곳, 저에게 희망의 길을 만들어 주신 '웅쌤'과 수어로 분들, 항상 감사한 마음 품고 살게요. 글을 쓰면서도 눈물이... 주루룩~

나는 먼 훗날 누군가를 위해, 내가 편견 없이 다른 세상의 사람들과 소통하기 위해 수어라는 언어를 우연히 배우기 시작한 것이었지만, 그 이상으로 수어도 배우며, 좋은 환경을 찾았고, 좋은 사람들을 얻었고 그 이유로 나도 더 좋은 사람이 되고 싶다. 또 본연의 나란 사람을 인정할 수 있었고, 정체성을 찾아가고 있는 곳이기도 하다. 매번 고마운 마음에 작은 간식이라도 챙겨가서 나눠드리면 선하신 웅쌤은 "그만, 그만! 그만. 가져오세요, 아낌없이 주는 나무세요?" 진심 반 장난 반으로 말씀하신다. 이 은혜를 과연 간식으로 보답이 될 것도 아니며, 나는 대체 어떻게 갚아야 할까. 현재로선 쌤이 알려주시는 만큼 나도 다른 사람들에게 더 선한 마음을 갖고, 좋은 영향을 끼칠 수 있도록 노력하는 길밖에... 공부도 참, 하기 싫어하는 내가 갑자기 수어를 배우고 싶어 누구의 도움도 없이 찾아 나섰던, 대견함을 느낀 의미로 나에게 한마디 해주고 싶다. **"유경아, 잘했어!! 역시 인복도 많고, 앞으로도 혼자가 아니란 걸 명심해, 넌 언제나 할 수 있어. 화이팅! 그리고 넌 진짜 쓸.모.있.는. 사람이야.** (토닥토닥)

류하

고요한 날들, 고요하지 않은 마음

'-읍니다'의 기억

살다 보면 '우연'이 중요한 선택을 무심코 결정해 버리는 순간이 있다. 그날의 질문 하나가 그랬다. 용기를 내 참여한 책 쓰기 프로젝트의 첫 만남. 정규모임에 이어진 삼십 분 정도의 짧은 자리. 우연히 자기소개 짝꿍이 되었고, 그분의 용기와 내 용기가 만나 성사된, 말 그대로 우연한 시간이었다. 대사를 준비하는 인터뷰 자리가 아니었기에 역시 우연히 나온 질문이었으리라.

"언제부터 책을 좋아하게 되셨어요?"

어린 시절부터 좋아했던 것 같아요, 라고 대답했던가. 당장 그 다음 주에 각자의 글감을 발표해야 함에도 만사태평하던 나에게 질문이 자꾸만 떠올랐다. 나는 언제부터 책을 좋아했지? 내가 기억하는 첫 책은 뭐지? 막연히 휴직이나 우울증, 아이나 엄마에 대해 쓰지 않을까 생각하고 있었는데 질문 하나가 나를 책과 글쓰기에 대한 기억들로 이끌었다.

디즈니 그림 명작 전집, 내가 기억하는 첫 책이다. 초등학교 고학년이었을까, 중학생이었을까. 외삼촌 댁 사촌 동생 방에서 낯익은 책을 보고 반가움에 한참을 눌러앉아 읽었던 장면. 내 품을 떠난 지 꽤 됐을 텐데 어떻게 내 책이라 확신하며 반겨 읽었을까. 내가 이 책들을 기억하는 특별한 이유가 있다.

1988년 문교부는 한글 맞춤법을 고시했는데, 가장 두드러진 변화가 '-읍니다'를 인정하지 않는다는 내용이었다. 내가 글을 배울 적에는 이미 '-습니다'를 가르치고 있었건만, 여전히 시중에는 읍으로 채워진 책들이 많았다. 내 디즈니 그림 명작 전집도 예외는 아니었다. 지금처럼 조기교육 열풍이 불던 시절도 아니었고, 일찍부터 워킹맘의 삶을 살던 엄마는 내가 기억하기에 교육에 열을 올리는 사람도 아니었다. 그러니 엄마가 무슨 마음으로 60권에 달하는 책의 수도 없는 '읍'을 '습'으로 바꿨는지는 지금도 의문이다. 그저 비슷한 나이대의 아들을 키우는 엄마의 마음으로 짐작해 보건대, 사랑이었구나 하고 감사할 뿐이다.

한 자 한 자 명조체로 고쳐 쓴 엄마의 정성이 먹혔는지, 나는 꽤 책을 좋아하는 아이로 자라, 여전히 책을 좋아하는 어른이 되었다. 책은 나의 첫 친구였고, 늘 가장 가까운 벗이었으며, 돌고 돌아 다시 돌아올 수밖에 없는 집과 같은 존재였다. 과장을 보태 말하자면 책 읽기는 살아오는 내내, 나에게 숨쉬기처럼 자연스럽고 당연한 일이었다. 언제부터 책을 좋아했느냐는 질문이 생경했던 건 아마 그런 이유였겠다. 짝꿍은 작년부터 책을 많이 읽었다 했다. 별다른 재밋거리가 없는 곳에서 책을 읽고 글을 쓰며 성장한 것 같다 했다. 그 말을 곱씹고 있으려니, 나한텐 당연하고 평범한 것이 남들이 보기엔 특별할 수 있다는 박정원 작가님의 말이 머리에 맴돈다. 뭘 고민해? 냅다 뒤통수를 갈기는 뾰족한 생각 하나. 이거네. 나의 책 읽기, 나의 글쓰기를 말하자. 글감들이 출발 총소리만 기다려온 선수들처럼 앞을 다퉈 손을 든다.

지금 우리 집 책장에는 60권의 디즈니 그림 명작 책들이 꽂혀있다. 복간되어 나왔을 때 살지 진심으로 고민했지만, 놓을 곳도 없고, 비싸서 한번 포기했었다. 그런데 우연히 미개봉 중고가 합리적인 가격대로 올라왔기에 여섯 살 아들에게 읽어주겠다는 미명하에 들였다. 더 이상 책에는 '읍니다'는 물론이고, '습니다'도 없다. 그럼에도 여전히 이 책들을 볼 때마다 'ㅇ' 위에 검은 볼펜으로 꾹꾹 눌러 덮은

'ㅅ'이 아른댄다. 나의 책 읽기의 시발점. 서른여섯 살에 깨달은 엄마의 사랑. 웃돈 얹어서라도 '읍니다'로 써진 그 시절 디즈니 그림 명작 한 권이 욕심나는 오후.

중학교 소식지에 실린 시

바야흐로 2002년, 월드컵 16강에 대한 염원이 대한민국을 휩쓸던 여름. 중학교 소식지에 시 하나가 실렸다. 교내 백일장 운문 부문 장원 작품. 그렇다, 내가 쓴 시였다. 모두가 대한민국을 부르짖던 그 여름, 나는 조용히 소식지에 실린 내 글을 보며 뿌듯해했나 보다.

결혼하면서 많은 걸 버리고, 개중에 남은 물건 중 일부를 신혼집에 들고 왔다. 그러나 임신, 출산, 복직을 하는 사이 추억의 물건들은 뽀얀 먼지로 뒤덮이든가 누렇게 색이 바랬다. 챙겨온 보람도 없이 뭘 가져왔는지, 뭘 두고 왔는지도 모르고 살았다. 그러던 어느 밤, 무슨 의식의 흐름이었는지 책장을 뒤졌다. 뭘 찾으려던 건지도 모른 채 집어 든 원고지 몇 묶음과 일기장 두세 권 사이에서 누런 종이 한 장이 떨어져 나왔다. 4면으로 이루어진 소식지의 마지막 한 바닥을 꽉 채워 내 시가 적혀있었다. 서른 몇의 내가 보기에 열여섯의 자못 진지한 분위기가 처음에는 오글거렸지만, 찬찬히 읽다 보니 '이때의 나, 참 생각도 깊고 대견했네.' 싶다.

자 유

4월 19일
붉은 피와 함성이
대한의 푸른 하늘을
조국의 붉은 땅을
적셔낸다.

자유를 향한 외침 속에
거칠게 터져오는
최루탄의 폭발음

쓰러져가는 영혼들
그러나... 희망은 쓰러지지 않았다.

자유를 위한 행진
그것은... 신조차 말릴 수 없는
고귀한 모습

자유는
세상이 내린 것이 아니었다.
그들의 피가 승화된
최고의 작품이었다.

대견은 개뿔. 오글거려 손가락이 없어지는 줄 알았다. 잉크가 채 마르기도 전, 중학생 시절 어설픈 난 척을 박제한 사실에 가슴을 부여잡고 후회할 모습이 선하다. 그럼에도 당시에는 내적 환호를 지를 만했겠다 싶다. 학교 밖 세상은 모르는 순진한 열여섯 살에게 전교생에게 배부되는 소식지에 내 글이 실렸다는 사실이 얼마나 자랑스러웠겠나. 글로 칭찬받고 싶다, 사람들이 내 글을 읽었으면 좋겠다는 마음은 사실 열여섯 그때나 지금이나 다를 바가 없다. 요즘 아침마다 오늘의 확언을 노트에 쓰는데 매일 반복하는 내용 중 하나가 '내 글은 더 많은 사람에게 읽히고 공감받는다.'다. 처음엔 민망했는데 계속 쓰다 보니 이게 뭐 부끄러운 일인가, 당당해졌다.

나에게 읽는 일이 숨 쉬듯 자연스러운 일이라면, 쓰는 일은 물 마시듯 필요한 일이다. 죽음을 코앞에서 마주했던 시간을 버텨낸 것도, 감정이 추슬러지지 않아 망칠 뻔했던 가족여행을 되살린 것도 모두 내 안에서 끌어올린 글쓰기였다.

글을 쓰는 이유는 다양하다. 시간과 지면이 허락한다면 꽤 구구절절하게 쓸 수도 있으리라. 그러나 수많은 이유는 결국 두 점으로 수렴한다. 나를 위하여, 우리를 위하여. 시작은 자기 자신이다. 나에 대해 기록하고, 나를 위로하고, 내가 성장하기 위해 글을 쓴다. 그렇게 글을 쓰다 보면 글 쓰는 게 재미있는 순간들이 온다. 별스러운 이유를 갖다 붙이지 않아도 그냥 쓴다. 그러다 보면 마침내 나의 시선이 나를 벗어나 우리에 닿는 날이 온다. 벽, 기둥, 관이 아니라 온전한 코끼리를 보는 날이 온다. 그런 날이 오리라고 믿으며 오늘도 글을 쓴다.

읽히고 싶고, 공감받고 싶은 마음이란 결국 나와 네가 아닌 우리가 되고 싶은 마음이 아닐까. 온전히 내 이름을 달고 나온 책을 서점에서 뿌듯하게 바라보는 어느 날의 나에게, 미리 축하한다는 말을 전해본다. 나의 말들이 누군가에게 닿아 다정하게 느껴지는 일이 더 많이, 자주 일어나기를 바란다.

버리지 못한 책들

살면서 두 번, 책을 정리할 시기가 있었다. 첫 번째는 결혼. 결혼 전 내 방에는 오백여 권의 책이 책장 가득 꽂혀있었다. 대단한 책들은 아니었지만 학창 시절부터의 독서 추억이 고스란히 남아있어, 여러 물건을 버리는 중에도 차마 정리하지 못했다. 기어코 반절 이상의 책을 새집으로 옮겼다. 살림살이보다 많은 책들을 옮기느라 남자 입사 동기들까지 귀한 주말 시간을 내줬었다. 지금 생각하면 철도 없었지, 그게 뭐라고. 그렇게 애지중지하며 신혼집에까지 챙겨왔으면 고이 모시기라도 하지, 가져온 책장에 꽂히지 못한 책들은 구석 벽 틈에 자리를 잡았다. 다시 이사 가는 날까지 이 년 넘게 뽀얗게 먼지를 뒤집어쓰고 있을 줄은 상상도 못 했으리라. 그러나 책들의 수난은 그게 끝이 아니었다. 이사 온 집은 신혼집보다 조금 넓어졌지만, 다른 살림들이 재빨리 자리를 선점했다. 대형 스마트 TV가 거실 한 면을 채웠고, 집의 구석구석은 아이의 장난감으로 가득 찼다. 내 책들은 거실 구석에서 안방 거울 뒤로, 자꾸만 쫓겨났다. 시간은 흘러, 아들이 제 나이를 말하기 위해 두 손을 쓰기 시작했다. 그 해, 나는 자주 몸이 아팠다. 그날도 병가를 내고 혼자 집에 있던 날이었다.

중요한 결정의 순간은 늘 예고 없이 찾아온다. 갑자기 안방에 처박혀 시꺼멓게 먼지를 뒤집어쓴 책들이 보기 싫어졌다. 좋아서 이고 지며 가지고 있었던 책들이 과거의 망령처럼 나를 붙들고 있는 것 같았다. 뭐에 쓰인 듯 중고 책 팔 곳을 검색했다. 그날 저녁 책을 가지러 오셔라 약속하고, 오전부터 부지런히 책을 꺼내고 옮겼다. 안방에서 거실로, 거실에서 문 앞으로. 오래 묵은 먼지들이 책에 눌어붙어 뻣뻣해진 수건으로 닦아가며 옮겼다. 나한테는 이십 년 추억이었는데, 소설은 값이 안 된다고 툴툴거리며 메시지로 이야기한 것보다 적은 돈을 쥐여주고 간 아저씨. 시원함과 허무함, 속상함과 개운함이 뒤범벅된 그날이 두 번째로 책을 정리한 날이었다.

그 두 번의 대란 속에서 굳건히 살아남은 책들이 있다.

나는 지나간 일이나 과거의 사람들 이름을 잘 기억하지 못하는 편이다. 12년의 학창 시절 동안 만난 수많은 선생님 이름도 하나 기억이 나지 않는다. 그런 내가 유일하게 기억하는 이름이 있다. 초등학교 3학년 2학기 담임선생님, 아빠의 직장을 따라 1년간 대전에서 살게 되었다. 한 학기, 반년이 선생님과 함께한 전부이다. 4학년 1학기를 마치고 서울로의 전학이 결정된 어느 날. 수업이 끝나고 선생님은 나를 동네 서점으로 데려가셨다. 책 세 권을 골라보라 하고는 선물이라며 안겨주셨다.

초등학교 4학년이었던 내가 고른 세 권의 책은 20년이 훌쩍 지난 지금도 책장에 고이 꽂혀 있다(세 권의 책은 '키는 1미터 마음은 2미터', '한별이의 역사 인물 여행', '겨자씨의 꿈'이다). 이제껏 품어온 세 권의 책을 보며 왜, 라는 질문이 줄을 잇는다. 왜 선생님은 고작 초등학교 4학년 아이를 서점에 데려가 직접 책을 고르도록 했을까? 왜 나는 이 책들만큼은 버리지 않고 가지고 있었을까? 수많은 책 중 난 왜 저 세 권의 책을 골랐었을까?

흐린 기억 속 선생님은 글쓰기 스승으로 남아 있다. 글쓰기에 대해 많이 알려주시고, 격려해 주셨다는 어렴풋한 기억. 어쩌면 나는 그 반년 동안 평생 써먹을 글쓰기에 대한 모든 것을 배웠는지 모른다. 계속 글을 쓸 수 있는 힘을 포함해서. 그 기억의 온기를 품고 살려고 오래된 아동 도서를 소중히 간직해 온 건 아니었을까. 선생님이 어떤 마음으로 세 권의 책을 고르게 하고, 선물하셨는지는 사실 지금도 모르겠다. 그러나 어찌 보면 사소한 그 마음이, 한 사람을 끈질기게도 읽고 쓰는 삶으로 인도했다는 것만은 사실이다. 살면서 한 번쯤 인연의 실을 이어 붙일 수 있다면 선생님을 만나 뵙고 감사하다는 인사를 전하고 싶다.

글쓰기의 어려움

"사실 오늘 오고 싶지 않았어요."

그렇게 시작한 말은 멈추지 않고 이어졌다. 힘든 일주일이었다는 말로 마무리할 때 울컥했는지 차분했는지 가물가물하다, 이제 고작 세 번째 만남. 상담 때나 할 법한 내밀한 이야기들을 어쩜 그렇게 토해내듯 쏟아낼 수 있었을까. 듣는 사람도 당황했겠지만, 말하는 나 또한 말하는 내내 당혹스러운 기분을 떨칠 수 없었다.

지난 모임이 끝나고 사람들이 거의 빠져나간 공간에서 조심스레 정원 작가님께 여쭤봤었다. 다른 사람들 이야기를 듣고 나니 내가 쓸 글이, 내 삶이 너무 얄팍한 것 같다고. 물론 그 자리에서 작가님은 세상 다정하게 말씀해 주셨지만, 슬픈 예감은 늘 틀리지 않는 법. 올라오는 글들을 보며 자연스레 비교 아닌 비교를 했고, 내 글은 역시 부족하단 생각에서 그쳤으면 좋으련만, 내 글은 별로라는 결론까지 이르렀던 것이었다. 평소 내가 추구하는 글은 편안하고 쉽게 읽히는 글. 제목이나 글의 내용으로 봐도 무겁고 깊이 있는 글이 나오기는 어려운 조건이었다. 그럼에도 그렇다고 말해주는 댓글의 내용을 그대로 받아들이지 못했다. 유려한 문장, 심도 있는 사유, 탁월한 필력.... 그 무엇에도 해당하지 않는 글에 보내는 심심한 배려처럼만 느껴졌다. 힘을 빼야겠다고 생각할수록 이를 앙다물고 쓰고 있는 나를 보게 됐다. 제대로 써질 리 만무했다. 힘을 빼는 게 안 된다며 어려움을 토로했다.

갑작스러운 먹구름에 놀라셨을 텐데, 세심하고 차분하게 글에 대한 감상을 전해주셨다. 유머까지 곁들이는 모습에 이런 게 삶의 내공인가 싶기도 했다. 어설픈 위로가 아닌 진심 어린 조언과 격려를 듣다가 그제야 아차 싶었다. 시간을 내어 글을 읽고 고운 말로 전해주셨던 감상을 곡해해 들었다고 고백한 꼴이었으니. 그 죄송한 마음을 담아, 앞으로는 그러지 않아야겠다는 반성을 담아 남기는 글이다.

속도 없이 솔직하게 징징댄 건 나였지만, 글 쓰는 어려움이 비단 나에게만 있었을까. 글을 써서 책으로 내는 이 프로젝트에 참여하기까지 다들 나름의 고민이 있었을 테다. 고작 A4 열 쪽 남짓 못 쓰겠나 싶었지만, 생각보다 글이 쉬이 써지지 않는 순간을 모두 한 번쯤은 거치지 않았겠나. 다른 사람들의 글을 읽으며 부러움을 느끼거나 자신의 글이 부끄러워지는 순간이 나에게만 일어났던 일은 아니었을 거라 짐작해 본다. 그런 시간을 나눠 가진 우리였기에 갑작스러운 설움에도 다정할 수 있었던 게 아닐까.

호흡이 긴 글을 쓰다 보니, 새삼스레 쓰는 일이란 엉덩이로 하는 거라는 흔한 진리가 떠오른다. 이름을 걸고 남에게 내보이는 글을 쓴다는 일은 결코 쉬운 일이 아니었다. 지난한 과정에 함께하는 동지들이 있어서 다행이다.

마음에 풍랑이 치기 시작하다
모래밭에 쪼그려 앉아 밀려오는 파도를 보는 일밖에
내가 할 수 있는 일이 그뿐인 순간이 생에 한 번쯤 온다

못다 한 이야기

책과 글에 대해 쓰기로 한 후 내심 안도했다. 언어로 표현되지 않는 엄마와의 어색함, 나와 비슷하기에 더 안쓰럽지만 여전히 낯선 아들이라는 존재, 진행 중인 우울에 대해 이야기하지 않아도 되니까. 그러나 예리한 시선들에 엉성하게 엮어둔 날실 씨실이 맥도 없이 풀린다. 풀린 실 사이로 드러난 이야기를 더 이상 피해 갈 수 없다.

나는 대체로 숨김에 관대했다. 타인의 숨김은 이해의 범위였고, 나의 숨김은 늘 당연했다. 어쩌면 이번에도 성공할 수 있었다. 그럴싸하게 책과 글쓰기에 대한 추억을 포장하고 부풀렸다면. 그간 써온 블로그 글을 잘 골라내 예쁘게 기워낼 수 있었다면. 그러나 그러고 싶지 않은 마음이 내 안에 있었다. 엄마에 대해 얘기하고 싶었고, 죽음과 스쳐 지난 밤들에 대해 말하고 싶었던 마음이. 미뤄온 이야기를 이제는 하고 싶다고, 짧은 글 여기저기에 빵가루를 뿌려대며 누군가 알아봐 주기를 기다린 마음이 있었다. 억지로 붙들려 끌려 나오는 모양새여도 좋으니 나를 밖으로 꺼내달라는 그 마음을 더 이상 외면할 수 없다. 이건 나의 아픈 손가락에 대한 이야기다.

엄마와 팔짱을 끼고 거리를 걷는 여자들, 엄마와 둘만의 여행. 엄마와 둘이 카페에 가는 일에도 쿵, 마음이 내려앉는 나에겐 아연한 일이었다. 오랫동안 나는 어딘가 이상한 딸이라는 마음을 가지고 살았다. 엄마를 싫어했냐고 묻는다면 반대다. 중요한 대학교 면접에서 존경하는 사람으로 엄마를 언급했을 정도로 나는 엄마를 좋아했다. 그러니 나는 왜 엄마와 거리감이 있을까, 하는 고민보다는 그냥 내가 관계에 서툰 사람이라는 결론이 간단명료했다. 엄마라는 주제는 이주에 한 번 해오던 상담이 이년쯤 지나고 나서야 그나마 꺼낼 수 있던, 마흔한 겹쯤 되는 안전장치로 견고하게 지켜지고 있던 비밀의 방이었다. 그런 방이 있는 줄도 모른 채 삼십 년 이상을 살아왔다면 이제는 뭔가가 숨겨진 방이 있다는 사실 정도는 알게 됐다. 이제 겨우 아무것도 잘하지 않아도, 존재 자체로 사랑받고 싶던 어린 나를 발견하고 위로해 준다. 지금 아들의 나이 정도 됐을까, 아니면 더 어렸을까. 내가 엄마가 되고, 나처럼 예민하고 여린 감정을 가진 아들에게 상처 입히고 다시 안아주며 아프게 배운 사랑을 어린 나에게 나눠준다. 여전히 엄마와의 관계 속에서 '왜'에 대한 답을 명료하게 알 순 없지만, 서로에게 당연했던 숨김 속에서 사랑도 미처 빠져나오지 못하지 않았나 짐작할 뿐이다.

모두가 잠든 밤, 부엌 바닥에 쪼그리고 앉아 가지런히 꽂혀있는 칼들을 응시한다. 천천히 칼을 향하는 팔을 애써 당기며, 아침에 일어나 기막힌 장면을 목격할 남편의 당혹과 평생 지워지지 않을 장면에 멈춰 설 아들을 떠올리고 조용히 바닥에서 일어선다. 또 다른 밤, 침대에 걸터앉아 테이블 연필꽂이에 꽂혀있는 커터칼을 생각한다. 얼마만큼 깊게 그어야 할까, 피가 주르르 흘러내릴까, 혹 동맥이 잘리면 정말 철철 피가 흐르는 걸까. 잠이 들면 내가 아는 사람들이 나와 나를 비난하는 꿈을 꾸고, 잠이 들었다가 아침이 오면 출근해서 또 똑같이 무력하고 어찌할 바 모르는 하루를 견뎌야 한다. 어느 밤엔 집에서는 안 되겠다, 회사 6층 높이 정도에서 떨어지면 죽을 수 있나, 화장실에서 손목을 그으면 피가 흘러나와 발견될까, 자리를 비운 나를 찾다가 오래 잠겨있는 화장실 문을 따고 쓰러진 나를 발견할까. 그런 생각들을 했다.

남편과 내가 동시에 업무가 바뀐 하반기의 초입. 욕심내 원해서 간 부서였건만 나는 쉬이 적응하지 못하고 있었다. 아들은 이유를 알 수 없는 식사 거부로 입원까지 했지만, 아무런 소득도 없이 고생만 하다 퇴원을 했다. 나는 지겹게 찾아오는 지병으로 수술이 필요할지 모른다는 두려움에 몸을 떨었다. 출근해서도 자살에 대한 생각을 떨쳐낼 수 없던 어느 날, 나는 한 달 전 예약해 둔 정신의학과에 전화를 걸었다. 며칠 뒤로 예약된 일정을 당길 수 있냐는 문의에, 대기는 있겠지만 점심시간 직후에 오시라는 대답은 그 며칠 새 내가 들었던 중 가장 다정한 말이었다. 그날의 검사 결과에 대해 의사는 입원이 필요할 정도의 우울과 불안이었다고 훗날 말했다. 내일부터라도 당장 쉬는 게 좋겠다는 의사의 권고에 다음 날부터 병가를 냈다. 책임도 의무도 절차도 내팽개치고 나는 침대 위에서 애벌레처럼, 웅크리고 있었다. 휴직의 시작이었다.

불안을 동반한 우울증이란 진단과 함께 시작된 휴직 오 개월 차. 처음엔 침대에서 나오는 것조차 힘들었다. 먹지도 않고 하루 종일 자다 깨다 의미 없이 인터넷 페이지를 넘기며 하루를 보내기도 했다. 괜찮은 며칠이 지나면 다시 바닥없는 추락이 이어졌다. 천천히 조심스럽게, 나는 침대를 벗어나 현관을 나서고 세상에 섞이는 중이다.

그렇게 괜찮아지는 줄 알았다. 그 시점에 도전한 글쓰기였다. 그리고 그 도중에 이유도 모른 채 엎어졌다. 내일부터는 괜찮을 거야, 이 정도 바닥을 찍었으니 돌아올 거야, 그러나 네가 알던 모든 바닥은 물도 고이지 못할 얕은 구멍이었다고 비웃는 듯 중력은 나를 끌어당기고 또 끌어당겼다. 마치 이 세상 모든 중력을 나보고 짊어지라는 듯이. 다시 내가 괜찮지 않다는 걸 인지한 날로부터 21일째.

부지불식간에 찾아오는 심장의 쿵쾅댐과 잊을 만하면 찾아오는 정체불명의 두통과 무슨 일만 하려 하면 떠오르는 그건 해서 뭐하냐는 의미 없는 의미를 찾는 질문 사이에서 죽어야겠다는 생각도 미처 하지 못한 채 유유히 흘러가는 시간을 눈만 동그마니 뜬 채 바라보고 있는 것이다.

당연하게도 아무것도 쓸 수 없었다. 아니 쓰긴 했다. 남에게 보여줄 수 없는 글을. 그조차 쓸 수 없게 됐을 땐 그냥 모든 걸 놔버렸던 것 같다. 그리고 오늘 그조차 답이 아니구나 싶어 떠오르는 모든 생각들을 꾸역꾸역 눌러대며 카페에 갔고, 그냥 목구멍으로 넘어가는 밥알을 잡아 씹으려 노력하며 간간이 치밀어 오르는 구역질을 참으며 고기를 씹고 쟁반을 싹 다 비웠다. 그러고는 내가 뭘 읽고 있는지도 모르면서 글자를 눈에 담았다. 4일 만의 외출이었고, 그보다 오랜만의 정상인 같은 오후였다. 집에 돌아오는 길 괜찮아지려는 신호인가라는 긍정적인 마음이 반짝 고개를 들다가 아서라, 는 또 다른 목소리에 고개를 말고 사라진다. 함부로 희망을 품어서는 안 된다. 실낱같은 희망에 이어지는 절망은 희망이란 글자를 지우는 게 아니라 글자 읽는 법을 잊게 만드니까. 지금의 나처럼.

어딘가 고장난 나

문득 그런 생각이 들었다. 돌이켜보니 삼십몇 년 동안 나는 '-척'을 꽤 잘하며 살아온 것 같다고. 못하지 않는 척, 때론 잘하는 척,

괜찮은 척, 평범한 사람인 척. 그렇게 삼십몇 년을 굴리다 보니 결국 어딘가 고장이 나버린 게 아닐까. 문제는 한번 망가져 버리니 그놈의 '-척'을 어떻게 하는지 도통 모르겠다는 거다. 병원에서 괜찮아지긴 할까요, 라는 내 질문에 의사가 괜찮은 게 뭐냐고 물었다. 보통 사람처럼 사는 거라 하니, 보통 사람들은 그렇게 복잡한 생각을 안 하고 되는대로 산다고 하기에, 그 되는대로 사는 게 안 되는 거라 했다. 의사도 나도 침묵.

덜덜거리면서도 돌아가는 세탁기나 곳곳에 성에가 끼긴 해도 음식들을 신선하게 보관해 주는 냉장고처럼 나도 어딘가 고장은 났지만, 나빠졌다가도 그럭저럭 나아졌다 하며 살아간다. 그러다 보면 좀 덜 나빠지고 좀 더 좋아지는 날도, 그 모든 게 무던해지는 날도 오리라 기대하며. 22일 차, 다행히 나는 괜찮아지고 있다.

다시 삶으로: 읽기와 쓰기

기억을 곱씹어보니 늘 바닥이라 생각했던 곳에서 기어 나오던 내 한 손에는 책이, 다른 한 손에는 글이 있었다. 생각조차 마비되었던 머릿속에 꾸역꾸역 밀어 넣은 글자들이, 굳어버린 석고처럼 멈춰버린 머릿속에서 쥐어짜 낸 글자들이 나를 다시 삶으로 등 떠밀었다.

이제 와 보니 읽고 쓰는 이야기를 빼면 내 인생에 무엇이 남는가 싶다. 어쩌면 처음부터 나의 글쓰기는 정해져 있었는지 모른다. 내 삶의 면면, 어느 시간과 공간에서도 읽거나 쓰지 않는 내가 없다.

아마 죽음을 곁에 둔 어느 날도 책과 글은 내 옆에 그림자처럼 붙어 있지 않을까. 충분히 읽고 원 없이 쓰고, 그 글들을 나눌 수 있다면 죽음 앞에서 나는, 나쁘지 않은 생이었다고 말할 수 있을 것 같다.

이 글은 숨기고 싶은 나와 미뤄왔던 말을 쏟아내고야 말겠다는 나의 지난한 줄다리기다. 숨기고 싶은 걸 다 걷어내고 남은 것들로 기워낸 글쓰기는 구멍이 숭숭 뚫린 새의 뼈처럼 가볍기에 그지없었다. 숨기고 싶은 걸 죄다 게워 내 쓴 글은 엉겨 붙어 채 굳지는 않은 피고름처럼 끈적하고 역겨웠다. 그러나 어떤 글도 지울 수 없었다. 마음이 고요한 척 썼던 글은 나의 마지막 척이기에 지울 수 없었고, 마음의 소란스러움을 담은 글은 그나마 내보일 수 있는 정제된 소란이라, 이보다 더 괜찮게 고요하지 않은 내 마음을 표현할 길이 없어 지울 수 없었다.

정해진 책 제목이 '마음이 고요한 날에'다. 이렇게 아이러니할 수가. 이 글을 쓰는 내내 난 한순간도 마음이 고요하지 못했는데 말이다. 그래도 이만치 털어냈으니, 그만큼은 마음이 고요해지지 않았을까. 아니, 이 프로젝트의 제목인 '미뤄왔던 씀'을 하는데 마음이 고요할 수는 없다. 여태껏 묵혀둔 이야기, 해묵은 감정이 뒤섞이는데 그럴 수 있을 리가. 그러니 이 글은 마음이 고요한 날에 부치는 편지다.

나는 어떤 사람인가에 대해 생각해 봄

미학적 안목이 높은 아이라니, 너무 근사한 말 아닌가. 중학교 때 쓴 글에 티가 났다며, 이 사람은 그래서 글을 쓰며 이렇게 자기만족이 안 되었구나 하고 납득하게 됐다는 정원 작가님의 말. '나는 미학적 관점이 높은 사람이다, 내가 아름답다고 생각하는 것들을 강박적으로 찾아다녀야 만족할 만한 글쓰기를 할 수 있겠다.'는 방향성을 제시해 주고 싶었다는 작가님의 다정함에 감사했던 날이었다.

그날 이후로 나를 참 많이 들여다봤다. 돌이켜보면 회사 어느 부서에서도 쉬웠던 적이 없었다. 그런데 왜 하필 지금이었을까, 왜 이번에는 버티지 못했을까. 지난한 매일이, 아름다움을 찾을 여유가 없는 고통이, 발산하고 나눌 데 없는 마음이 온 데 섞여 파업을 외쳤던 건 아닐지 짐작해 본다.

영화를 보고 나온 정오 무렵, 커피 한 잔도 그립고, 끼니때가 되었으니 식사도 고팠으나 발길이 향한 곳은 서점이었다. 작가별로 큐레이션 된 서가. 알고 있는 작가, 그들의 작품을 읽음으로써 큐레이션 문구에 공감할 수 있다는 사실이 감격스러웠다. 아직도 내가 읽지 못한 책이, 앞으로 읽을 책이 이토록 많다는 사실은 설렘이었다.

나도 모르던 내 안의 반짝임을 발견한 이후 나는 좀 더 담대하게 내 생각을 낚아 올렸고, 대범하게 나의 언어로 풀어냈다. 생각들은 물밀듯 밀려왔고, 낚싯대에 걸린 생각들은 거침없는 칼질에 싱싱한 횟감이 되어 백지를 채워갔다. 죽어버리기에는 경험하지 못한 아름다움이 너무 많았다.

집에서 나가지 않던 며칠, 하고 싶은 수많은 일에 왜를 붙였다.

이걸 왜 해야 하지, 해서 뭐하지, 의미를 갈구했으나 도저히 찾을 수가 없었다. 다시 나에게 물어본다. 살아가는 의미를 어디에서 찾을 수 있을까. 김초엽의 소설《파견자들》에는 이런 말이 나온다. "인간으로 태어난 것이 불행할 때도 있다. 하지만 태어난 이상 살아가야 한다. 이 삶도 마찬가지다. 난 이 삶을 선택하지 않았다. 하지만 살아가야 해." 이곳에 태어났으니, 이런 모습을 받아들이고 살 뿐이다. 다만 의미를 찾을 수는 있다. 의미가 있는 것과 의미를 찾는 행위는 받아들이는 마음의 열의가 다르다.

타는 목마름, 글쓰기는 나에게 어쩌면 생존과도 직결된 문제다. 세상에 흩뿌려진, 섬세한 눈으로 봐야 보이는 무한의 아름다움들을 지치지도 않고 찾아서 나의 언어로 바꿔 세상에 내어놓는 일. 내가 살아가는 의미를 여기에서 찾는다.

안녕하세요, 책 읽고 글 쓰는 굼실이입니다

이렇게 오래 쓸 줄 알았다면 그렇게 무심하게 이름 짓지 않았을 텐데. 2006년 여름, 블로그를 개설하며 닉네임을 정해야 하는데 마땅한 단어가 생각나지 않았다. 뒤에 앉아있던 엄마가 머리 모양이 굼실거린다며 농담처럼 한 말이 19년 후 나를 이루는 한 축이 될 줄 누가 알았으랴. 의도했든 그렇지 않든 엄마가 나에게 미친 영향력은 강력했다.

나의 정체성은 내가 하는 일에서 드러난다. 언제 나는 순수한 기쁨을 느끼는가. 책에 둘러싸인 공간에서 책을 읽는 일, 읽을 책을 고르기 위해 고심하는 일, 결이 맞는 책을 읽으며 쪽수가 줄어드는 안타까움과 빨리 다음 쪽을 읽고 싶은 마음이 아웅다웅하는 순간. 언제 나는 시간을 잊고 빠져드는가. 흥미롭게 읽은 책, 아리송한 의문이 남는 영화, 마음을 잔잔하게 녹여주는 전시에 관해 쓸 때. 샤워 중 문득 떠오른 단어와 가지를 뻗어나가는 생각들을 붙잡아 나의 언어로 박제할 때. 때로 극심한 허기를 불러올 정도로 몰입하는 건 글을 쓸 때다. 적확한 단어를 찾기 위해 머리 돌아가는 소리가 덜덜덜 애처로울 때도 있다. 아무래도 삐거덕거리는 부품들에 기름칠이 좀 필요한가 보다. 그런 연유로 요즘은 소설을 자주 집어 든다. 새롭고 온전한 하나의 세계를 만나는 일은 늘 즐겁다.

나를 3년여간 봐온 상담 선생님이 처음 봤다고 한 이주 전의 내 모습. 정신이 빠져나가 멍하니 껍데기만 있는 것 같았다는 그날의 모습. 그다음 주, 나는 "그동안 제가 정말 애써왔더라고요."라고 말했나 보다. 선생님은 그 말에 다소 안심하셨다 했다. 그간과 달리 진짜 자신을 다독이는 진심이 느껴졌다고. 이번 주 상담 후 알아차렸다. 나를 있는 그대로, 나로서 받아들이는 경험을 했구나.

여전히 난 불안함을 느낀다. 내 상태에 주기가 있다는 사실에, 오르막이 있으면 다시 곤두박질칠 수도 있다는 사실에. 괜찮은 시기에 계속 바쁘게 에너지를 소진해야만 한다는 강박적인 채근을 한다. 부산스러운 마음들이 만들어내는 조급함이 수용 한계를 벗어나는 순간 다시 모든 걸 놔버릴 것 같은 불안. 이 모든 것이 생에 반복될 거란 불안을 안고 산다.

요즘 꽤 자주, 심장의 박동을 뚜렷한 촉각으로써 느낀다. 쿵쿵쿵 퍽 퍽. 한때는 숨을 쉬기가 어려웠다. 이러다 호흡이 멈출 것만 같은 불안을 느끼며 애써서 숨을 모아 들이마시던 때가 있었다. 그러나 이제는 안다, 그냥 두면 된다는 것을. 내 마음이 지금 뭔가 존재를 드러내고 싶구나 하고 그저 알아차린다. 내 몸의 어느 부분도 나를 해치지 않음을, 해를 가할 의도가 없음을 이제 안다.

단 한 문장으로도 그 사람이 보인다고 했다. 글에 나를 담고, 나를 닮은 글을 쓰며, 세상을 나의 언어로 표현하는 일이 나는 좋다. 글이라는 매개를 통해 사람들의 생각을 읽고, 새로운 시선을 마주하는 일이 좋다. 내가 쓴 글에서 사람들이 또 하나의 필터를 통해 세상을 바라보기를 바란다. 흰머리 흩날리는 할머니가 되어도 나는 여전히 '책 읽고 글 쓰는 굼실이'로 살아가고 싶다. 아직 무엇이 될지는 모르겠다. 그러나 30년 후의 내가, 또 30년 후의 나도 같은 정체성을 가지고 살고 있다는 사실은 확실하다.

이전의 나는 아름다움에 대한 추구를 가로막는 현실을 하찮게 여기고 견디지 못했다. 글을 쓰며 내가 몰랐던 나를 마주함과 동시에 내가 미처 알아차리지 못했던 주변 사람들의 다정함과 사랑을 깨닫는다. 두 발은 현실에, 두 손은 현재에 두고, 머릿속엔 꿈꾸는 나를 세밀하게 그려본다.

지금의 내가 있기까지, 그리고 앞으로의 나와 함께할 사람들. 엄마와 남편과 아들, 그리고 사랑하는 외할머니에게 특별한 고마움을 꾹꾹 눌러 담아 전한다.

Bravo, My Life

바니

피아노와 함께라면

1. 슬픔속의 이유
2. 도전은 나의 것
3. 자유 속으로
4. 나의 피아노 선생님들
5. 인생은 알 수 없어
6. 피아노 선생님 으로의 삶

슬픔속의 이유

음악을 전공으로 하지 않기 바랐었다. 그것은 아마도 대학 진학의 실패에서 오는 어딘지 모를 곳으로의 뜻 없는 원망이 첫 번째 이유였을 것이다. 혹은 단 한 번도 당신들의 입에서는 들어본 적 없이 어쩌다 만나게 되는 친척들에게서 들어온 이야기. 너는 집안 형편도 어려운데 어째서, 돈도 많이 드는 피아노를 전공한다고 레슨에 재수학원까지 다니느냐며, 내 부모의 어려움을 간접적으로 들었던 어린 마음의 무거움. 거기에 더 해 내 어린 시절부터 많은 수모를 겪었던, 음대 나온 이들 투성이의 부질없이 날카로운 세상 속으로 들어가야 한다는 압박감. 그리고 가장 큰 이유는 입시를 시작하고 나서부터는 나의 사랑에 머지않던 피아노가, 쇼팽이, 베토벤이, 그리고 모짜르트가 도무지 좋아지지 않았던 기억 등 많은 이유들 때문에...

여러 이유로 그땐 정말 심각하게 악기를 그만두고 싶던 나는 참 신기하게도 재수 입시에서도 음대는 다 떨어졌다. 혹시 몰라 마지막 보험처럼 교차 지원 해 놓은, 서울에 있는 사 년제 대학 피아노전공이 아닌 다른 어딘 가에 합격했다.

피아노를 바라보는 것도 이젠 너무 신물이 났기에 정말이지 속이 참 후련하면서도, 어린 마음에 이 어려운 형편에 우겨가며 십 년을 음악공부 했는데도 계속 이런 결과라면 이제 그만해도 괜찮겠다는 생각을 했지만 그럼에도 음대를 떨어진 일이 어이가 없기도 했다. 무엇보다 피아노를 그만두는 것이 내가 진짜 바라던 일이었을까? 그렇지만 겨우 합격한 곳이 여기밖에 없으니 곧 등록기간에 맞추어 결정을 해야만 했다. 그 대학에 갈지 말지 결정하기 전 잠시 엄마를 떠올렸다. 항상 무언가를 시작하면 끝까지 해야 한다고 언제나 외치던 엄마여서 그랬나, 내가 그냥 일반대학에 간다고 이야기했을 때, 우리 엄마는 정말이냐고 재차 물었다. 그래서 내가 확신 있게 그렇다고 답하는 순간, 엄마의 눈 속에 뭔가 알 수 없는 슬픔이 들었다는 걸 느꼈다. '어... 뭐가 잘못됐구나, 이 처음보는 눈빛은 뭐지?'

피아노라는 악기에 내가 처음으로 매료된 건 언제부터 였을까. 실제로 맨 처음 접한 건반악기는 멜로디언 이었다. 요즘 어린이들은 잘 모를 수도 있지만, 나 어린 시절에 초등학교 저학년 음악시간 준비물로 멜로디언이 자주 포함되어 있었던 것 같다. 그 시절 대부분의 어린이들은 두 옥타브 반 정도 되는 작은 악기인 각자의 멜로디언을 익숙하게 연주했던 것 같다. 나 역시 하교 후 집으로 돌아오면 혼자서 곧잘 아는 노래를 악보도 없이 숨차게 불어대면서 멜로디언 건반을 두드리던 기억이 난다. 그리고 집 안은 시끄러우니 나보다 세 살 어린 동생을 유리샷시 없이 난간만 있던 집 베란다로 데리고 나가서, 함께 구석에 쭈그려앉아서 동요를 또 그렇게나 열심히 불러댔었다. 나같은 아이를 본적은 없지만, 초등학교에서 배운 동요를 방과 후 열심히 부르고 다니면서 나의 음악성이 더 키워진 건 아닐까 생각해본 적이 있다.

초등 고학년 때 아버지가 사업 실패로 빚을 지고 집은 은행에 넘어갈 뻔 한적이 있다. 놀랍게도 시골 출신 주부이던 엄마가 어떻게 한건지 집은 겨우 잡은 것 같았는데, 그때 이후부터 가끔 이른 새벽에 일하러 나가는 아빠를 배웅하던 엄마의 기척, 그리고 안타까운 눈빛으로 아빠의 등에 엄마가 안티푸라민을 잔뜩 발라주던 어떤 날의 저녁들이 어렴풋이 기억 난다. 나는 첫째이다 보니 대강 돌아가는 집안 사정은 항상 예민하게 느꼈으면서도 어떤 이유 에서인지 그러한 일들을 몰른 채 하고 싶었기 때문에, 무거운 집안 공기속에 있고 싶지 않아 하교 후 집으로 돌아가기 전 최대한 시간을 끌었다. 그래서 매일 피아노학원 선생님이 표시해준 연습용 동그라미를 하나도 빼먹지 않고 엑스 표까지 만들어가며 건반을 신나게 두드려 댔다.

밖으로 돌기위한 마음과는 별개로 나는 진정 음악을 좋아하는 아이였지만 피아노학원에서 보낼 수 있는 시간은 고작 하루 한시간 정도 밖에 되지 않았다. 일정 시간이 되면 아이들을 집으로 돌려보내려는 선생님들의 회유에 못 이겨 피아노학원에서 길을 건너면 바로 있는 도서관으로 달려갔다. 새로 생겨 동네에서 가장 말쑥한 공간이던 도서관이 참 좋았기 때문이다. 내가 늦도록 돌아오지 않아 엄마가 화났으니 얼른 밥 먹으러 가 자며 동생이 나를 데리러 오는 일이 심심치 않았다. 삶이 너무 괴롭다는 생각을 유치원에 들어간 순간부터 매일 해오던 나였는데, 피아노와 도서관을 좋아한 덕에 책과 음악이라는 훌륭한 친구가 있어서 또래친구를 사귀는 재주가 없이도 혼자 잘 지내 왔던 것 같다. 아마 그 덕에 초등 고학년 3년간 족히 천 권은 본듯싶다. 처음엔 공간에 반해서 그곳을 드나들었지만, 점점 더 책의 세계에 매료되어간 덕으로.

하루에 한 권씩 매일 손에 잡히는 책은 모두 눈이 빠지도록 다 읽었고, 그때 눈이 나빠져서 안경도 쓰게 되고, 과학 만화책을 닳도록 읽은 덕분인지 성적은 그저 그랬던 내가 6학년 마지막 과학경시대회 시험에서 놀랍게도 반에서 가장 높은 성적 중 한 사람으로 지목된 적도 있었다. 가끔씩 도서관에 책 빌려주는 아줌마가 나 더러 어린애가 하루에 책을 한 권씩 읽는 건 불가능 한 일이고 도서대출 원칙에도 어긋난다며 말도 안 되는 일로 나를 나쁜 아이로 몰아갔지만, 그게 무슨 개 소린 가. 사람이 책을 하루 한권이상 읽지 못하도록 바보 같은 규칙을 어찌 만들었는지 학교 쉬는 시간에도, 방과 후

책가방 내려놓고 숙제도 않고 종일 책만 보면 이 모든 게 가능한 일인데! 이틀에 두권 이상 빌리지 못한다는 규칙은 정말 이상하다고 생각했다. 아줌마는 내가 책 읽는 걸 보지도 않고, 나한테 책 내용을 물어라도 봤으면 줄줄 꿰었을 텐데... 내가 아무리 어려도 그렇지 어찌 하릴없어 도서관 가서 매일 읽지도 않는 책을 반납하고 빌렸겠나.

그래도 나는 바보 같은 어른의 비뚤어진 시선에 굴하지 않고 그 아줌마가 잠시 자리를 비운 틈을 타(그때 어린이 열람실 도서관 사서는 항상 두 사람씩 이었다) 매일 지독하게 책일 빌려다 본 덕으로 도서관에서 무슨 옥편도 상으로 받았던 기억이 있다. 뜻하지 않은 상을 받으러 처음 가보는 도서관장실 네모나게 생긴 소파에 앉아서 대학생 혹은 그 이상처럼 보이는 몇몇 어른들 옆에 함께 있던 나 자신이 기특했다. 책 많이 본다고 상도주고, 이럴 줄 몰랐다 만 세상 참 좋구나. 근데 나보다 더 높은 상 받은 저 어른들은 대체 몇 권을 읽은 거야... 그동안 원칙 운운하며 나 구박하던 그 아줌마도 여기에서 나를 볼 수 있으면 좋겠는데 생각했다. 요즘의 나는 책을 사기만 하고 읽지는 않는데, 어린 내가 현실 도피를 독서로 했던 건 참 독특한 일이다.

내가 주로 피아노와 책에만 모든 시선을 돌리려 무던 애를 쓰던 시절, 나의 아버지는 사업 실패 후 여러 직업을 전전하시곤 했던 것 같은데 얼마 후 택시 회사에 취직을 하셨다. 그때만 해도 나는 아버지의 자존감이 갑자기 왜 이렇게 낮아졌는지 이해할 수 없는 나이였다. 아빠 교대시간이 어쩌다 맞아서 마주하는 날의 퇴근길엔 늘 직업에 귀천이 있다고 한숨으로 들어오셨다. 그때 나는 그저 책에서 읽은 대로만 생각했었다.'아니 이게 무슨 소리지, 이 자유민주주의 평등국가에서...결국 그 직업도 본인이 선택했으면서! 택시가 그리도 싫으면 버스 몰면 되는 거 아닌가?' 당시 어려서 철부지였던 내가 주로 읽었던 고전서 에서는 현실적인 주제를 다루는 이야기는 없었던 것 같기도 하고 어쩌면 그러한 내용이 있었다 한들 내가 이해할 수 있는 수준은 분명 아니었을 것이다.

내가 아는 아빠는 전엔 아주 멋진 사람이었다. 하교 후 집에 들어오면 종종 멋진 폼으로 마룻바닥에 앉아 신문이나 책을 읽고 시도 쓰고 혼자서 호젓하게 앉아 붓글씨 같은 것도 잘 쓰곤 했다. 때때로 어울리지 않게 왠지 책에 낙서하는 것만 같아 옆으로 가서 가만히 지켜보고 있으면 사부작사부작 낙서가 아닌 그림도 멋지게 잘 그리는 사람이었다. 모르는 게 없는지 내가 묻지도 않은 많은 것들을 잘도 알려주어서 세상 유식하고 명석해 보이던 사람이었는데...택시회사에 들어간 후 부터는 집에 오면 만날 잠만 자고, 성격은 또 얼마나 예민한지 밤에 동생이랑 내가 재밌게 노느라 시끄럽게 할 때면 엄청 짜증도 많이 내고해서 그때 말없이 다정하던 그 사람 어디 갔지...곰곰 생각해 보니까 아마도 자식새끼들 먹여 살리느라 이리 됐네 싶었다.

어느 뜨거운 여름 날 중학교 2학년이던 내가 답답한 교복에 무거운 책가방을 메고 돌아와 오래되어 색이 바랜 소파 위에 가방을 던져 놓는데 일하러 나가는 아빠를 보며, 문득 어젯밤 본인의 아빠가 친구와 술 마시고 늦게 들어와서 엄마 랑 부부 싸움했다며 키득거리던 유복한 집 친구와의 대화가 생각이 나 질문했다. "아빤 왜 친구 안 만나?", "일 해야지"

질문과 동시에 반사적으로 돌아온 대답에 나는 정말이지 우리 아빤 놀 줄도 모르고 일 밖에 모르는 바보라고 생각하면서도 그것도 다 괜히 어려운 집안 형편에 안 맞게 피아노를 치는 나와 늘 컨디션이 안 좋아 칭얼대는 동생 때문이라고 생각했었다. 그래서 그 잘난 우리 아빠가 나도 당신도 마음에 들지 않는 이러한 삶을 참고 살아야 하는구나. 생각했다.

이러한 까닭으로 벌써 그 중학생 어린 나이에 부모에게 자식은 엄청난 굴레이며 전생에 대체 어떠한 인연으로 얽혔는지 모르겠지만 서로를 힘들게만 하는 정말 별로인 관계라 생각하곤 했다. 어쩌면 내 결혼소식의 부재는 그때부터 느꼈던 부모님 삶의 어려움에 대한 반증일지도 모른다.

그러한 배경속에 나는 이 모든 것이 다 못난 우리들 때문일 것이라는 생각을 하며 자랐고, 경상도 스타일의 무뚝뚝하면서도 갖은 예절 다 따지시는 부모님들 덕분에 나 역시 배려심까지 당연히 장착했겠지 만 너무도 타인 중심으로 살피는 것이 습관이 되어, 작은 일에도 날카롭게 과민반응 하며 자존감이 낮은 채로 성장해 왔던 것 같다. 나는 어릴 때부터 철저한 성격의 소유자로 겉으로는 자율적인 사고와 행동을 하는 것처럼 보였을 것이다. 그러나 결국 부모님의 영향 아래 있을 수밖에 없는 학생이었기에 힘든 입시 끝에 겨우 하나 합격한 대학등록 결정에 앞서 어머니의 처음 마주하는 눈빛 앞에서 당황을 하지 않을 수 없었던 것이다.

'어! 뭐 잘못됐구나...' 우리 엄만 내가 음대 안 가면 유학도 안 갈 거고, 레슨비도 안 들 테니 더 이상 돈 많이 안 써도 되니까 좋아해야 할 텐데 이 반응은 뭘 까 .... 한 번 생각을 해보았다.

엄마는 예전부터 내가 피아노 치는 걸 많이 좋아했다. 우리 어릴 때 아빠가 저녁식사를 기다리며 애들 둘을 데리고 기타를 치면서 언더락 잔 소주 반 잔에 오징어 다리 하나 뜯어서 안주 삼아 함께 토요일은 밤이 좋아, 청실홍실 같은 어른들의 유행가나 내 동생이 좋아하는 오빠 생각, 엄마가 섬 그늘에 같은 동요를 아빠의 멋들어진 흘림체로 가사와 코드가 적혀 있는 공책을 보며 기타 연주에 맞추어 부르는 노랫소리와 함께 된장찌개에 갖은 재료를 송송 썰어 기꺼운 마음으로 저녁 준비를 하던 것이 슬슬 생각이 났다. 그녀는 억척스러운 경상도 여자 답게 남편을 애정 하는 마음을 솔직하게 표현치는 못하고, 그와 자신을 닮은 자식들에게 마음을 담아 엄마로, 아내로 최선을 다하는 옛날시대의 수줍은 여자였다.

엄마는 이런 우리 세 사람의 모습을 항상 흐뭇한 모습으로 지켜보았지만, 막상 함께 하자고 졸라 보면 본인은 음악성이 없다고 물러나곤 했었다. 그런 엄마였으니, 내가 아빠의 재능(?)을 이어받았다고 생각해서 피아노를 즐겨 하는 모습이 더욱 좋았던 걸까?

엄마의 슬픈 눈이 잊히지 않아 한 번 더 생각 해보지 않을 수 없었다... 다른 사람도 아니고 늘 우리를 위해서 모든 것을 희생하는 엄마인데, 나로 인한 그녀의 커다란 슬픔은 아직 채 독립되지 못한 존재에게는 견디기 힘든 일이었다. 그리고 나야 말로 피아노를 다시 치지 않고 잘 살아갈 수 있을지 반문했다. 많은 숙고 끝에, 어차피 겨우 하나 붙었던 그 대학교. 안 그래도 대학생 된다는 거 말고는 딱히 마음에 드는 것 하나 없었으니까...

쓸데없이 등록금만 비싸고 별볼일 없을 바 에야 차라리 한 학기 등록금으로 다음 번 도전 때 레슨비나 하자 생각했다. 사실 재수도 아니고 삼수씩이나 하는 대입 준비생으로 다시 돌아가기에는 정말이지 너무나 싫었지만 다른 사람도 아니고 우리 엄마가 너무 슬퍼하니까. 그리고 나도 피아노를 그만둘 내 삶에 자신이 없어서 더는 생각도 않고 눈 딱 감고 그냥 한 번만 더 해야겠다고 생각했다.

엄마한테 그 결정을 나누니 너무나 좋아하신다. 평소 자신의 감정에 대해 그다지 내색을 하는 사람이 아니었는데 말이다... 내가 우리 아빠 말 대로 그 집안 족보조차 새로 쓸 수 있다고 하는 행정고시인지 뭔 지 잘 알지도 못하는 것을 준비해서 공무원 되겠다 생각하며 대학에 들어갔다면 그것도 기쁘기야 하겠지만... 내 친구 엄마들은 항상 나에게 "넌 피아노 치니까 부모님 힘드시겠다." 하셨는데 우리 엄마는 무슨 생각으로 내가 좋아하는 피아노를 지지해 주었던 걸까.

나는 자식이 없기에 그 시절 엄마가 슬퍼한 정확한 이유는 아직까지도 잘 모르겠지만... 당시의 느낌 만으로도 어린 내 가슴은 미어졌다. 그래서 나는 결국 괴롭기 그지없던 입시 생활에 다시금 돌입하기로 용기를 내어 결정한 것이었다. 다만 이번엔 가정 형편도 있고 하니 재수학원은 더 이상 다니지 않기로 하고서...

도전은 나의 것

사실 재수학원 다니면서 학교 다닐 때 그렇게 열심히 공부를 해도 오르지 않던 성적이 불과 한달만에 엄청나게 오르기 시작하지 않았나. 어쩜 수업만 집중해서 듣고 그 외 공부는 하나도 안 하는데도 수능이 그냥 백 점 정도 오른 걸 보면 선생님의 역량이 얼마나 중요한지 깨닫게 되는 시간들이었고, 더불어 수업시간에 집중하는 방법을 터득하게 되어 그 경험은 나중 내 인생에 정말 많은 영향을 끼치게 된다.

재수학원은 전 과목 선생님들 수업내용이 아주 그냥 다 완벽했다. 모든 과목에 열심히 집중해서 수업을 듣게 만드는 재주들이 있으셨다. 아주 머리에 쏙쏙 들어왔다. 가끔씩 뒤에서 심하게 떠드는 애들 데려다 혼내거나, 집중 안 하는 애들한테 공부 좀 하라며 진심 생각해서 하는 잔소리 외에는 그 어떤 지적 질도 듣는 일이 없었다. 나는 엄청난 해방감을 느끼면서 수업에 열중하는 데 폭발적인 재미를 느꼈다. 너무나도 손쉽게 집중력을 발휘할 수 있는 환경 속에서 성적은 나날이 일취월장했고, 자율적인 삶이 나처럼 강박을 타고난 사람에게는 아주 딱 맞는 다는 걸 알게 해준 시간 이기도 했다.

과거의 여러 선생님들에 비해 재수학원 선생님들은 모두다 훌륭했다. 재수 없게도 재수생이 된 일은 너무나 싫었지만, 학원의 강의가 너무 좋아서 매일 아침 엄마가 깨우는 일이 없었는데도 나 혼자 새벽에 눈을 떠서 아무도 없는 강의실에 1등으로 등원하는 것을 너무도 즐겨 했던 시간들이 지금 갑자기 생각이 난다. 그렇게 나의 재수생활은 시작할 때의 비참한 기분과는 별개로 훌륭한 강사진들 덕분에 스트레스 받는 일이 거의 없었다. 오로지 배우는 즐거움 속에서 집중만 잘 하면 되었기에 별다른 노력 없이도 실력이 매일같이 향상되는 걸 스스로도 느꼈다. 피아노 입시 준비로 수업 후 자율학습 또한 공식적으로 참여하지 않아도 문제되지 않았으니, 집중력을 발휘한 주도적인 학습법으로 교과수업 후 개인시간을 옥죄지 않는 자유로운 생활로 인해 나의 재수생 시절은 여러 면에서 상당히 성공적인 시간이었다고 생각한다.

학교는 단지 지식의 전달장소가 아닌 교육을 하는 곳으로써 말썽 부리는 애들 훈육도 열심히 했을 선생님들께 미안한 마음이 없지는 않지만... 나는 학창시절 경험에 기반해 제도권 교육에 대해 강하게 부정적인 시각을 가지게 되었다. 나는 특별한 말썽을 부린 적도, 튄 적도, 공부를 잘 한 적도, 못 한 적도 없이 중간보다 약간 앞의 그저 그런 성적을 가졌기에 딱히 칭찬이나 혼나는 일이 없는 아주 평범한 학생이었지만, 그 시절부터 지금껏 학교에 대한 내 이미지는 늘 별로였다.

요즘은 어떨지 모르지만, 우리 땐 학교 선생님들이 학생들을 지도 편달한다는 명목 하에 잔소리와 무리한 채벌은 기본이고, 선생님 본인 기분 나쁜 날이면 사소한 잘못을 걸려도 과하게 혼이나 내고, 수업은 도대체 무슨 말인지 아무렇게나 하면서 딱히 선생님이나 어른으로서 존경이나 존중하고 싶은 마음은 싹 사라질 수밖에 없는 행동을 하는 등... 많은 선생님들이 좀 그랬던 것 같다.

어쩌다 가뭄의 콩 나듯 교과과목 선생님들 중 몇 분은 수업을 너무나 기깔나게 진행하셔서 그로 써도 너무도 훌륭하다고 여겼는데 심지어 그분들은 애들한테 되지도 않는 잔소린 랑 절대 하지 않으셨던 것 같다. 그런 선생님들은 나 혼자서 마음속으로 매우 존경하고 따르곤 했다. 생각해 보니 안타깝게도 물리, 생물, 미술, 한국지리 이런 과목 선생님들 뿐이었네. 요즘 애들은 이 중에서 안 배우는 과목도 많다지. 그래서 내가 학교 때 성적이 별로 안 좋았나!

고교때 나는 동급생들과는 차원이 다른 독서생활로 스스로가 많은 것을 알고 있다고 생각했다. 책에서 읽은 현자들의 말이나 생각 같은 거룩한 이치가 삶의 전부라 여기는 잘난 청소년이었다. 그러니 내 눈에 학교 선생님들의 이치에 맞지 않는 행동은 부정적 일 만도 했다. 혼나는 친구들을 보면서 어차피 누가 잔소리한다고 말 들을 애들도 아닌데 뭐 저렇게까지 괴롭히나 싶었고, 그건 정말이지 사실 아닌가. 역시 나는 지금도 제도권 교육을 좋아하지 않는가 보다.

제도권 교육에 대해 언제나 커다란 회의를 품었던 나는 교육을 직업으로 하는 입장에서 인간은 절대 타인에 의해 변화하는 존재가 아니며, 잔소리 혹은 이상한 관습과 규칙 덕에 성장하는 존재가 절대 아니라고 생각했다. 그래서 나의 이십 대 시절, 학창 시절을 떠올리곤 할 때마다 만일 자녀가 생기게 된다면 절대 학교에 보내지 않으리라고 생각했던 적도 있었고, 진지하게 고민하여 대안학교에 보내거나 차라리 내가 학교를 만들어버릴까 생각한 적도 있었다.

나는 그렇게 학교에서 만났던 선생님들과는 차원이 다르게 유능한 강사진으로부터 즐겁게 열심히 배운 재수학원에서 학과 학습에 관해 초 집중하는 방법을 터득한 채, 철저하게 홀로 삼수생활로 들어갔다. 정말이지 그 생활은 말도 못하게 힘들고 외로웠다.

아침에 모두가 각자의 자리로 떠난 집에서 홀로 식사를 마치고 조그만 도시락을 싸고는 7시45분까지 집 바로 맞은편에 있는 도서관으로 간다. 5분간 자리를 정비하고, 남은10분간 자판기 커피를 한 잔 마신 후 매 시각 정시부터 시작하여 50분마다 과목별 학습을 하고 10분씩 정확하게 쉬어 가며 공부를 했다. 그 후 오후 12시가 되면, 대입에 실패한 나 자신을 벌하겠다는 마음으로 혼자 어디 가서 밥도 제대로 못 먹는 애가 집이 가까운데도 굳이 냄새나는 도서관 지하 식당으로 내려가서 아침에 집에서 들고 온 작은 도시락을 꾸역꾸역 입으로 밀어 넣고는 초라한 마음으로 집에 돌아왔다. 그리고는 오후 한시부터 밤 열시까지 아무도 없는 집에서 이제는 하늘나라로 간 우리 강아지 몰티즈 난(爛) 이를 발 아래 두고 함께 피아노 연습을 했다.

그 시절 나는 거의 하루에 한마디도 하지 않는 날들도 많아서 가끔 입을 벌려보면 입에서 쩍쩍 소리가 나곤 했었다, 아무도 함께하는 이 없이 멈춰 있는 시간 속에서 나의 지겹디 지겨운 삼수 생활은 말도 못 하게 단조로웠으며 마치 커다란 돌을 끊임없이 옮겨야 하는 벌을 받은 시지프스의 삶 과도 유사하다는 생각을 했다. 그때의 매일은 아주 괴롭고 힘든 시간이었으니 지면에 더 이상 옮기지는 않겠다. 내 인생의 첫 번째 심각한 우울증의 시작은 그때였던 것 같다. 이로써 많은 설명이 되리라 본다.

출구가 보이지 않는 어두운 터널이 절대 끝나지 않을 것만 같던 입시 기간 동안 나의 몸과 마음은 엄청나게 피폐해졌고, 기울었던 가세 역시 다시 펴질 기미가 보이지 않았으며, 고등학교 다니던 동생도, 각자 일 하느라 바쁘신 부모님 얼굴을 마주할 시간도, 고통을 함께 나눌 동지도 없이 홀로만 생활하여 너무도 힘든 나날들이었는데, 마지막 입시 결과는 장고 끝에 악수라 더니 역시나 매번 무대에서 환장할 지경의 실수를 연발하여 정말 가기도 싫고 생각하기도 싫었던 학교 들에만 합격했다. 어쨌든 나는 그 많은 시험 앞에서 결국 실패했다. 제도권 안으로 들어가고 싶은 사람이 제도가 정한 규율안으로 들어가지 못한다면 무슨 할말이 있겠는가. 나는 이제 더 이상 앞으로 나아갈 힘도 없고, 뒤로 물러날 곳도 없는 사람인데. 이럴 거면 나 대체 삼수는 왜 한 건지 스스로를 책망하여 현실을 받아들이기가 너무도 싫었지만 나에게는 이제 눈앞에 놓인 길을 선택하는 방도밖에 남아있지 않았다.

자유속으로

눈물을 머금은 채 내 억지 대학생활은 그렇게 어쩔 수 없이 시작되었다. 그러나 인생은 역시 알 수가 없다. 학교가 마음에 들거나 말거나 막상 대학에 들어가니 일단 나를 옥죄는 그 많던 패배의식과 나를 억압하는 존재들을 일순간에 떨쳐내어, 이십 대 찬란한 시절의 시작이었다. 학교에서 만나는 동기이자 철없던 동생들은 하나같이 연습에 시달린 애들이라 그런지 특히 1학년은 다들 노는 분위기였고, 공부들은 어쩜 그렇게도 안 하는지 내가 그저 하루에 한 시간 정도 매일 통학 지하철에서 수업내용 복습만 해도 대부분 과목에서 쉽게 A학점을 받을 수 있었다. 피아노 연습도 하루 딱 두 시간만 하고서 실기는 대충 B나 C를 받고 장학금만 받으면 된다는 마음으로 편하게 생활했다. 그렇게 학교생활 이외 대부분의 시간들은 알바를 비롯, 당시 하고 싶은 것들 모조리 해치우며 세상을 다 가진 마음으로 행복하게 보냈던 기억이 난다.

입시생활을 오래해서 그랬는지 자신을 나태한 존재로 놓아두어서는 안 된다는 생각을 했다. 특별히 방학 시즌엔 언젠가 꼭 해보고 싶던 신문배달에 도전했다. 주중엔 새벽에 세시 반 즘 일어나 근처 아파트 몇 동에다 신문 100부 돌린 후 집으로 돌아와 옷 갈아입고 6시에 운동하러 가서 끝나면 아침 식후 도서관으로 달려가 4시간 정도 공부를 했다. (학교가 마음에 안 들어 혼자서 2년간 몰래 수능 준비를 다시 했었다) 점심식후 오후 한 시부터 네 시간 피아노 학원 애기들 가르치고 다시 집으로 돌아와 저녁식후 밤엔 개인 레슨 하러 다녔다. 주말에는 결혼식장에서 피아노 치는 알바도 했는데 예식장 안에서 제복입고 촛불 들고 행진하며 들어가는 아주 예쁘고 키 큰 친구들보다 시간당 내 페이는 열 배정도는 되었기에 그냥 철없이 너무 신나기만 했었다.

예식장 연주가 체르니를 배운 어린이도 할 수 있을 정도로 말도 안 되게 쉬운 곡들이었음에도 단지 피아노 전공했다는 이유 하나 만으로 주말에 그곳에서 뭔가 특급 대우를 받았던 것 같다. 예식사이 쉬는 시간이면 언제고 식당에 가서 "오늘 내가 피아노에요" 라고 말하면 맛난 갈비탕도 공짜로 먹을 수 있었다. 실제 연주는 예식 당 다섯 곡 정도로 십 오분 내외면 충분히 끝나는 그렇게 쉬운 피아노를 연주 하루 서너 타임 해 주고서 그 이십 년 전에 대학생 신분으로 하루 십만 원은 족히 벌었던 것 같다. (왠지 지금 나보다 많은 것 같은 이 너낌 뭐지..)

막상 내 대학 동기들은 거의 부잣집 자재들이다 보니 많은 이들이1학년 때 부터 엄마 명품 가방을 걸치고 등교하고, 주로 돈 쓰는 일에 관심을 많이 집중했기 때문에 대부분의 알바에서 경쟁자가 별로 없었는지 방학 중에는 이미 대학생 신분으로 웬만한 직장인들만큼 벌었던 것 같고, 학교 강의실에서 들었던 전공수업도 대부분 재미 있어서 피아노 치는 것만 빼면 공부도 그럭저럭 재미지게 하는 대학생활이었다.

언제나 부모에게 짐이 되는 것만 같던 나였는데, 갖은 고생 끝에 대학생이 되니 아무도 간섭하는 이 없었고 돈도 내 마음대로 벌어서 다 쓰고 성적 받는 일도 쉬우니 공부도 재미있었다. 그리하여 대학 시절 내내 하고 싶은 건 다 하고, 사고 싶은 것도 다 사고, 놀기도 잘 놀았다.

음대생들은 보통 어릴 때부터 막연히 피아노과를 졸업하면 모두가 유학을 다녀와서 대학교 교수나 강사가 되는 줄 안다. 그들이 우리들 가까이에 존재하는 미래의 이상적인 모습들이니까. 그래서 나도 미래 직업에 피아노 학원 원장님 같은 건 생각하기도 싫었다. 왜냐하면 내가 자라면서 배웠던 동네 피아노 학원의 원장님들 중 마음에 드는 사람이 거의 없었기 때문이다. 구체적으로 말해 피아노학원 원장님은 보기에 이상적인 직업이 아니었던 것이었다.

내가 배웠던 대부분의 원장님들은 어쩜 그렇게 예민하고 인내심이 없는지, 주로 아이들을 사랑과 인내로 지도하지를 못했던 것 같고, 내가 좋아하고 따르는 우리 학원의 강사 선생님을 보면 조금이나마 일을 더 많이 시키려고 애쓰는 것 같은 원장님도 있었고, 본인은 출근도 잘 안 하면서 가끔 들를 때면 TV에서 업소 관리하는 사장님 마냥 소리를 치고 돌아가는 분도 있었기 때문에 나의 곧 도래할 미래 생활 직업에 절대로 피아노학원 원장님은 없었던 것이다.

나의 피아노선생님들

이 타이밍이 되니 나의 피아노 선생님들에 대해 말하지 않을 수가 없다.

음악을 많이 좋아하던 내 어린시절 피아노학원과의 첫 인연은 자연스럽지 않았다. 초3이 되면서 갑자기 플랫세개가 처음 나오는 음악시험지에서 엄청나게 많은 빨간 작대기를 받아 든 내 손을 붙들고 어머니는 그제야 다급하게 어느 영세한 교회 같은 곳 피아노 앞에 나를 데려다 앉히셨다. 영광스럽지 못하게도 나의 첫 피아노 선생님이었던 그녀는 어딘지 모를 어음대에 다닌다는 아주 사나운 여대생이었다. 정확한 기억은 없지만 세상에 태어나서 아주 처음 접하는 공포를 주던 그녀였다. 그렇지 않아도 내성적이어서 어른들은 죄다 무서워하던 나였는데 ... 제대로 알려주는 것도 없이, 어찌나 그렇게 짜증스러운 얼굴로 무서운 언사를 하는 건지 도무지 이해가 안 되었다. 들뜬 마음으로 피아노를 처음 배우러 갔던 나는, 그 무엇도 잘 모른다는 이유로 모나미 볼펜으로 내 이마와 손등을 아주 끔찍하게 내리치던 그녀로부터 살면서 다시 겪지 못할 모멸감을 받았다. 그녀는 내게 음악 전공하는 사람에 대해 아주 나쁜 첫 인상을 심어주었고 그 기억은 잘 잊혀지지 않는다. 어쩜 그리도 운 없이 첫 피아노 선생님부터 무서웠던 걸까... 내 운명이 기구한 걸까.

이후 나는 죽을힘을 다해 엄마를 설득하여 어느 상점에 위치한 진짜 피아노학원에 다닐 수 있게 되었다. 다행히 그곳에서 만난 선생님들은, 살면서 그보다 더 무섭기 어려웠던 나의 첫 피아노선생에 비해 아주 납득 가능하고 상식적인 수준에서의 훈육을 해 주신 덕이 나름 즐거운 마음으로 매일 학원으로 달려갔던 것 같다. 생각보다 친절하고 칭찬도 많이 해주던 몇몇 따뜻한 마음씨의 피아노 선생님들 덕에 무서운 첫 피아노선생님에 관한 기억은 조금씩 줄어 가는 듯 했다. 그러나 정도의 차이만 있을 뿐, 비슷한 느낌을 주는 음악 선생님들은 입시를 시작하고서 더욱 자주 만났고, 심지어 대학서도 쉽게 찾아볼 수 있었다. 예술 하는 사람들의 이해할 수 없는 경지의 예민함과 불쾌한 언사 덕에 언제나 음악을 사랑하는 마음으로 살고 팠던 나는 피아노 레슨시간이 되면 아주 손쉽게 기분을 잡치는 경험을 자주 접하곤 했다. 엄마는 내게서 피아노 선생님들이 무섭다는 이야기를 자주 들으면서도, 공부에는 별다른 관심을 보이지 않던 내가 피아노에 만큼은 유독 열성을 다 하는 걸 보면서 아마도 할 수 있는 데까지 뒷바라지를 해보자는 생각을 하셨던 것 같다. 중학생이 되자 나는, 우리 아이가 어쩌면 음대에 들어갈 수 있을지도 모른다는 희망을 가진 엄마의 수소문 끝에, 엄청 예쁘고 날씬하고 착하디 착하고 공부도 많이 하신 연희동 선생님께로 보내어졌다. 그때 처음으로 피아노를 진지하게 배우기로 한 것이 잘 한 일이라는 생각이 들도록 훌륭한 레슨을 해 주시는 선생님을 처음으로 만난 것이었다. 자녀가 둘이나 있다는 게 믿기지 않을 정도로 예쁘고 세련된 우리 선생님께 수업을 들으러 가는 날은 아침부터 정말 기분이 좋았던 것 같다. 그렇다고 해서 질풍노도 중학생이던 내가 딱히 연습을 더 많이 한 건 아니었지만, 이때 처음으로 진지하게 나도 저 선생님처럼 음악을 제대로 공부해보고 싶다는 생각을 가지게 되었다.

그러나 역시 행복은 잠시뿐... 내가 고등학생이 되면서 세상에서 가장 착하던 우리 선생님은 고3 입시 선생님이라는 타이틀이 부담스러우셨는지, 나를 자신의 후배에게 소개해 보내셨다. 아주 괴팍한데다 무지하게 무섭기까지 했던, 잠원동 사시던 그 후배 선생님은 같은 학교 선후배 이런 거랑 사람의 인성은 전혀 상관이 없다는 걸 잘 알려주신 분이었다... 내인생의 진정한 지옥은 그때부터 시작이었다. 학생을 대학에 꼭 보내고 야 말겠다는 일념이 명확히 느껴지던 나의 새로운 입시선생님은 너무나도 지독하게 엄격하고 무서운 분이었다. 선생님 댁 가기 전에는 두통도 몰려오기 시작했고, 어느때부터인가 피아노치는 일이 너무나 공포로 다가오기 시작했다. 피아노 건반만 봐도 토할 것 같고, 도살장 가는 사람처럼 벌벌 떨며 그 댁 앞에서 벨도 바로 누르지 못하고 한참이나 서있곤 했다. 피아노 선생님이 너무 무서운 나머지 이따위 거 배워서 무얼 하나, 우리 엄마가 뼈빠지게 열심히 일한 돈을 레슨비로 보내시는데 어쩜 이렇게 나를 하대하시는지 어디 신고할 데 없나 하는 생각을 자주했을 정도다. 심지어 대학에 보기 좋게 떨어지고 나서 이 선생님을 더 이상 만나지 않아도 된다는 생각에 기쁘기까지 했었다... 맙소사.

재수생활로 들어가며 새 피아노 선생님을 만났는데, 새로운 선생님은 딱히 인자하지는 않으셨으나 입시학원이어서 그랬는지 엄청 무섭지는 않았고, 배우는 게 없지는 않았지만 말수가 적은 피아노 선생님의 난해한 표현을 내가 잘 알아들은 것 같지도 않았다. 반면에 귀에 쏙쏙 들어오도록 아주 쉽고 흥미로운 강의를 해주는 재수학원 강사진들 덕분에 공부는 재미가 쏠쏠했지만, 피아노 선생님들과 나의 합은 별로였는지 실력이 딱히 더 좋아지지는 않았다.

그러다 결국 삼수까지 하게 된 나는 마지막으로 배웠던 선생님은 기억조차 안 난다. 누군지 몰라도 기억하기 싫었을 확률이 높지 않을까. 그렇게 대부분이 별로 이던 나의 피아노 선생님들에 대한 기억을 뒤로 한 채, 그래도 언젠가 피아노를 잘 치고 싶다는 생각만큼은 확고하였었기에 분명 어딘 가에 좋은 선생님이 있을지 모른다는 희망은 절대 버리지 않았다.

대학에 들어가서도 동기들과 비교해 연주가 너무 자신이 없던 나는 항상 선생님을 찾아다녔다. 아르바이트를 정말 열심히 했던 이유는 다 과 외로 배우러 다니던 레슨비 때문이었다. 음대는 1학년때부터 연주전공을 지도해주시는 교수님이 각 악기별로 배정된다. 그렇지만 역시나 대학에서의 피아노 레슨시간 역시 그다지 흥미를 느끼지 못했었다. 교수님들 수준에 맞지 않게 기본기와 재능이 부족한 내 탓일 가능성이 높았겠 지만, 너희같이 무식하고 수준미달인 애들을 위해서 선심 쓰겠다는 듯 시간 때워주기 식의 급급한 수업도 한몫 했다. 평범한 재능으로 태어난 내 탓이 가장 크겠지만, 그게 또 항상 그렇지만은 않은 것 같았다. 왜냐면 결국 나는 엄청나게 탁월한 실력과 훌륭한 인성을 가진, 대단히 훌륭한 선생님을 만난 덕에 내 음악인생의 어느 지점에서 한 번 정도는 피아노의 신이 되어보는 경험을 했기 때문이다.

그래. 모든 것이 다 실력 없는 나 자신만은 아니었던 것 같다. 내 재능이 진짜 하나도 없었더라면 나와 우리 가족을 포함하여 모든 선생님들도 처음부터 나를 포기하지 않았을까. 아마도 그분들이 나를 이끌어 갈 여러 능력은 부족하였으나 포기해 버리기에는 또 여러 면에서 아까운 계륵 같은 학생이었을지도 모른다.

피아노를 전공하는 사람이라면 누구나 그렇겠지만 나 역시 벌벌 떠는 생쥐꼴로 무대에 나가고 싶지 않았다. 무대가 원래 두렵고 떨린 곳은 맞다. 아무리 열심히 준비해서 자신을 온전히 믿을 수 있는 상태로 나간다 한들 무대가 두렵다는 것은 사실은 변하지 않는다. 이러한 문제에 대해 아주 철저하게 연습하고 마인드 컨트롤 할 수 있는 대비책과 훈련이 반드시 필요하다는 것을, 명확한 설명을 통해 좁았던 내 시야를 넓혀 주신 선생님을 만나게 된 것이다.

매미가 세차게 울던 어느 여름날 인터넷에서 우연히 알게 되어 큰 기대없이 찾아 뵌 여의도 선생님은 레슨비는 아주 헐값에 부르시면서도 나에게 첫 만남부터 어마어마한 수업을 해 주셨다. 단숨에 아주 정확하게 문제를 짚어내어 나의 부족함에 대해 전혀 비난하지 않으면서도 그간 진정 몰두하지 않았던 음악에 대한 나의 태도에 대해 아주 정곡을 찌르는 일침으로 쥐구멍을 찾게 하셨다. 또한 연주에 대해 아주 중요하시만 너무나 사소하여 정말로 많은 선생님들이 그냥 지나치는 것들을 빠짐없이 챙길 수 있도록 지도해 주셨다. 그야말로 엄청나게 고맙고도 빡센 트레이닝이었다. 내가 느끼기에도 하루하루 실력이 느는 탓에, 당시 엄청나게 많은 학업양과 방대한 일들을 해내던 시기와 맞물려 아침저녁 하루 한 시간씩 두시간 만 시간을 낼 수밖에 없는 상황이었다. 살면서 그렇게 즐거운 마음으로 피아노 앞에 엉덩이를 붙이고 앉아 초단위의 집중을 해본 적이 없다. 한시간을 열시간처럼 효율적인 방식으로 연습했으니까. 어떤 날은 무대에서의 떨리는 심장과 비슷한 상태를 만들어야 하니 지금 당장 엘리베이터를 타고 내려가 1층부터 이곳 10층까지 아파트 비상계단으로 뛰어올라와 피아노 의자에 앉아서 숨 고르기를 하고서는 정적을 깬 완벽한 첫소리로 시작을 열 수 있도록 정확한 훈련을 통해 이끌어 주셨다. 누가 보면 참 기이하기도 했을 지도방법이었지만, 여의도 선생님과 함께 시간을 보낸 이후 나는 어느 순간부터 주도면밀 하게 악보의 모든 음표와 쉼표를 다 관장할 수 있게 되었고, 언제 어디서 든 내가 연주하는 동안 공간을 장악하여 공기를 바꿀 수 있게 되었다.

선생님은 방학이 되면 당신 친구들을 집으로 불러모아 내 연주를 듣게 하시고는 이 애가 바로 서울대를 갔어야 한다며 자랑하시고, 올해 동아콩쿨 우승한 아무개의 발트슈타인보다 지금 네 연주가 훨씬 낫다는 말씀도 해주시지를 않나, 배우는 동안 초단위의 집중력을 발휘할 수 있도록 별별 훈련도 다 가르쳐 주셨고, 종종 사랑을 가득 담은 인정의 말씀도 들려주시곤 했다. 내 음악인생을 다시 쓰게 된 2년여의 시간동안, 선생님으로 써 제자에게 진정한 사랑과 인내를 보여주신 그분을 결코 잊을 수가 없다. 당시에도 건강이 썩 좋지는 않다고 하셨는데, 언제나 안녕하시기를 잠시 기도해본다.

인생은 알 수 없어

바야흐로 대학생이 되어 그 누구도 나에게 간섭하는 이 없이, 훌륭한 피아노 선생님을 만나서 행복하게 이십대를 만끽하던 어느 날, 평일에 하루 네 시간 아르바이트 하러 다니던 피아노학원의 원장님께서 나에게 학원 인수를 제안하셨다. 유아교육을 전공했던 그 원장님은 어린 내가봐도 엄청 여리고 착한 분이었는데, 나보다 대여섯살 많았지만, 갓 시작한 학원일이 나의 아르바이트 경력보다 한두 달 정도 더 많은 분이었다. 언니가 없던 나에게 종종 손위 여자형제에게나 들을법한 생활의 꿀 팁도 알려주며 격없이 대해준 분이었다. 내가 대학교 신입생 풋내기 시절 아무것도 모를 때 잠시 일했던 학원이었는데, 당연히 열심히야 했을테지만 제대로 할 줄 하는 게 없었을 나는 원장님이 좋으신 덕에 딱히 구박 같은 건 받아본 적이 없었다. 그후 몇 년간 애들이 엄청 많은 학원에서 정신없이 파트타임으로 일을 하다 조용한 학원에서 숨 좀 고를 겸 다시 돌아왔다. 아이들이 별로 없는 학원인줄 알고 왔지만 생각보다 학원이 너무 조용한 것이 안타까웠던 나는, 실질적인 나의 시간당 급여인상과는 전혀 상관없이 몇 달에 한 번 원장님이 출근하실 때 마다 신규 수강생 유치할 방법을 열심히 고민해서 이야기했었다. 그러던 어느 날 할 이야기가 있다며 나를 불러 앉히고는 갑자기 본인보다는 내가 이 학원을 더 잘 운영할 것 같다며 인수 제안을 하시는 거였다. 그건 정말 생각도 해보지 못한 일이었다. 당황스럽기는 했지만 인생에서 기회는 여러 번 오는 게 아니라는 걸 알았기에 몇 날 고민 후 인수를 결정했다. 그때부터 갑자기 원치 않던 어른으로서 살아가는 일을 스물세살부터 시작하게 된 것 같다. 직전 까지만 해도 나는 대학을 졸업하면 막연하게 외국에 나가 접시를 닦으며 생활하는 한이 있더라도 유학을 가는거라 생각 했지 별다른 계획 같은 건 없었다. 그저 하루하루 이십 대 여대생 생활에 지독할 정도로 많은 것들을 해내며 즐거운 나날들을 보내고 있었으니까.

그러나 인생은 정말이지 알 수가 없다. 어린시절부터 내 인생에서 피아노학원을 운영하는 건 정말이지 가장 마지막에 그 어떠한 선택도 할 수 없는 상황에서나 생각해 볼 만큼의 가치수준 정도였고, 스물세살의 많은 것들을 꿈꿀 나이에 절대로 고려해보지 못한 직업이었다. 그러나 뭔 가 알 수 없는 기회가 오고 있는 듯하여 잠시 고민 후 눈 딱 감고 우선 삼 년만 참아 보기로 했다. 까짓 거 혹시나 실패하더라도 어떻게 든 만회할 수 있을 것 같은 정도라 자신감도 있었고, 어차피 외국가면 고생할 텐데 지금 미리 고생해서 공부하며 단련하는 시간을 가지자는 생각으로.

그런데 운영을 시작하기로 마음먹으면서 고민했던 가장 큰 문제가 기다리고 있었다. 동네 피아노학원 원장님은 너무나 하기 싫은 것이었다. 또한 어린이들의 학부형들을 상대하기에 당시 나는 진심 말고는 가진 게 없는 너무나 미숙한 선생이라는 것도 잘 알고 있었다.

어찌해야 하나 고민하던 차 예전 원장님께 가끔 레슨을 받으러 오던 성인 수강생을 보며, 저 어른들을 더 잘 치게 만들 수 있지 않을까 생각했던 기억을 떠올렸다. 내 머리로는 다 큰 사람들이 저렇게 피아노를 못 치면 안 되는 거였다. 아무리 시작이 늦다 해도 그래봐야 그들은 고작 이삼 십대였는데... 어쩌면 숙련된 코칭 능력에서 해답이 있을 것 같다는 생각을 하게 되었고, 어릴 때부터 사람이 누구에게 어떻게 배우는가에 따라 실력과 자신감의 차이도 아주 크다는 걸 경험한 나였으니 당시만해도 우리나라에는 존재하지 않던 어른들 만을 대상으로 전문적인 악기교육을 하기로 겁도 없이 정한 것이었다. 그때부터 피아노학원의 신규 어린이들은 그만 받기로 하고 성인들을 주로 가르치는 유능한 선생이 되기 위해 그들 만을 위한 수업을 개설하고, 피아노 연주를 위한 방법론을 다양한 시각으로 접근하여 연구하기 시작했다. 실은, 잘 못하는 일을 피해 큰 기대없이 시작했던 어른들을 위한 음악공간이었는데 문을 열자마자 기대이상의 환대를 받았다.

그렇게 딱 삼 년만 해보자던 내 결심이 무색하게 저녁이 되면 지친 영혼을 이끌고 하나 둘 악기를 연주하러 모여드는 사람들을 위해 나는 지금껏 이십 년의 시간이 넘도록 오랜 시간 이곳에 존재해 왔다. 그동안 얼마나 많은 사람들과 얼마나 많은 저녁시간을 함께 보냈는지 모르겠다. 예상외로 성인 학생들은 너무 원론적이고 진지해서 재미없어 할 줄 알았던 내 수업방식을 좋아했다.

피아노 선생님으로의 삶

처음 피아노를 가르치기 시작했을 때 학생에게 무슨 말을 어떻게 해야 할지 나는 아무것도 모르는 사람이었다. 단순하게 언젠가는 저절로 되어 지리라 생각하며 살아왔기 때문에. 아무것도 모르는 내 상태에 큰 충격을 받고서, 나는 언젠가부터 우리 여의도 선생님 같은 훌륭한 선생님이 되기를 추구하면서 시간을 보내왔다. 비록 나의 시작은 미약했을지라도 말이다.

선생(先生)이라는 직업은 정말 어려운 일이라는 생각을 한다. 어디에서 누구를 가르치든 세상의 모든 선생들은 자신이 그 일을 하는 동안 나의 뒤를 따라오는 이들에게 내가 잘 알고 있는 세상에 대해 현명한 방식으로 이끌어 주는 일이 어렵기 때문이다.

뛰어난 능력을 가진 사람들은 특히나, 좋은 지도 스승을 적기에 만나는 것이 중요한 것 같다. 어떤 제자이든 훌륭하게 길러낼 수 있는 선생님이라면 전문지식은 당연히 갖추고 있겠지만 더불어 제자가 어려움에 처했을 때 그가 스스로를 다잡을 수 있도록 인격과 덕으로 끌어줄 수 있어야 하며, 어떤 때에는 독한 마음으로 혹독하게 채찍질도 할 줄 알아야 할 것이고, 또 어떤 때에는 훌륭한 가르침에서 나오는 배려로 제자의 등에 날개를 달아줄 수도 있어야 한다고 생각한다. 또한 가르치는 이 스스로가 자신의 강의에 대해 끊임없이 검증하는 태도 역시 매우 중요한 부분인 것 같다. 가르치는 일을 하는 사람 스스로가 돌아볼 수 없으면 그 부족함을 누가 대신 채워줄 수 없기 때문이다.

어쩌면 지금과 같은 삶을 위해 나는 그 많은 시간속을 헤매었던 걸까 가끔 생각한다. 그땐 너무 힘든 시간들이었지만 결국 타인과 함께 음악 하는 삶으로 들어가기 위해 많은 이들이 겪었을 다양한 어려움이 내게는 조금 더 큰 묶음으로 부여된 것이 아니었을까…생각해본다.

아름답고 무용한 것들을 나는 사랑한다. 이들이야말로 내가 세상을 살아가며 어려운 시절에도 앞으로 나아갈 수 있게 도와주는 진정한 친구들이다. 힘이 많이 드는 날이면 나는 기분 좋게 불어오는 시원한 바람을 찾아 강원도 바닷가로 달려간다. 계절이야 어떻든 그곳에 주저 앉아 한동안 파도가 치는 모래위의 바다를 바라보고 있으면 슬프거나 화난 나의 감정들이 조금씩 추슬러 지는 걸 느낄 수 있다. 특히나 겨울바다 앞에 서면 지친 폐를 위로해 주는 차갑고도 쨍한 공기에 얼음처럼 단단했던 내 마음이 점점 녹아내리는 것 같다. 언제나 그렇듯 나는 바다 앞에 주저앉아 파도소리에 상처받은 내 영혼을 씻어내고 다시 살아낼 용기와 위로를 얻는다. 그래서 나도 모르는 무언 가에 이끌려 공간의 이름에 바다소리를 부여한 거였을까? 어쩌면 진짜 그럴 지도 모를 일이다.

이상한 이야기 일 수 있지만, 나에게로 오는 성인들이 단지 피아노를 잘 칠 수 있도록 열심히 노력을 기울였을 뿐인데 언젠가부터 나도 모르게 처음 만나는 사람들을 보면 그 영혼의 목소리가 느껴진다. 처음엔 나도 그게 뭔지 잘 몰랐지만, 이제는 이해한다. 현실세계의 그이와 내게 보이는 그의 본질이 서로 다른 차원속에 존재할 때 길을 잃은 영혼의 형태로써 나를 찾아오는 것이라고.

늘 어디에서 와서 어디로 가고 있는지 궁금하던 나였는데 지금 이곳 바다소리를 내 삶의 한가운데로 관통하는 신성의 장소로 삼아, 나의 성인 음악가 제자들이 지금 여기에 온전히 존재하여 욕심을 내려놓고 현존을 통해 자신과의 대화로써 자신의 연주를 온전히 마주할 수 있도록 돕는 것이 나라는 사람이 세상에서 해야 하는 일이라는 생각이 든다.

오다솜

지금, 여기, 백령도

*

“하... 도저히 못 해 먹겠는데? 이 일을 앞으로 얼마나 할 수 있을까?”

사무실 컴퓨터 앞에 앉아 일하던 도중 급히 화장실로 도망갔다. 그리고 나도 모르게 한숨이 나왔다. 그만두고 싶다는 마음은 입사 초부터 가지고 있었다. 그만두면 괜히 지는 것 같고 1년만 버텨보자 해서 지금까지 왔다. 이제 여기서 계속할지 중단할지 선택해야만 했다. 1년간 모은 돈과 퇴직금으로 캐나다로 떠나고 싶었다. 워킹홀리데이를 지원했으나, 추첨에서 선발되지 않았다. 사실 코로나로 인해 격리되고 철저히 더 혼자 지내야 하는 것에 자신이 없었기에 속으로 안심했다. 전공 분야를 살려 이직을 준비했으나 가고 싶었던 기업의 2차 면접에서 떨어지고, 이 회사를 벗어나 마땅히 정착할 곳이 없었다.

그러던 어느 날, 엄마가 이모와 통화했다며 이렇게 말씀하셨다.

“이모가 백령도에서 지내는 거 생각 있으면 충분히 고민해보고 들어오라는데?”

서해 최북단으로 북한과 가장 가까운 곳. 그곳은 엄마의 고향이자 이모가 거주하고 있는 곳이다. 그래서 가족들과 또는 혼자서 놀러 가본 적이 있다. 모래가 단단한 해변, 콩 모양의 자갈로 이루어진 해변 등 다양한 모습의 바다를 볼 수 있고, 인적이 드물어 마음이 절로 평안해지는 곳이라 매번 좋은 여행으로 기억에 남았다. 고층 빌딩의 도시보다는 자연과 어울리기를 더 선호하기 때문에 이모에게 이렇게 말한 것도 기억하고 있다.

"이모! 백령도 너무 좋은데요? 여기서 사는 것도 괜찮을 것 같아요!"

제대로 된 직장생활이 처음이라 울기도 많이 울고 스트레스받아 힘들어하고 있다는 것을, 엄마를 통해 알게 된 이모가 제안한 것이다. 어떤 일을 하게 될지는 모르겠지만 섬에서 사는 것이 무엇보다 큰 특이점이었다. 특별한 삶을 꿈꾸진 않지만 다르게 살기를 원했다. 단지 보이는 것만으로 어떤 사람이며 평범한 인생일 것이라고 누군가가 지레짐작하는 것을 원하지 않았기 때문이다. 대부분의 젊은 사람들이 도시 생활을 갈망할 때, 배를 타고 들어가야 하는 섬 생활은 흥미로운 제안이었기에 크게 고민하지 않았다. 그래도 어떤 점이 좋고, 좋지 않을지 한 번 따져보았다. 장점을 나열해보니 '스트레스가 덜할 것 같다. 조용하고 나만의 시간이 많을 것 같다. 바다를 보러 가기 쉽다. 경제적·물리적 독립이 가능하다.'가 있었다. 이어서 떠올린 단점은 단순했다. '외로울 수 있다. 고립될 수 있다.' 그땐 미처 알지 못했다. '고립'하나가 여러 장점을 집어삼킬 줄은.

백령도에서의 삶은 직접 살아가며 부딪쳐 보는 것으로 결심했다. 결정하고 나니 마음이 한결 가벼워졌다. 언제든지 그만두고 싶었던 회사였기에 설렘과 기쁜 마음으로 사직서를 제출했다. 퇴사 후 한 달간 백령도에 들어갈 준비를 했고 모든 과정이 순조로웠다.

결과적으로 전 직장과는 전혀 다른 분야의 일을 업으로 삼았다. 종일 화면 모니터만 뚫어지게 보는 일에서 손님의 눈을 보는 일을 하게 됐다. 입을 꾹 다물고 실험 결괏값을 입력하던 일에서 손님과 이야기하며 금액을 입력하는 일을 하게 됐다. 야근을 밥 먹듯이 해도 업무가 과중했던 이전의 일과는 다르게 업무 자체에 '마감'이 있어 오늘 일은 오늘로 끝났다. 전혀 생각에 없던 분야이었기에 모든 것이 낯설면서도 새로웠다.

섬살이 환경도 마찬가지였다. 이모 집에서 10분만 걸으면 드넓은 사곶해변이 있어 아침마다 바다로 산책하러 나갔다. 벼가 노랗게 익어가는 시기라 들판은 황금빛으로 물들여있었다. 또 꽃단지에는 코스모스가 대규모로 활짝 펴있었다. 가로등 대신 수많은 별빛이 깜깜한 밤하늘을 밝혀주었다. 한마디로 시골이었지만, 그것이 좋아 주말이면 이모부 자전거를 빌려 페달을 힘차게 밟으며 마을 곳곳을 누비고 다녔다. 질주하며 보이는 하늘은 불그스름하게 물들여져 그대로 내 맘에도 스며들었다.

자연이 주는 소소한 기쁨을 누리고 새로운 환경에 대해 기대하며 섬에서 지낸 지 두 달. 생활이 익숙해질 때쯤 인천에 있는 유일한 지점으로 발령이 났다. 이는 회사 내 신입사원을 대상으로 다양한 업무 습득을 위한 것이었으므로 이미 계획된 것이었다. 게다가 기간은 2개월로 기약되어있었다.

백령도에서의 일상도 좋았지만, 육지에서의 일상은 배로 좋았다. 가족들과 함께 지낼 수 있고, 친한 친구들을 언제든 만날 수 있었다. 맛있는 걸 먹으러 가거나 분위기 좋은 카페에서 커피 한 잔을 즐길 수도 있었다. 사실 무엇보다 일의 만족도가 이전 직장보다 비교할 수 없을 정도로 상승했다. 업무 지식을 위해 스스로 찾아 공부하고 그것의 재미를 느끼기도 하며 주체적으로 일하고 있음을 항상 느꼈기 때문이다.

시간이 흘러 예정된 시기가 다가왔다. 다시 들어가야 한다는 마음의 준비를 하면 오히려 인천에 머무는 기간은 늘어났다. 2개월에서 6개월, 그리고 10개월이 지났다. 이 정도면 최소 1년은 충분히 배우고 입도하라는 것으로 간주하고는 마음을 내려놓았다. 방심하는 순간, 메일 한 통이 도착했다.

'아래와 같이 인사명령을 시행합니다.
이름 : 오다솜 · 발령 내용 : 인사이동 · 근무지 : 백령도'

299일, 300일도 채우지 못하고 발령이 났다. 언제, 누가, 어디로 이동할지 아무도 예측할 수 없는 인사명령. 그래서 그 상황이 실제로 닥쳤을 때 무척이나 당혹스러웠다. 사실 가장 걱정된 것은 그 지점에서 내가 혼자 일을 잘 감당할 수 있을까에 대한 부분이었다. 업무적으로 턱없이 부족함을 알기에 마음의 준비가 덜 된 상태에서 이 명령을 받아들이기란 쉽지 않았다. 주 근무지가 섬인 곳을 직장으로 선택했기에 그에 따른 결과를 마땅히 책임져야 하는 것을 잘 알고 있었다. 그러나 마음 깊은 곳에는 가족들과 친구들이 있는 육지에 더 머물고 싶은 욕심이 자리 잡고 있었다. 그곳에서 이미 두 달을 지내봤고, 대학생 때는 타지에서, 대학 졸업 후에는 타국에서 지내봤기에 혼자 사는 것은 별문제가 되지 않을 거라 여겼다.

그렇게 입사 1년 만에 다시 백령도로 들어가게 됐다. 이상하게도 처음 들어와 느낀 낯선 새로움이 더는 존재하지 않았다. 일단 회사에 민폐를 끼치고 싶지 않아서 최선을 다해 업무에 집중했다. 그 당시의 다이어리를 보면 80%가 업무 내용으로 가득 차 있다. 그렇게 별다를 것 없는 일상을 보내는 듯했다.

어느 날, 저녁을 먹고 좁은 방에 들어가 혼자 책상 앞에 앉아 있는데 마음이 요동쳤다. 들어온 지 한 달만이었다. 왜 그런지 분명한 이유를 찾으려 애써봐도 알 수 없었고, 그저 울고 싶었다. 소리 내어 시원하게 울어 조금이라도 털어내고 싶었지만 그럴 수 없었다. 같이 사는 이모·이모부가 들으면 혹여나 걱정하실까 봐 애써 참아야 했다. 그 날 이후로 기분이 울적할 때가 잦아지면서 소리 없이 눈물 나는 날들이 많아졌다.

가장 우려했던 업무는 다행히 금방 적응했다. 아무래도 육지에 비하면 업무들이 단순했고, 초반에야 새로운 얼굴의 손님이었지만 매번 오시는 같은 분들이 방문했기 때문이다. 일상도 마찬가지로 딱히 특별한 것이 없었다. 시간이 갈수록 어느 정도 예상되는 일들만 일어났다. 무의미한 시간으로 흘러가도록 내버려 두고 싶지 않았다. 뭐라도 해야겠다 싶어서 경제 공부를 시작하고, 좋아하는 일본어도 다시 배우고, 운동으로 배드민턴을 시작했다. 한 며칠은 괜찮았지만, 꾸준히 지속하지는 못했다. 지금 생각해보면 말도 안 되게 짧은 시간 안에 눈에 띄는 결과나 변화가 있기를 바랐다. 예를 들어 경제를 공부하고 이곳에서는 상대적으로 돈을 덜 쓰니까 빠르게 자본을 모을 수 있을 거라 기대했고, 일본어를 술술 말할 거라 착각했으며, 일주일에 한 번 운동 하면서 체력적으로 튼튼해질 거로 생각했다.

그래놓고 내 이상과 현실의 괴리감을 느껴 다른 것을 시도하고 싶지 않았다. 난 뭘 해도 잘 안되는 사람이고, 결과만 바라고 꾸준히 진득하게 하지 못하는 사람으로 보기 시작했다. 그렇게 날 규정해버리니 무엇을 해도 소용없다고 생각했다. 이것, 저것 도전해도 어차피 결과는 뻔하니까. 그렇게 무기력을 무기 삼아 스스로 더 다치게 내버려 뒀다.

이 섬에 있지 않았다면 친구들 만나 수다 떨고, 여행도 떠나고, 영화를 보러 갈 수도 있고 다양한 활동을 할 수 있었을 텐데… 현재 내가 갖지 못한 것에만 초점을 뒀다. 그 결과, 다시 육지로의 발령만이 이 상황의 해결책으로 보았다. 조금만 기다리고 버티면 인사이동이 있을 거라는 마음으로 하루라도 빨리 이곳을 나가고 싶었다. 하지만 헛된 희망이었다. 애초에 내가 통제할 수 없는 것에 희망을 건 셈이었다.

부모님은 물론 친구들에게 있어서 이곳에서 꿋꿋하게 잘 살아내는 모습을 보여주고 싶었다. 다르게 살고 싶다며 살아내기로 선택한 것인데, 힘들다고 말하면 내가 한 선택이 잘못되었다고 반증하는 꼴이 되니까. 친한 친구가 없는 이곳에 그나마 가까운 회사 동료들에게 말해볼까, 고민했다. 그러나 이런 나를 진심으로 이해할 만한 비슷한 상황에 놓인 사람은 어디에도 없었다. 게다가 회사에서는 백령도가 좋아 들어와 살고 싶은 사람으로 인식됐기에 인제 와서 아니라며 번복하는 사람으로 보이고 싶지도 않았다. 따라서 아무렇지 않은 척, 괜찮은 척 말없이 조용히 주어진 일만 해냈다. 한 번은 일하다가 잠깐 화장실에 들어가서는 나오고 싶지 않았다. 갇혀있는 섬의 답답함에서 벗어나고 싶은데, 어디론가 도망가고 싶은데, 고작 갈 수 있는 곳이 비좁은 화장실뿐이라니. 이 마음, 이 기분 어딘가 낯설지가 않았다. 전 직장을 다녔을 때와 더하면 더했지, 다름이 없었다.

일단 이모·이모부와 살고 있었기에 오롯이 혼자 있을 수 있는 물리적인 공간이 절실히 필요했다. 누군가는 그나마 그들과 같이 있으니 덜 외로울 거라고 말했다. 틀린 말은 아니다. 하지만 가족이어도 타인이다. 이전에 함께 지내본 것도 아니고 너무 다른 환경이기에 기상 시간부터 식성 그리고 취침 시간까지 모든 생활 양식이 달랐다. 그런 가족의 집에 얹혀사는 것이야말로 오히려 처량한 신세인 것은 겪어보지 않으면 공감하기 쉽지 않을 것이다. 또 세상을 바라보는 시각과 세대에 차이도 있었다. 그렇다 보니 이야기 주제는 단조로웠고 원체 말이 많은 성격이 아니라 대화 없이 밥만 먹는 식사 시간이 되었다. 그 시간은 단지 10분에서 15분이었지만 한 시간처럼 길게 느껴지곤 했다.

학생도 아니고 다 큰 직장인이 되어 이모랑 지내는 것은 폐를 끼치는 것이니 독립을 결심했다. 가족 구성원으로부터 독립할 때 보통 결혼해서 나가게 되거나, 집과 직장이 멀어져서 하는 경우가 많은데 난 그 어느 것도 해당하지 않았다. 어쩌면 남들이 보기에는 같이 사는 것이 불편해 집을 나가는 것처럼 보였을지도 모른다. 솔직히 아니라고 말할 수는 없지만 그렇게'만' 오해할까 봐 나도, 이모도 그 점을 염려했다. 그래서 집을 알아보는 과정부터 이모한테 말을 꺼내기까지가 쉽지 않았다. 가장 먼저, 사는 환경을 바꾸는 것으로 내 문제를 해결해보고 싶어서 결정한 것이다. 이렇게나 다른 사람들의 시선에 신경 쓰는 사람이었는지 새삼 놀랍기도 하고, 예민한 사람인가 싶다.

진짜로 '혼자' 사는 생활이 시작됐다. 혼자서 지내니 저녁 먹으라고 하는 사람, 피곤해서 기절할 때 불 꺼주며 이불 덮어주는 사람이 없다. 대신 늦게 일어나면 지각하는 것 아니냐며 채근하는 사람도 없고, 밥을 왜 이렇게 조금 먹냐며 잔소리하는 사람도 없다. 없을수록 마음은 편안했다. 집에 들어오면 아늑했고, 비로소 내 마음은 고요했다.

백종원 아저씨 조리법으로 요리를 따라 해보고, 흰쌀밥보다는 톡톡 터지는 귀리를 넣어 밥을 해 먹었다. 아침에는 자극적인 뉴스가 아닌 영어 라디오 방송을 틀어두고, 노래를 크게 튼 채 언제든지 온수로 샤워하며 하루를 마무리할 수 있었다. 내가 하고 싶을 때, 하고 싶은 대로 자유롭게 지낼 수 있었다. '나 혼자 산다' 프로그램 속에 나오는 연예인들처럼 독립생활을 제대로 즐겼다.

그러나 즐거움은 오래가지 않았다. 섬에서 내가 편하게 쉴 수 있는 공간을 원한 것은 맞지만, 진짜 열망한 것은 섬으로부터의 탈출이었으니까. 탈출을 가장한 휴가조차 쉽지 않았다. 가벼운 만남부터 친구들 사이에서 예외 된 것은 어느새 '소외'로 바뀌었다. 어렵사리 나가기로 했어도 바다 날씨가 좋지 않아 배가 못 뜨면 친구들과의 약속은 한순간에 물거품이 되었다. 친구들의 결혼식에서 불참은 필수가 되었다. 이런 것들이 나를 또다시 무력하게 만들었다.

무력함은 기승을 부리기 시작했다. 평일에는 아무 일 없는 듯이 숨어있다가도 주말이 되면 나를 긴 터널 속으로 끌고 들어갔다. 터널 입구에서 빛을 보여주며 안정을 느끼는 것은 잠시뿐 이었다. 보이는 것이 하나도 없는 어두운 터널 안으로 들어가 있으면 고독함이 몰려왔다. 누구도 존재하지 않았으며 거기서는 아무것도 할 수 없었고 그렇다고 무언갈 하고 싶다는 의지도 전혀 생기지 않았다.

'아무것도 안 할 바에 왜 살고 있지? '직장' 말고는 여기에 있어야 할 이유가 딱히 없는데, 이렇게 지내는 것이 맞을까? 여기서 왜 시간을 낭비하고 있지? 그저 버티고 견디다 보면 괜찮아질까? 너무 버거운데… 이 안에서 죽으면 아무도 모를 것만 같아. 차라리 다시 태어나서 인생 처음부터 다시 시작하고 싶다… 그렇다면 이렇게 살지는 않을 텐데…'

'매사에 긍정적인 사람이라고 생각해왔는데 왜 이렇게 부정적인 생각을 하고 있지? 내가 이렇게 나약한 사람이었나? 혼자 있는 시간을 잘 즐기는 사람으로 알았는데, 왜 이렇게 쓸쓸하고 공허할까? 도대체 나라는 사람은 어떤 사람이지… 그리고 왜 이렇게 타인의 기대에 맞춰 행동할까? 타인이 바라보는 '나'에 대해 왜 이렇게 신경 쓰이고 민감하게 반응할까? 알다가도 모르겠다. 나 진짜 이상한 사람인가.'

빛 하나 보이지 않는 터널 속에 수많은 생각이 꼬리에 꼬리를 물었다. 꼬인 줄도 모르고 월요일이 되면 다시 또 힘겹게 그곳을 벗어나 아무렇지 않은 척 사무실을 향했다.

부모님께 내 상태와 상황을 말하고 싶으면서도 동시에 말하고 싶지 않았다. 잘살고 있는 모습을 보여줘야 독립적인 개체로서의 딸을 인정해주실 것이라 믿었기 때문이다. 무엇보다 걱정 끼쳐드리고 싶지 않았다. 그렇지만 누구보다 가족으로부터의 위로나 응원이 필요했다. 회사를 그만둘 작정으로 결국 부모님께 고백했다. 이곳에 지내는 동안 한 번도 행복한 적이 없었다고. 섬에서 혼자 지내는 것의 고충도 덧붙여 얘기했다. 속 시원하게 토로하지는 못했다. 이성보다 감정이 너무 앞서기도 했고, 엄마·아빠한테 속에 있는 이야기를 한다는 것은 항상 어렵고 긴장되는 일이었으니까. 그들의 눈빛·표정과 같은 미세한 반응 하나, 하나가 나한텐 너무 크게 작용하기 때문이다. 엄마의 고향이면서 지역사회 규모가 워낙 작은 곳이라 이러한 어려움을 충분히 알고 있으셨기에 조금은 공감해 주리라 믿었다. 애석하게도 공감보다는 충언으로 위로했다.

'엄마는 처음부터 걱정했어. 엄마가 살아봤잖아. 근데 네가 가겠다고 하니까 가지 말라고 할 수도 없고, 엄마는 이런 일이 일어날 수

있을 거로 생각했어.'

엄마는 그 상황을 안다면서 '많이 힘들었지?'라는 세상 짧고도, 가장 듣고 싶었던 한마디는 하지 않았다. 원하는 바와 그들의 반응이 다르다고 해서 내 하루가, 내 삶이 무너질 필요가 없었지만, 나라는 사람은 타인 특히나 부모님으로부터 위로받길 원하는 어린아이였음을 확실히 깨달았다. 이미 섬 생활의 어려움을 직접 겪어 잘 알고 있듯이 힘겹게 이겨내온 과정을 스스로 인정하면 되는 것을 부모님께 바라고 있었다. 내 존재를 부모님이 인정해주길 바라는 사람으로서 자존감이 높은 사람이 아님을 그제야 깨달았다.

휴가를 이용해 부모님과 이야기하고 다시 백령도로 돌아와 곰곰이 생각했다. 책상에 앉아 책을 읽으며 머릿속을 정리했다. 단순히 나를 더 알아가고 싶다는 의지로 시작한 독서는 하면 할수록 진짜 나를 이해하는 데 실질적인 도움이 됐다. 누구도 날 이해할 수 없을 거라 여겼는데, 책에는 비슷한 고민을 안고 살아가는 사람들이 많았고 그것만으로도 일단 큰 위로가 됐다. 나아가 점점 더 나은 삶을 이어갈 수 있게 해주었다. 꼬리에 물던 생각의 물음표는 느낌표로 바뀌기도 했다.

책을 통해 내 행동이나 생각들의 원인을 파악할 수 있었다. 물론 그 모습들이 온전히 수용되지는 않았고 그게 말처럼 쉽지는 않았다. 그중에서도 인정하기까지 꽤나 오랜 시간이 걸린 것이 하나 있다. 내가 지금 여기 백령도에 있다는 사실. 주변 사람들 다 알고, 머리로는 나도 아는데 이걸 그렇다고 여기지는 못했다. 현재 살아가고 있는 섬에서의 삶이 만족스럽지 못하니 내 존재를 거기에 두지 않고 먼 미래에 두었으며 그때가 오기만을 갈구했다. 그러나 꿈꾸는 미래는 현재로부터 시작된다는 것을 알면서도 진짜 알지 못했다. 어느 순간, 다 필요 없고 지금 나한테 주어진 것에만 집중해보기로 마음먹었다.

무력함이 초대한 터널 속에는 아무것도 없는 만큼 아무 소리도 들리지 않았었다. 대신 내면의 소리가 조금씩 들려왔다. 그렇게 현재의 삶에 초점을 두니 작은 불빛이 살아나기 시작했다. 불빛은 미약했지만 보이지 않던 것들이 희미하게 그려졌다. 내가 사는 이곳은 고립된 섬이지만, 그래서 어느 방향으로든 드넓고 푸른 바다가 보이는 곳이었다. 때에 따라 핑크빛으로, 주황빛으로 하늘이 다채로이 물드는 곳이었다. 독서의 필요성과 재미를 느끼며 오직 책에만 집중할 수 있는 아늑한 나만의 공간이 주어진 곳이기도 했다.

내가 가진 부정적인 감정들로 친구들에게 전염되는 것이 싫어 먼저 말을 꺼내지 못했지만, 그런 나를 단번에 알아차리고 진심으로 걱정해주는 이들이 있었다. 이전에 한 번도 같이 일해본 적은 없었지만, 가끔 힘든 점은 없는지 안부 전화를 해준 동료가 있었고, 나를 생각해서 더 큰 곳을 꿈꾸라고 응원해준 분도 있었다. 또, 새로운 관계를 구축하는 것에 부담을 느낀 상황에서 먼저 마음을 열어 다가온 이도 있었고, 자신들도 이미 비슷한 경험을 겪었기에 이해한다며 다독여주는 분도 있었다. 가치관이 비슷하여 대화가 무척이나 잘 통하는 인연들이 이곳에도 분명 존재해왔다.

희미하던 것이 선명해질 때가 되니 그제야 이곳에서 주어진 시간을 소중히 여기게 됐다. 올지 안 올지도 모를 나중을 위해 시간을 아끼지 않았다. 매번 나중을 고려하는 탓에 실천이 늦어지고 결국 안 하는 경우도 발생했는데, 그저 생각이 이끄는 대로 행동했다.

무심코 창문 너머 보이는 하늘의 색이 심상치 않게 예쁘다고 느껴 무작정 나가서 심청각을 향했다. 지금 펼쳐지는 노을의 아름다움을 더 가까이 보고 싶어 행동했다. 내일이 오더라도 똑같은 색깔의 노을은 절대 나타나지 않는다. 지금, 이 순간의 자연을 마주하고자 했다. 그렇게 있는 모습 그대로의 자연은 나의 위안이 되었다.

주말 아침이 되면 나도 모르게 마음이 들떴다. 들뜸은 주체가 안 되었고 집 밖으로 나가 에너지를 쓰게 만들었다. 백령도 최애 산책 코스를 걷고 또 걸었다. 퇴근하고 피곤할 만한데 걷고 싶다는 생각이 들면 바로 그곳에 갔다. 시원한 가을바람을 맞으며 걸었고, 매서운 겨울에도 산책은 멈추지 않았다. 인사이동을 바라는 기대는 마음에서 점차 사라져갔다. 아직 일어나지 않은 미래를 생각하기보다는 지금 당장 내가 할 수 있는 것으로 하루를 채워갔다. 그리고 이 시간을 잘 헤쳐나가리라 스스로 응원하며 나에 대한 믿음이 조금씩 채워졌다. 부모님도 나를 믿지 못했고, 나조차도 나를 믿지 못했는데 그걸 가능하게 이끌어준 책 속의 글을 마음에 새기면서.

'가족은 구성원 개개인을 성숙한 인간으로 자라게 하는 토양이다. 아이는 부모의 사랑의 동력으로 삼아 무럭무럭 자라서 언젠가 부모 곁을 떠나 자신의 길을 걸어간다. 비로소 어른이 되는 것이다. 물론 아무것도 확실하지 않고 위험하기 짝이 없는 세상에서 혼자 모든 것을 결정하고 책임져야 한다는 사실을 받아들이기란 결코 쉬운 일은 아니다. 때로는 가시에 찔려 상처를 입기도 하고, 길을 잃어버릴 수도 있다. 그러나 아무리 힘들어도 살아 있는 한 어떻게든 다시금 길은 나오게 되어있다. 그러니 이제 엄마 탓, 부모 탓은 그만하길 바란다. "난 약해 빠졌어"가 아니라 "아직 해 보지 않았던 거야"라고 자신을 믿고 뚜벅뚜벅 걸어가면 될 일이므로.

『딸에게 보내는 심리학 편지 - 한성희』

내가 나로서 주체적으로 지내며 이곳을 대하는 마음가짐이 완전히 달라지고 있었다. 그렇게 백령도에서 거주한 지 딱 2년이 지났을 때, 메일 한 통이 날아왔다.

'아래와 같이 인사명령을 시행합니다.
이름 : 오다솜 · 발령 내용 : 인사이동 · 근무지 : 인천'

이전에는 이 내용의 메일 받기를 얼마나 학수고대했을까. 몇 번이고 상상해도 기분 좋은 소식이었으며, 어떤 반응으로 표현할지 머릿속으로 가끔 시연해보기도 했다. 그런데 실제로 받았을 때의 감정은 2년 전 백령도로 발령 났을 때와 같이 당혹스러웠다. 예상하지 못했던 시기에 발령이 났던 터라 믿기지 않았다. 그렇게 벗어나고 싶어 했으면서, 부임 일자보다 늦게 나가기로 합의했다. 한창 회사에서 프로모션을 진행하던 중이라 이를 잘 마무리하고 싶은 마음이 컸기 때문이다. 숨김없이 말하자면 인천으로 나가는 것이 이제는 확실해졌으니까 그 마음이 클 수밖에 없었다. 집에 돌아가서는 발령 내용을 되새겨보았다. 이때는 현실 직시가 빛의 속도만큼이나 어찌 그리 빠를 수 있는지 스스로 어이가 없어 웃음이 터지고 말았다. 그리고 그동안 여기서 잘 버티고 견뎌냈다고 자신 있게 나에게 말해주었다.

백령도를 나오면서 앞으로 어떤 태도로 삶을 대할지 사색에 잠겼다. 본디 하고 싶은 것이 많은 사람으로 계획은 세우되 실천은 나중으로 미루는 경우가 태반이었다. 준비시간이 필요하다는 구실과 주어진 시간이 충분하다고 생각했기 때문이다. 이러한 마음가짐을 최대한 버리기로 했다. 스타워즈에서 요다가 말한 것을 올해의 한 문장으로 골랐다. 하거나 하지 않거나. 이 앞에 살짝 덧붙이고 싶다, '나중으로 미루지 말고 지금' 하거나 하지 않거나.

다시 근무하게 될 지점에 적응하기도 전에 일본행 비행기 표를 끊었다. '12월에는 겨울이라 볼거리가 없지 않을까? 벚꽃을 보기에는 3월이 좋을까?' 섬이 아니기에 마침내 할 수 있는 행복한 고민을 했다. 머릿속으로 행복회로만 돌리게 될 것 같을 때, 바로 실행하기로 마음먹었다. 여행을 떠나고 싶다는 것만큼은 변함없이 확실하니까 가능한 날짜로 표를 끊으면 되는 일이었다. 그 정신으로 홍콩 여행도 다녀왔다. 여행을 통해 오랜만에 마주한 나의 모습이 매우 반가웠고 웃음이 많았으며 행복해 보였다. 행복하고 좋은 일이 계속되면 이게 언제 끝날지 가끔 두려워질 때가 있다. 그럴수록 지금 이 순간을 즐기며 감사함으로 하루를 보내게 된다.

백령도에 나와 지낸 지 벌써 4개월이 됐다. 누군가 내게 요즘 어떻게 지내냐고 물으면 난 이렇게 대답한다. 인생 2회차로 잘 지내고 있다고 말이다. 현재 근무지는 2년 전에 근무한 곳과 동일하다. 그때의 단골은 지금까지도 변함이 없어, 얼굴이 새록새록 기억난다. 하지만 그분들은 나를 잘 기억하지 못하고, 새로 들어온 직원인 양 상대한다. 그럴 때마다 시곗바늘을 거꾸로 돌린 기분이다. 물론 타임 슬립은 드라마나 영화에서나 가능하지, 현실에서는 불가능하다. 시간의 중요성을 알게 된 후로는 그전처럼 그저 흐르게 내버려 두지 않는다. 이 순간은 다시 오지 않고, 그래서 더 소중하고 애착이 간다. 단순하면서도 경험하지 못하면 제대로 느끼기 힘든 '현재'의 가치를 백령도라는 섬, 나를 갇히게 한 곳에서 깨달았다.

회사를 그만두지 않는 이상 또다시 백령도로 발령이 날 수 있다. 역시나 언제 그런 일이 일어날지는 아무도 모른다. 들어가게 된다면 어떤 마음으로 지내게 될지 이전의 확실한 경험으로 극복할 수 있을 거라 믿는다. 다만, 굳이 또 그 시간을 겪어야 할까에 대한 물음에서는 아직 분명한 답을 내리진 못했다. 먼저 현재에 집중하면서 내가 추구하는 가치에 따라 답을 향해 오늘도 나아가는 중이다.

조재호

마음을 느낌

1. 얼굴
2. 친구
3. 세상
4. 예술과 상상
5. 장래희망
6. 외면
7. 후회
8. 나의 작은 고양이
9. 가족
10. 보이지 않아도
11. 마음의 병
12. 소중하게
13. 괜찮아도 괜찮다
14. 마음을 느낌

얼굴.

내가 나의 얼굴을 스스로 볼 수 없는 것처럼 나는 나의 마음을 스스로 볼 수 없었다.

마주한 누군가가 너는 이렇게 생겼어. 너는 저렇게 생겼어. 라고 말하는, 타인의 시선과 말을 통해 형상화된 나의 얼굴을, 거울이라는 소품으로 처음 마주하게 되었을 땐 너무나 이상했다. 어쩌면 상상 이상으로 불쾌했는지도 모른다. 처음으로 대면한 나의 일그러진 표정이 너무 보기 싫었던 것이리라.

어머니의 따뜻한 미소, 동생의 천진한 웃음, 아버지의 인자한 얼굴이 나에겐 없었다. 얼굴의 표정이라는 게 순간의 일부분이자, 짧게 포착되는 인상이라는 것을, 어린 날의 나는 몰랐다. 그렇게 며칠 동안 내 얼굴은 이런가 보다. 하고 시무룩했다.

그리고 그 시무룩했던 며칠 중 어느 날, 초등학교 입학 전에 가족사진을 찍자며 사진관에 갔다. 아버지는 내 앞머리에 무언가를 발라 이마를 깠다. 그리고 내게 손거울을 보여주며 '훨씬 낫지.'라고 말씀하셨다. 손거울에 비친 건 앞머리를 올려 멋있어진 내가 아니라 너무 싫어 구겨진 표정의 얼굴이었다. 너무 싫었다. 동생의 인형을 집어 던지고 사진관 안에서 내 손에 들릴만한 물건은 모두 집어 던지며 싫음을 표현했다. 그러나 결국, 사진을 찍었다. 사진에 찍힌 내 모습이 싫어 찢고 싶은 만큼 화가 났지만 이내 부모의 달램과 회유로 마음은 소강상태에 이르렀다.

사진 속 나의 표정은 심기가 불편한 상태의 뾰로통한 얼굴로 박제되어 있다. 그날을 기점으로 나의 표정은 고정되어버렸다. 내가 스스로 웃음 짓는 표정이 어색하다고 느끼게 된 모든 원흉은 왁스인지 헤어스프레이인지 모르겠지만 미용품인 것만은 확실하다. 얼굴에 뭔가 바르는 것, 뿌리는 것, 붙이는 것 등 얼굴과 관련해서 사용하는 모든 제품에 거부감이 생긴 것도 어릴 때의 좋지 않은 기억 때문이리라. 몇십 년째 앞머리를 내려 눈썹을 가리는 헤어를 고집하는 건 그저 단순히 이마를 보이기 싫은 것을 넘어 좋지 않은 나의 표정과 얼굴이 떠오르기 때문이다. 눈썹이 보이게끔 앞머리를 올리는 게 시원해 보이고 더 멋있어 보인다는 말, 스타일을 바꿔보라는 말은 내가 아닌 남의 입장에서 기인한다는 걸 왜 모르는 걸까. 내게 있어 스타일을 바꾸라는 말은 조언이 아니라 지적으로 들렸다. 지적의 탈을 쓴 조언은 존재하지 않는다. 지적이라는 단어 자체에 부정적인 개념이 포함되어 있기 때문이다. 그리고 나 또한 누군가에게 충언을 가장한 지적을 하는 행동이 때때로 나올 때가 있다. 그럴 때마다 후회스럽다. 누군가의 괴로움이 될 수 있음을 알고 있음에도 나오는 지적질이 참 증오스럽다. 스스로 뜻을 굽히지 않는 고집이 원인일 것이라 생각해 본다. 고집을 꺾으면 상대방의 좋지 않았던 모습들이 조금은 수그러들 것이라고, 그래야 한다고 믿는다.

학창 시절 나는 표정이 없다는 말을 자주 들었다. 그 말은 무슨 의미를 담은 말인 것일까? 어린 나이에 친구들 사이에서도 나는 그런 말을 들었다. 어머니도 아버지도 내게 비슷한 말을 아직도 하신다. 항상 웃고 다니라고, 즐겁게 살아가라고.

그건 웃음과 가까이 있으라는 말이 아니에요.

이미 웃음과 멀어져 있다는 말이에요.

즐겁게 살아야 한다는 건, 그 삶이 지금의 삶보다 나아 보이는 건, 지금은 그보다 좋지 않다는 말이기도 해요. 행복해지기를 고집하는 이유 또한 지금이 덜 행복하기에 드는 생각일지도 모른다고 생각해요.

내 웃는 모습은 어떻게 보일까. 왠지 이상할 것 같다는 생각이 들어 누구 앞에서 통 웃는 표정을 짓지 못한다. 입꼬리를 손가락으로 올려보아도 내가 평소에 웃을 때의 표정이 어떨지 상상이 안 간다. 가족 누군가의 웃는 표정도 내게 깃든 것 같지 않은데, 혹시 웃는 모습이 괴상하면 어떻게 하지.

방학이 끝나 2달여 만에 친구들을 만났던 날. 어떻게 웃어야 할지 몰라 고개를 하늘로 향한 채 소리를 참고 끅끅대며 웃었던 난 정말 이상한 사람으로 보였을 것이다.

너는 너를 사랑하지 않는 것 같아. 무표정한 나의 얼굴을 일그러트리는 말. 그 말은 내가 가장 듣고 싶지 않은 말이었다. 누군가에게 폭력 아닌 폭력을 당했다는 표현은 위와 같은 말을 들었을 때 할 수 있는 표현일 것이다. 나에 관한 진실을 마주하는 것, 남이 보는 내 진짜 얼굴을 마주 보는 것, 내가 외면하던 나의 사실을 알게 되는 것만큼 나를 이유로 불쾌한 상황이 더 있을 수 있을까?

나는 나를 진심으로 사랑하지 않는다. 사랑할 수 있었던 시절에도, 사랑할 수 있게 된다고 해도 나는 나를 전력으로 사랑하지 않으리라. 나를 사랑하는 것보다 다른 이를 사랑하고 싶다. 내 얼굴을 보는 시간에 다른 이의 어여쁜 얼굴을 보고 싶다. 나의 진실이 아닌 세계의 진리를 알고 싶다. 나는 그저 한 시대의 흐름 속에 존재만 할 수 있다면 그것으로 만족할 것이다. 나에겐 남을 위한 것이 곧 나를 위한 것임을 깨닫고 나니 이것이 곧 나를 위한 길임을 알게 되었다.

내가 나의 얼굴을 스스로 볼 수 없는 건 참 다행이다. 그렇지 않았다면 나는 남에 대해 전혀 알 수 없었을 것이다.

친구.

최근이라는 시간에 접해서야 나는 나를 위해 할 수 있는 가장 의미 있는 행동이 무엇인지 알게 되었다. 그것은 쓰는 것이자, 기록하는 것이다. 호랑이는 가죽을, 사람은 이름을, 나는 내 생각을 남기고 싶다.

어렸을 때부터 나는 틀리는 것이 싫었다. 틀렸다는 말을 듣고 싶지 않았다. 그 말을 듣고 싶지 않아 공부를 열심히 했을 만큼, 내가 생각한 무엇인가가 부정당하는 게 너무나도 싫었다. 내 말이 어렵다고, 내 생각이 너무 꼬여 있다고 말하는 이들이 아니라 내 말이 맞았다고 맞장구칠 수 있는 사람들을 위해 나는 나를 기록하기로 했다. 오래된 친구와의 관계에서도 서로 이해되지 않는 부분이 드러나 낯섦을 느낄 때가 많다. 초등학교 시절 만나 근 20년을 알고 지낸 사이에서 서로가 밝힐 비밀이 아직도 많다는 부분에 놀라움을 느끼고 있다. 그리고 그런 낯섦 속에서 우리는 이념의 대립을 맞이하게 되었다. 사소하지만 단호하고, 물러설 수 없는 영역이 있다는 걸 깨닫는 과정. 우리는 아직 갈 길이 멀다.

하지만 그 먼 여정을 함께할 친구들이 있어 늘 즐거움을 느낀다. 만약 사후세계가 존재한다면 친구들에게 내 생각이 맞았지! 라며 당당히 나의 사유를 관철하고 싶다. 그리고 그들은 또 반대 의견을 늘어놓겠지. 나는 또 그 변명을 타파하기 위해 고심할 것이다. 생각할

거리를 주는 것이 사랑스럽게 여겨지는 나에게, 녀석들의 꺾이지 않는 마음은 참 증오스러우면서도 좋다.

우정에 관한 동사적 표현이 없는 이유는 굳이 말하지 않아도, 어쩌면 표현하지 않아도 서로를 소중하게 여기는 마음이 너무나 당연하기 때문일지도 모른다. 그러나 이런 기록을 내가 남기는 이유는 표현하지 않으면 휘발되어 버리는 마음의 천부적인 약함에 있을 것이다.

먼 미래에는 서로 다른 마음이 각자의 영역에서 더욱 단단해져 있겠지. 더 강한 마음으로 더 끈끈해진 우정을 견고하게 다져보자. 애증한다. 친구들아.

세상.

세상이 평화롭기를 원하는 마음은 곧 자신을 위한 마음이라는 것을 사람들은 알지 못할까? 나의 하루가 평안하려면, 세상이 평화로워야 한다는 것에 대해 너무 무지한 것처럼 느껴진다. 어쩌면 세상에는 평화가 오지 않기 위해 불행과 행복을 조정하는 악마가 존재할지 모른다. 모두가 남에게 피해를 주지 않는 선에서 나만을 위하는 행동을 하기만 해도 이 세상은 더욱 평화로워질 텐데. 내가 생각했을 때 이 세상엔 화평을 위한 신이 없다. 가정의 불화, 친구와의 싸움, 사회적 다툼. 화목과 평온을 위한 신이 있다면 그 신의 능력에 한계가 있음을 인정할 수밖에 없을 것이다.

대신 이 세상엔 평화를 위한 천사는 많다. 세상의 안정과 평온을 위해 일하는 모두가 사회를 구성하는 천사들이다. 떠받드는 이 없이 역할을 다한다는 건 얼마나 숭고한가. 신이 정말 존재한대도 나는 이 땅에 이미 있는 천사들을 사랑하겠다.

언젠가 여행 중에 들른 사립도서관에서 작은 이벤트가 열린 걸 발견했다. 책상과 의자, 독서대가 마련된 자리에 어떤 작가의 두꺼운 시집을 올려두고 공책에 마음에 드는 시를 적어넣는 소소하지만 아름답고 기발한 이벤트였다. 나는 꽃씨를 심어요. 라는 제목의 시를 선택하고 몇 구절을 기록한 뒤 날짜를 적고 작은 글을 적었다.

'세상이 다시 따뜻해질 날을 기다리며.'

다시 따뜻해질 만큼 따뜻했던 적이 있었는지 모르겠다. 그리고 다시 따뜻해져야 할 만큼 시대가 차가운지 그렇지 않은지 사실 잘 모른다. 그저 나도 모르게 이런 글을 적을 만큼 내게 차갑게 느껴지고 있는 것은 분명한 것 같다.

내가 생각하는 사람의 정의는 자신의 온기를 기꺼이 나눌 수 있는 존재이다. 그리고 내가 바라보고 싶은 세계는 그렇게 모두가 따뜻한 마음을 나누는 시대이다. 나를 품은 세계가 자신이 낳은 알들을 따뜻하게 품어 온기를 전하는 어미 새이기를 바라본다.

예술과 상상.

예술이란 무엇인가. 그것은 삶에 의미를 부여하는 작업이다. 의미를 부여한다는 건 가치 있는 일이다. 의미가 있다는 건 뜻을 품었다는 뜻이다. 뜻은 방향을 잡았다는 의미이며 작업을 한다는 건 그

뜻의 방향으로 걸어 나가는 일이다. 나는 아주 어렸을 때부터 예술을 하고 싶었다. 첫 시작은 그림을 그리고 색을 칠하는 작업이었다. 나만이 알아볼 수 있는 문양을 그린다거나 물감을 한쪽 면에만 칠한 뒤 반으로 접은 뒤 열면 나오는 독창적인 그림들이 모두 나의 첫 예술 작업에 속한다고 볼 수 있다. 현실의 벽에 부딪힌 나의 그림들은 나 스스로 볼품없다고 정의 내리면서 그 가치를 잃어갔다. 내 그림에 내가 의미를 부여하지 못한 것이다. 학교에 진학하고 진짜 그림을 잘 그린다는 게 어떤 건지 알게 되면서 그림과는 멀어졌지만, 여전히 나는 예술의 꿈을 갖고 있다.

그림 다음으로 글을 쓰는 것에 재미를 붙이기 시작하면서 나는 나만의 세계에 빠져들었다. 글로 만드는 세계에서 나는 마음속에 아기 돼지 삼 형제가 집을 지은 것처럼 혼자 생각해서 만든 작은 집을 지었다. 그 집은 곰돌이 푸우의 집처럼 나무 밑동에 자리를 잡고 있으며, 가까운 거리에 시냇물이 졸졸 흐르고 뒤편에는 멀리 산봉우리가 보이는 곳에 있다. 외롭거나 힘든 일이 생기면 어떻게 알고 나타났는지 모를 크리스토퍼 로빈 같은 친구가 근처에 살고 있고, 내가 좋아하는 사람들이 작은 군락을 이루어 마을을 형성한 꿈만 같은 장소. 오로지 나만 알고 있는 비밀의 공간이었고, 처음 마주한 낯선 세계였다. 그곳에서 나는 무엇이든 만들어내고 다시 무엇이든 지워낼 수 있었으나 이 비밀스러운 세계를 남에게 공개할 순 없었다. 부끄러움이 가장 큰 이유였고, 부모님의 의문스러운 반응이 소소하게 자리를 잡았기 때문이다.

어릴 때부터 책과 친해지라고 우리 집은 우유 배달보다 책 배달이 자주 왔다. 매주 반납 기한이 있는 책에 나는 깊은 애정을 느끼지 못했고, 점차 책과의 거리가 멀어지기 시작했다. 그러나 다시금 책과 문자와 가까워진 건 순전히 외로웠기 때문이다. 책과 가까워지는 방법은 한없이 외로워지는 것일지도 모른다. 고독과 같은 외로움이 찾아올 때면 결국 사람을 찾게 됐다. 하지만 주변에 만나줄 친구가 없고, 이야기를 들어줄 여유가 있는 사람들이 없었기에 결국, 최고의 소통수단인 책을 찾게 되었다. 책은 일 방향으로 소통되는 것이지만, 그게 어디인가. 나는 책 속에 빠져들어 이상한 나라를 탐험하고, 어린 왕자를 만나며 나비가 되기까지 고통을 받은 애벌레의 마음을 알 수 있게 된다. 책을 읽고 난 뒤에는 내가 그 이야기 속 인물이 되어 다른 선택지를 골라 새로운 이야기를 만들 수도 있다. 책은 무한한 페이지를 내게 건네주었다.

성인이 되어서는 아무리 상상을 해도, 자세하게 설정을 만들고 머리를 굴려봐도 상상에 몰입이 되지 않는다. 차가운 현실에 녹아들었기 때문일까. 불과 10여 년 전만 하더라도 상상의 굴레를 돌리며 행복한 잠에 빠져들었던 나는, 이제 오늘 있었던 일을 복기하며 실수한 건 없었나 따위의 해결되지도 않을 문제를 곱씹으며 잠에 빠진다.

상상의 공간은 이제 우연히 꿈에서나 체험할 수 있는 머나먼 창공의 성이 되어버렸다.

장래희망.

나는 초등학교에 들어가기 전 한글을 모두 숙지하지 못했다. 학교에 입학 하고 배운 것은 주로 받아쓰기였는데, 나는 이 수업을 가장 싫어했다. 한글을 모르니 맞춤법은 물론이요, 제대로 쓰지도 못했다. 100점 중 20점을 받았을 땐 어린 나이에 큰 절망감과 친구들로부터 패배감을 맛보아야 했다. 처음으로 일탈을 한 것이 받아쓰기 시험 때 몰래 책상 밑에 있는 교과서를 보고 컨닝을 한 것이니, 나에게 있어 국어란 꽤 친해지기 싫은 과목이었다. 1년이 지나 부모님의 열렬한 노력으로 나는 이제 맞춤법을 잘 맞출 수 있게 되었고, 나를 공부 못한다고 놀리던 여자애의 콧대를 눌러주기도 하였다. 그러나 또다시 나에게 시련이 다가왔다. 그것은 이해력에 관한 문제였다. 초등학교 2학년이 되어 본 시험에서 답이 2개인 문제를 마주하자, 나는 모든 문제의 답을 두 개씩 썼다. 국어 과목이었다. 해석하기에 따라 이 답도, 저 답도 말이 되는 것 같았기에 나는 문제의 답을 여러 개씩 체크 하였다. 결과는 또다시 100점 만점에 20점. 담임 선생님은 어떤 의도인지는 모르겠으나 친구들 앞에서 내 점수를 공개했다. 그리고 곧 내 글씨가 정말 악필이라는 점을 지적하며 반 아이들 앞에서 내 못난 글씨를 보여줬다.

당시에 나는 독서와 관련된 과외 같은 것을 받고 있었다. 과외 선생님은 어느 날 내 글씨체가 어른들이 쓰는 날림체와 비슷해진 걸 본 뒤, 놀라는 모습을 보이시며 어머니를 불렀다. 무슨 계기가 있었냐며 물었지만, 나는 답을 하지 않았고 어머니는 무슨 일이 있었는지 모른다고 답했다. 나는 아버지와 어머니의 글씨를 보고 필체를 바꾸었다. 나의 글씨체는 아직도 당시에 아버지가 공책에 휘날리듯 적으셨던 그 글씨를 닮아있다. 어른이 되어 나이가 드신 아버지는 캘리그라피를 공부하시고 글씨를 잘 쓰는 법을 배우시자, 내 글씨를 보고 너무 못 썼다고 하신다. 그럴 때마다 속으로 이건 아버지의 글씨에요. 라며 작게 코웃음을 쳐본다. 학교에서 달라진 내 글씨를 보고 친구들이 글씨 잘 쓴다는 말을 해주었다. 중학교 때도, 고등학교 때도 비슷한 말을 들어왔다. 그럼에도 아버지는 내가 입시 논

술을 전부 떨어졌을 때, 내 글씨가 못나서 떨어진 게 아니냐며 의문을 품으셨다. 아버지. 저는 제 글자나 글이 부족해서 시험에 떨어졌다고 생각하지 않아요. 저는 수능을 망쳐서 최저등급을 맞추지 못해 떨어진 거예요. 이 말을 끝내 하지 않은 건 당시에 나의 공부에 대한 부족함을 드러내고 싶지 않았기 때문이리라.

나는 희망하는 대학에 전부 떨어진 뒤 부모님이 원한 공무원이 되기 위해서 행정과 관련한 학과에 진학했다. 그리고 반년을 채우지 못하고 자퇴를 했다. 꿈이 없던 나에게. 잘하는 것이 무엇인지 몰랐던 나에게. 부모님은 안정적인 공무원을 직업으로 삼기를 원하셨다. 아이러니하게도 학교에서 장래희망을 적을 때면 나는 진로 희망서에 국어 과목의 선생님을 기재했다. 그 모습은 상상조차 되지 않는 미래였다. 나는 고등학교에서 심리학 서적을 접하여 흥미를 얻고 심리학과에 진학하려 하기도 했다. 사실 나조차도 어떤 직업을 원하는지 몰랐기에 방황이나 다름없는 변명 같은 마음이었다. 나의 20대는 그렇게 제대로 세우지 못한 미래의 진로 계획 때문에 삐걱거리는 소리를 내며 시작되었는지도 모르겠다.

"하고 싶은 일을 하기 전에 아버지 일을 도우며 돈을 벌게요."

생산과 관련한 자영업을 하시는 부모님의 뒤를 따라 도움을 드린다는 명목으로 나는 사회에서 멀어졌다. 그렇게 나는 어떤 사람이 되고 싶어요. 라는 말을 9년 동안이나 하지 못한 채 29세를 맞이하게 되었다. 고등학교 때 어떻게 돈 벌어서 살래? 라는 질문에 나의 미래는 마음속 저편으로 숨어들었고, 긴 세월을 보냈다.

외면.

하고자 하는 일에 힘을 실을 수 있는 것은 두 가지라고 생각한다. 정당한 근거와 이유. 말은 곧 행동의 원천이 되기도 하기에, 내가 해왔던 비효율적인 행동들은 저마다 모두 나름의 근거와 이유가 존재했다. 학교에서 교과서를 함부로 훔치는 이들이 있다는 걸 알게 된 뒤로, 그날의 수업할 책을 모조리 가방에 넣고 다닌다던가. 교통비가 아까워 30분 넘는 등굣길을 매일 자전거를 타거나 걸어서 간다던가. 지각비를 내는 게 싫어 아침 6시에 일어나 7시가 되기 전에 학교에 도착한다던가. 뭐든지 내게는 정당한 이유가 필요했다. 다만 그 행동의 결과들이 그리 좋지 않은 영향을 주었지만 말이다. 병원에서 성장판 검사를 했을 때, 큰 키로 클 수 있다는 말을 들었지만, 5kg에 육박하는 책가방을 메고 하루 1시간가량 되는 시간을 6년 동안 걸어 다녀 키가 예상보다 크지 않은 점. 고등학교에 진학하고 학교에 있는 시간이 2배 이상으로 늘어 일찍 일어나 등교하는 게 수업을 집중하는 데 있어, 방해되었다는 점. 1시간이 소중한 입시생이 얼마 되지 않는 교통비를 아껴 후회만 남겼다는 것. 성장판 검사는 사실 실제 키를 예상하는 데 그리 도움이 되지 않을 수도 있다는 것. 수업에 집중하는 건 개인적인 문제라는 점, 교통비와 용돈을 아껴 나름 통장에 큰돈이 쌓였다는 것. 무엇이든 생각하기에 따라 다르게 느껴질 수 있음을 시간이 지나 깨닫는 데에는 나름의 이유가 있을 터다. 당시의 나는 이유를 알지 못해 스스로 자책하고 자신을 소중히 여기지 못했다. 나를 소중히 대할 수 없다는 건 너무나도 당연하게 보였다.

그렇기에 나는 나와 관련한 호의를 믿지 않았다. 내가 나를 좋아

할 요소가 없는데 어찌 다른 이에게 호감을 받을 수 있을 것인가. 누군가가 나를 사랑한대도 나는 이를 외면해 왔다. 믿기 싫었던 것이리라. 나를 사랑하는 너는 어딘가 이상해. 자존감 없는 사람의 전형적인 모습이었다. 그렇게 난 감정을 재단해왔다고 믿으면서 스스로 고립되어 가는 중에도 그런 줄 모른다고 외면했다. 아직 제대로 된 마음을 마주하지 못한 건 스스로에 대한 결핍이 주된 문제였음을 외면한 채로 살아온 탓이다.

후회.

나는 서울을 그리 좋아하지 않는다. 너무나 복잡하고, 사람이 많아 와글와글한 느낌이 내게는 너무 부담스럽다. 그런 내가 어렸을 때 서울 학교에 진학하여 서울 사람이 될 기회가 있었다는 사실은 꽤 신선한 충격으로 다가왔다. 아버지가 젊은 시절 서울에 마련한 작은 빌라로 주소지를 옮겨 나를 서울에 있는 초등학교에 보내고 싶었다고 하셨다. 어느 날 알게 된 과거 이야기는 꽤 놀라웠다. 지금의 친구들을 전부 만나지 못하는 삶을 생각하니 식은땀이 흘렀다. 지금과 다른 삶을 살게 되었을 때를 상상해봤다. 그리고 그 삶에 몰입했을 때, 아쉬움이나 새로움을 넘어, 두려움을 느꼈다. 현재의 인연과 생활, 생각이 전부 바뀌어 버린 다른 세계의 나. 그건 내가 아니었다. 다른 세계의 나를 상상하다 꿈속에서 그 또한 나일지, 나는 그 세계의 사람인지를 혼동했다. 어느 날 꿈속에서 다른 장소에서의 삶을 체험했을 때, 그리고 그 꿈에서 깨어났을 때 나는 안도의 한숨을 쉬었다. 소중한 지금. 지금의 삶에 충실해야겠다는 마음이 확고해진 순간이었다. 후회했던 과거가 있대도, 미래에서 회상한 과거 또한 지금을 위한 발판과 과정의 일환이었다고 말할 수 있는 사람이 되고 싶다. 내가 밟아온 삶의 흔적은 바뀔 일이 없을 것이다. 그렇기에 나는 지금에 충실한 삶을 살고 싶다.

그러나. 내가 평생에 걸쳐 해결할 수 없는 슬픔과 후회가 있다. 어쩌면 내 삶의 유일한 실수이고 오점이라 말할 수 있는, 속죄할 수 없는 거짓말. 그것은 이제는 세상에 없는 할아버지에 관한 이야기이며. 나의 당당하지 못했던 장래와 관련한, 혹은 겁에 관한 이야기이다.

한글날, 할아버지는 우리 가족의 곁을 떠났다. 대학교를 자퇴한 지 1년 4개월이 되었을 때였고, 태어나 처음으로 외국 여행을 다녀온 지 막 1달이 채 안 되던 시기였다. 나는 이탈리아에서 가족들을 위한 선물을 구매했다. 컵, 열쇠고리, 장갑, 장식품. 그리고 할아버지를 위한 넥타이. 할아버지는 외출할 일이 있을 때마다 정장을 차려입으셨다. 언제나 깔끔했고, 깔끔함을 유지하기 위해 행동하셨다. 할머니의 눈에는 그리 보이지 않았을지 모르지만 말이다. 할아버지를 떠올리며 드는 이미지는 순백의 곶감이다. 할아버지는 무엇을 뿌리는지 항상 감 냄새가 났다. 그 냄새의 근원이 무엇인지 아직 모르겠는 건 내가 앞으로도 알 수 있을지 모를 세계의 비밀 같은 것이라 할 수 있겠다. 초등학교 저학년 토요일에 가끔 학교로 데리러 오던 할아버지. 맞잡은 손에서 났던 향기로운 감 냄새. 나는 그 시절의 그 냄새를 잊을 수 없다.

피부가 약해 가려움이 많아 내게 자주 등을 긁어달라던 할아버지. 그리고 피부병이 옮길 수 있으니 할아버지의 등에 손을 대지 말라 하신 아버지. 나이가 들어 등이 가려우면 내게 등을 긁어달라는 아버지의 모습에서 나는 할아버지의 등을 본다. 내게 자식이 생겨 할아버지가 될 아버지의 등을 나는 아버지처럼 만지지 말라고 말하게 될까? 알 수 없다. 벌어지지 않은 일을 알 수 없지만, 벌어진 일에 대해서도 말로 표현하거나 전달하지 않는다면 이 또한, 알 수 없을 것이다. 내가 경찰이 되겠다고 경찰행정학과에 진학한 뒤 4개월 만에 학업을 때려치우고 아버지의 밑에서 일 수발을 들었던 것에 대해 할아버지가 끝까지 몰랐던 것처럼. 학교 잘 다니냐고 물어보면 "예, 잘 다녀요."라고 거짓말을 한 나를 나조차 용서할 수 없는데, 할아버지는 얼마나 큰 배신감을 느끼실까. 사후세계가 있어 할아버지가 어디 가지 않고 나를 기다리며 "왜, 거짓말을 했니."라는 말을 한 악몽을 꾸었던 기억에서, 나는 통탄의 울음을 삼켰다.

그러면서 뻔뻔하게 할아버지를 기리며 시를 써 핸드폰 메모장에 기록했다. 나는 그 뒤, 글을 쓰지 못하게 되었다. 마음 한편에는 글 쓰는 사람이 되어보고 싶다고 생각하면서도 쓰는 걸 하지 못했다. 쓰기 시작한 뒤 그만두고. 구상한 이야기들을 짜깁기하여 새로운 제목과 새로운 내용으로 탄생시킨 뒤 지우기를 몇 번이나 반복한 뒤, 나는 글을 지어낼 수 없는 사람임을 인지했다. 내 생각을 가족에게도 전하지 못하는데 어찌 머릿속 이야기나 공상을 당당하게 써서 모르는 이들에게 공개할 수 있단 말인가. 나는 사적이기만 한 이야기를 경계하지만, 나에게 솔직하지 못한 채로는 어떠한 공상의 이야기도 만들지 못하리라. 이는 어떤 형식의 글이 되었건 쓰지 못함을 의미한다. 글과 관련한 모든 행위를 하지 못함을 의미한다. 그렇기에 고백한다. 그렇기에 사실을 공표하고 솔직해지려 한다. 나는 꿈을 당당히 밝히지 못해 사랑하는 할아버지에게 거짓말을 한 못된 손자이다. 그리고 이를 정정할 기회를 영영 잃어버린 최후의 후손이다. 할아버지. 나는 언제나 할아버지를 사랑했어요. 원하던 대학 진학에 실패한 뒤 잘 찾아뵙지 못한 것. 할아버지의 차가워진 육체를 손을 뻗어 잡지 못한 것. 할아버지의 뼛가루를 들지 못한 것. 모두 후회하고 있어요. 그 어떤 슬픈 이야기를 접해도 눈물이 없던 내가, 지금 이 글을 쓰며 울고 있어요. 말로 전하지 못한 사랑을 지금의 순간에 눈물로 보이는 나를 부디 용서하지 말아요. 나는 할아버지의 자랑이 아닌, 어쩌면 할아버지가 남긴 유일한 겁일지 모르니까요.

그 어떤 슬픔을 마주해도, 그 어떤 이별과 반려동물의 죽음에도 난 눈물을 흘리지 않았다. 그런 내가 할아버지를 향한 이야기를 글로 옮기며 눈물을 흘린다. 감정을 마주하지 못해 웃는 법도 우는 법도 제대로 모르던 내가 울며 후회하고 있다. 시간은 많은 걸 해결한다는 문장이 불현듯 생각난다. 사람이 시간을 버티기에는 세월이 너무나 길다. 할아버지의 육신은 내가 당당해지기까지의 시간을 버티지 못하였다고 시간을 탓하며 한탄해본다. 그 어떤 책에서도, 지식에서도, 알 수 없었던 후회되는 마음. 후회하는 사람의 모습을 수없이 접했어도 직접 경험하지 않으면 알 수 없는 우매함. 후회되는 마음을 풀어내기 위해서는 비교적 당장에 해결해야 함을 이제야 깨닫는다. 시간이 해결해주는 건 사람의 마음이 아니라, 어떤 흐름일 뿐이라는 걸 알게 되었다.

한숨을 쉰다. 나이가 들어 노년을 마주했을 때, 등이 굽는 건 등에 그만큼의 무언가가 없어졌기 때문이 아닐까. 그가 구부린 등에서 나는 많은 걸 느끼진 못했다. 이제 와 닿을 수 없는 그 등을 토닥여나 볼 걸 싶은 후회가 떠오른다. 마음을 모른 채 할아버지의 가려움을 긁던 어린 날의 나는 할아버지에게 어떤 존재였을까? 역시나 알 수 없다. 시간이 지나서야 속에서부터 올라온 후회를 토해내고 그걸 빤히 바라보며 여러 생각을 떠올린다. 왜 그때 생각지 못한 것들이 이제야 떠올라 나를 괴롭힐까. 이 생각을 다시 되풀이하지 않기 위

해 마음을 다진다. ‘후회하지 않도록 최선을 다할게요.’

사별.
먹먹함을 묻혀 한 획을 그었다.
슬픔을 부어 섞어 두 획을 그었다.
눈물을 흘려 섞어 세 획을 그었다.
아쉬움에 후회하며 네 획을 그었다.
그제야 비로소 진정으로
영원한 이별을 고할 수 있었다.

나의 작은 고양이.

이별에는 익숙하다, 생각해 왔는데, 나는 새로운 만남에서 또 이별을 생각한다. 이것은 나의 작은 고양이에 관한 이야기이다. 할아버지가 돌아가시고 현재까지 7년의 세월을 함께한 고양이. 이름은 탄. 형제의 이름은 연. 연탄 창고에서 발견하여 지어진 이름으로 동물의 삶은 어쩌면 이름으로 결정된다는 말을 듣고 경험했음에도, 한 마리는 연약하다는 의미로 통할 수 있는 ‘연’으로, 또 한 마리는 탄탄하다, 말할 수 있는 의미의 ‘탄’으로 지은 건 나의 실수였다. ‘연’은 어린 시절 무지개 다리를 건너고, ‘탄’은 내 곁에 아직 남아 나를 지탱해주는 버팀목이 되었다. 작은 고양이에게서, 물렁물렁한 뱃살과 뼈를 가진 존재에게서 어찌 그런 단단한 고집을 느낄 수 있는지. 생물의 창조자가 있다면 모순이라는 이름의 생물로 고양이를 빚었으리라.

언젠가 '탄'과 보낸 시간을 오래도록 기억하기 위해, 많은 사진과 비디오를 찍었다. 그 아이의 모든 장면 장면이 너무나 소중해서 같이 보낸 7년과 앞으로의 몇 년을 위해 많은 날을 이 아이를 위해 살 것 같다. 할머니는 동물이 너무 오래 살면 영물이 된다고 말씀하셨다. 그리 말씀하셔도 '탄'의 늘어진 모습에서 웃음을 보이시니 우리 가족의 웃음을 담당하는 명물이라 할 수 있겠다.

나의 손길을 거부하지 않으며 어떨 땐 이빨로 어떨 땐 미소로, 장난 넘치는 너의 아프지 않은 깨물음, 내 눈에만 보일지 모를 귀여운 웃음이 나의 마음을 언제나 녹인다. 겨울이 와도 너를 껴안으면 추위가 따뜻이 느껴지고 슬픔이 다가와 나를 두드리면 너의 온기가 나를 쓰다듬는다. 살기 위해 몸부림치던 너의 목소리는 이제 밥을 달라는, 어떠한 울림으로. 어떻게 보면 지금도 살아가기 위한 울음소리일지도 모른다고 생각하니 잠깐 미소가 지어진다. 인간을 넘어 삶의 목소리를 뿜는 생명체의 심장 소리는 소중한 영혼의 뜀이라는 걸 너를 통해 알았다.

나의 작은 고양아.

너에게 주어진 시간이 얼마든 간에 나는 너의 보호자이자 동반자로서 너의 삶을 함께 할게. 너의 늘어짐을 언제고 사랑할게.

가족.

그 대상이 가족일지라도 사람과의 소통은 너무나 복잡하고 어렵다. 상대방이 원하는 걸 눈치를 채도 가끔 이를 인정하고 내어주기 싫은 마음. 혹은 반대로 내 생각과 마음을 알아주어 내 기분을 맞춰주길 바라는 마음. 동물에겐 원하는 걸 주기만 해도 문제가 해결되지만, 사람은 그렇지 않다는 걸 알기에 더욱 무언가를 주고 나누는 행위가 어렵게 느껴진다. 소통의 문제를 많이 간소화시켰지만, 여전히 사람에겐 소통이라는 이름의 갈등이 남아있다. 이 세상에 고집이란 개념이 없다면 갈등이랄 것이 없지 않을까? 모르겠다. 벌어지지 않은 일은 언제나 알 수 없는 법이다. 가족과의 소통이 어렵다고 생각되는 일도 사실 제대로 마주한 적이 없기 때문일지 모른다. 그러나 가족과의 소통을 미루고 미루는 이유는 그만큼 소중하고 특별한, 유일무이한 관계이기 때문이라 생각한다. 소통은 얻는 것도 많지만, 잃게 되는 경우도 분명히 발생한다. 감정이 섞인 소통은 언제나 관계를 잃게 만든다. 가족의 소중함을 알기에 그들과 대화하는 것에, 더 많이 고민해야 함은 분명한 사실일 것이다.

보이지 않아도,

머리에 잡다한 생각들을 비우는 방법에 대해 고심한다. 조금 더 나를 비우고 새롭고 좋은 것들로만 채우려는 욕망에서 벌이는 작업이다. 사실 나는 어떤 사소한 것까지도 놓치고 싶지 않다. 어릴 적부터, 내 소유가 된 것들을 버리지 못함은 과거의 기억이나 정이 묻었기 때문이 아니라 그저 버려지는 것에 관한 막연한 싫음이 문제였다. 이유를 불문한 막연함. 뚜렷하지 못한 마음을 가진 것은 나의 가장 큰 단점이자 장점이었다.

아주 어릴 적 장난감 코너에서 멋진 로봇을 바라봤다. 정말 갖고 싶은지 그렇지 않은지 내 마음을 정하지 못하고 있을 때였다. 부모님은 그런 내가 왠지 모르게 짠해 보였다고 한다. 그래서 결국 그 장난감을 내 손에 쥐여주었다. 그때부터였나, 갖고 싶은 게 생기면 빤히 바라만 보다가 마음을 접는 일이 부쩍 많아졌다. 나는 아직도 내게 진정 필요한 물건이 무엇인지 잘 구분하지 못한다. 누가 손에 쥐여주면 고맙게 생각하지만, 그 물건들이 내게 어울리는 건지 잘 활용할 수 있을지 따위를 고민한다. 그 고민의 시간은 내게 어떤 재미를 부여하지만, 막연히 시간을 죽이는 일이기도 하다.

마음속에서 피어나는 감정들을 선명하게 만드는 작업이 더딘 내게 뚜렷한 목표와 마음을 세우는 사람들은 참 대단하게 보인다. 갈피를 잡지 못해 우왕좌왕할 때 자신이 가야 할 길을 확실히 알고 있는 모습은 참 멋있다. 마치 삶의 지도가 손에 들려있는 것처럼 그들은 망설임이 없다.

나는 어떤 사람인가에 대한 고민은 정말 끊임없이 했다. 지금 내가 왜 이런 마음을 가진 채로 있는지 앞으로 어째야 할지. 주변에 좋은 친구들과 사람들이 내게 건네는 위로와 조언이 따뜻하기만 한 건 아니라고 생각되어버렸을 때도 나는 제자리에서 같은 고민을 한 채 변하지 않았다. 결국, 누구의 말도 나를 바꾸지 못할 것을 알아차렸을 땐 늦었다는 생각을 해버렸다. 지나간 시간에 대한 후회, 아쉬움 따위가 발끝에 차오른 채로 첨벙첨벙 소리를 내며 앞으로 걸어가고 있었다. 중요한 건 방향이었다는 깨달음이 그래도 잘하고 있었구나, 라며 스스로 위로를 건넬 수도 있게 만들었다.

뚜렷하지 않은 마음의 가장 큰 장점은 무엇이든 되려 한다는 것이었다. 수많은 꿈을 품고 수많은 상상의 나래 속에서 무엇이든 되려 했다. 그 많은 경험과 소원 속에서 피어나지 못한 홀씨들이 아직 가슴 속에 많이 남아있다. 그리고 그 꽃씨들이 나의 마음에 도착하여 아름다움을 펼칠 때까지 기다려볼 수도 있겠다. 혹은 피어나지 않더라도 간직하는 마음만으로 지낼 수도 있을 것이다.

마음의 병.

어릴 적, 내게는 마음의 병이 있었다. 그 병 안에는 온갖 좋지 않은 감정들을 담았다. 많은 욕심으로 꾹꾹 눌러 병을 가득 채웠을 때, 그 병은 이내 깨져 내 마음에 상처와 핏자국과 흉터를 남겼다. 나는 곧 새로운 병을 두었다. 이번에는 이전보다 단단하고 큰 병이다. 이곳에는 쉽게 휘발될지도 모를 감정과 느낌, 기억, 지식을 담았다. 이전과 달리 이번에는 담아도 담아도 채워지지 않았다. 그러나 깨진 병과 다르게 담을수록 금이 가는 것이 아니라 더욱 단단해져 감을 느꼈다. 끝내 다 채워질지는 알 수 없으나, 이 병을 다 채우고도 깨지거나 넘치지 않는다면 나는 새로운 병을 준비할 것 같다. 그리고 그 새로 준비한 병에는 다른 이들을 위한 마음을 담으리라 생각해 본다. 언젠가 나의 마음의 병에 꽃이 피어날 그날까지, 나는 마음과 마음의 병에 많은 것을 담을 것이다.

소중하게.

나는 나를 사랑하지 않는다. 이건 사실이다. 나는 나를 소중히 대하지 않는다. 이건 거짓이다. 소중함과 사랑. 의미적으로는 다르지만, 언뜻 보면 비슷한 단어들이 내게는 모두 개별적인 것으로 느껴졌다. 그래서 가끔 사람들과 대화할 때 다른 의도로 사용된 단어를 이해하더라도 이를 정정하고자 싶은 마음이 컸다. 꽤 커다란 오만함이었다. 다른 이들이 사용한 단어에도 그 사람들만의 언어가 들어있음을 알지 못한 우매함이었다. 다른 것을 반증하고 싶은 치기 어린 실수들이었다. 새로운 걸 탐구하고픈 호기심이었을지도 모른다. 나 또한, 내가 가진 고집에 대해 정확히는 알 수 없으나 굽히거나 넘어오면 안 되는 선이 존재함은 무의식적으로 알고 있다. 그 선을 넘나들고 부딪히며 살아가는 게 삶일지도 모르겠다. 내가 누군가의 주장에 동의가 아닌 반대를 들이밀고 싶은 것처럼 내 고심과 깊은 사유에서 꺼낸 성찰에도 누군가는 이를 반증하려 할 것이다. 자신이 정한 선은 사실 중요치 않을지도 모른다. 어쩌면 소심함의 문제일 수도 있다. 다른 사람과 의견의 충돌을 의도적으로 회피하려 했기에 한 행동일지도 모른다. 생각을 일치시켜 결론 내릴 마음을 비슷하게 유지하려는 속셈이었을지도 모르겠다.

나는 나를 소중히 여기려 한다. 그러나 나는 나를 사랑하지 않는다. 이 말의 의미는 결국, '나는 나를 사랑하려고 한다.' 내가 나를 사랑하지 않는다고 스스로가 싫기만 한 것은 또 아니기에 나는 나와 부단히 가까워지려 애쓰고 있다. 다른 이들의 시선이 어떤지는 몰라도 나는 나의 장점도 단점도 드러내고 싶지 않은 속마음도 다 알고 있다. 나보다 나에 대해 잘 아는 이가 있다면 나는 그 사람을 사랑하겠다. '나'라는 작자와 가까워지는 것. 이것이 결국 사랑의 과정이자 소중함을 확고히 하는 절차가 아닐까 싶다.

괜찮아도 괜찮다

사실이란 대체로 슬프고, 그 슬픔을 감추기 위해서는 표정을 지워야 한다. 나는 그래 왔다. 생각해온 상상과 마주한 현실과의 간극이 예상한 것보다 크게 벌어져 있을 때, 나는 그 실망감을 표출하지 않기 위해 부단한 노력을 해왔다고 생각한다. 그 부단함 속에서 삐죽삐죽 빠져나온 실망감은 나의 드러난 표정이 되었고 그 표정이 보기 싫어 표정을 지우려고 했다. 생각해 보면 내게 왜 표정이 없냐는 말을 했는지 이제야 알 것 같다. 그건 표정이 없다는 말이 아니라, 왜 아득바득 표정을 숨기려느냐 하는 의미라는 걸. 씰룩거리는 웃음, 구겨지는 슬픔, 여러 감정이 드러날 순간에 그 마음을 외면하는 일. 내가 해온 건 그런 일이었다. 이런 모습들을 회고하며 생각하니, 표정이 없어 보이는 건 당연하게 보일 수도 있겠다는 생각이 들었다.

그리고 그래도 괜찮을지 모른다는 생각도 어렴풋이 피어올랐다.

나는 여전히 내 얼굴을 볼 수 없고 내 마음이 어떨지 알 수 없다. 다만 이젠 내 마음이 어땠는지는 알 수 있을 것 같다는 생각이 솟았다. 내일의 내게 무엇을 이야기해야 할지 나는 항상 고민해왔다. 앞으로 어떻게 살아야 할지에 대한 고민으로 머릿속은 가득해지고 괜찮은 부분도 괜찮지 않게 생각되었다. 마음이 곪는 일은 그렇게 간단히도, 쉬이 일어나는 일이었다. 괜찮은 부분을 괜찮게 여기지 못하게 되는 게 시작이었다. 불안의 홀씨는 고독하다 여겨지는 마음에서 꽃피는 것임을 다시 한번 상기해본다.

돌이켜보면 많은 일이 있었다. 머릿속에 다 담지 못할 만큼, 괴롭기도 즐겁기도 한 일들을 겪으며 지금의 내가 있다. 오늘을 살아갈 지금의 나는 뒤돌아보면 흔적의 앞에 존재하고, 앞을 바라보면 걸어 나갈 흔적의 뒤에 서 있다. 먼 미래를 생각하면 발자국이 더 이상 보이지 않을 시간까지 나아가 있을 것이다. 그 순간의 마지막을 향해서 지금 흐릿한 목표를 구체화하고 무언가에 열중하며 가끔은 뛰고 가끔은 걷는다. 이제 와 내가 나에게 해줄 수 있는 말은 '괜찮다.'이다. 이제 마음속 응어리를 괜찮게 여겨도 괜찮다고, 스스로 만들어낸 괴로움에 휘둘리지 않아도 괜찮다고 말하고 싶다.

마음을 느낌

지금까지 미뤄왔던 이야기로 내 마음을 되돌아보고 그 과정에서 마음을 느끼며, 앞으로 느낄 마음에 관해서도 생각해봤다. 마음의 느낌을 느껴본다. 뚜렷하진 않지만, 또렷해지려는 어떤 태동이 느껴진다. 마음이 고요한 날에 작은 뛰이 삶을 움직이고 있음은 분명했다.

마음이 고요한 날에

발행 | 2024년 4월 22일
저자 | 황녘, 유명숙, 이한나, 체리, 김영신, 임유경, 류하, 바니, 오다솜, 조재호
펴낸이 | 이창현
디자인 | 비파디자인
펴낸곳 | 고유
출판사 등록 | 2022.12.12 (제2022-000324호)
주소 | 서울특별시 마포구 와우산로3길 29 2층
전화 | 070-8065-1541
이메일 | goyoopub@naver.com

ISBN | 979-11-93697-05-4 (03810)

www.goyoopub.com